APRENDA
más
RÁPIDO
y
Recuerde Más

Cómo los cerebros jóvenes y viejos
adquieren y rescatan información

D1502125

Aprenda más Rápido y Recuerde Más

Cómo los cerebros jóvenes y viejos
adquieren y rescatan información

por

David Gamon

y

Allen D. Bragdon

Grupo Editorial Tomo, S.A. de C.V.
Nicolás San Juan No. 1043
03100 México, D.F.

1a. edición, febrero 2005.

© *Learn Faster & Remember More*
Allen D. Bragdon and David Gamon, Ph. D.
Copyright © 2001 Allen D. Bragdon Publishers, Inc
Brainwaves Books.
Tupelo Road, Bass River, MA 02664 USA

© 2005, Grupo Editorial Tomo, S.A. de C.V.
Nicolás San Juan 1043, Col. Del Valle
03100 México, D.F.
Tels. 5575-6615, 5575-8701 y 5575-0186
Fax. 5575-6695
http://www.grupotomo.com.mx
ISBN: 970-775-078-2
Miembro de la Cámara Nacional
de la Industria Editorial No 2961

Diseño de Portada: Trilce Romero
Traducción: Grigori Karlenovich G. y Sorel Contreras M.
Formación Tipográfica: Servicios Editoriales Aguirre, S.C.
Supervisor de producción: Leonardo Figueroa

Impreso en México - *Printed in Mexico*

Aquí traigo romero, que es bueno para recordar.
Te lo ruego, amor, acuérdate.
Y aquí hay trinitarias para los pensamientos.

— Hamlet

Nueve meses después del nacimiento, un ser humano normal superará a cualquier primate adulto diferente de la especie humana, y para cuando comience su formación académica habrá dominado por sí mismo las habilidades que pocos adultos y ninguna tecnología podrían imitar —la fluidez en su lengua materna y la capacidad sorprendente para reconocer caras, por sólo mencionar dos de ellas.

El libro se divide en tres partes: en la primera, se describe lo que sucede en el cerebro durante los años de aprendizaje, incluyendo las funciones de los padres como protectores y modelos a seguir, los indicios de problemas de aprendizaje, la manera cómo se manifiestan los diversos tipos de inteligencia y temperamento. La motivación del niño para este increíble logro se rige por instintos de sobrevivencia innatos en los primeros meses de vida y, con el despertar de la autoconciencia en el segundo año, tal vez por un sentido de su vulnerabilidad y la necesidad de aprender. Para la edad de siete años, el cerebro se desarrolla lo suficientemente como para permitir que el niño se desempeñe con mayor responsabilidad en el entorno familiar que traerá consigo beneficios no sólo presentes sino también futuros.

La segunda parte de este libro trata las actividades y preocupaciones de un cerebro maduro que abarca el periodo desde los veinticinco años de edad cuando el cerebro alcanza el pico de sus capacidades, hasta entrados en los sesenta, cuando a menudo empiezan a presentarse las primeras señales de ralentización, lo cual a veces lleva a situaciones embarazosas. Esta sección presenta los factores que afectan en ese periodo y ofrece métodos para minimizar el peligro y desarrollar al máximo las capacidades con la ayuda del condicionamiento mental. Es común que en esta etapa de su vida la gente se enfrente con causas y efectos del estrés y que tenga que lidiar con ellos, así como con la importancia del sueño para almacenar en la memoria situaciones relevantes, respuestas emocionales adecuadas, estrategias para codificar información trascendental en la memoria y rescatarla de manera confiable, la forma cómo el cerebro estimula el proceso de aprendizaje, ejercicios para mantener la concentración, incluso los efectos que provocan en el cerebro realizar actividades como tomar café o comer.

En años posteriores, el conocimiento acumulado se convierte en la fuente de poder y los recuerdos se encuentran entre los mayores deleites. Con la jubilación viene el tiempo de cultivarse, pero también la acompañan factores simples que aceleran la disminución cognitiva. La segunda parte de este libro se enfoca en las oportunidades y los peligros, además incluye información actual y consejos para recordar nombres, el valor trascendental de la enseñanza, qué clase de ejercicios mentales retrasarán la ralentización, el poder del humor para alcanzar cierto nivel de concentración y sanearse mentalmente, cómo un estado de ánimo positivo agudiza el pensamiento, el rejuvenecimiento con la ayuda de ejercicio físico, la verdad acerca de suplementos alimenticios y tratamientos farmacológicos, así como las investigaciones que se están llevando a cabo por parte de la neurociencia para revertir los efectos de la demencia.

Este no es un libro más de cómo desarrollar la habilidad de la memoria en tan sólo diez días. Ya hay bastantes publicaciones de ese tipo que pueden proporcionar trucos útiles para librar fallas y debilidades de la memoria. Aquí describimos técnicas para mejorar la memoria, y además proporcionamos una explicación de lo que las investigaciones recientes sobre el cerebro han descubierto en cuanto a las formas de aprender y memorizar, acelerar el proceso de aprendizaje y mantener o incluso mejorar la memoria a un nivel más avanzado que simples trucos de retención.

Hoy en día cualquier persona interesada en la comprensión de cómo funciona el cerebro humano vive momentos emocionantes. Tan sólo una generación atrás, este libro no habría sido posible. Las nuevas tecnologías de imagen funcional (PET, fMRI, MEG,[1] entre otras) muestran la actividad cerebral tan detalladamente que la mayoría de los psicólogos o médicos del

---

[1] PET: Tomografía por Emisión de Positrones; fMRI: Imagen de Resonancia Magnética funcional; MEG: Magnetoencefalografía. Técnicas de diagnóstico funcional en neurociencia. (N. del T.)

siglo XX habría siquiera imaginado. Los avances en la biología molecular han permitido que los neurocientíficos localicen con exactitud las moléculas directamente relacionadas con el aprendizaje y la formación de la memoria, y especifiquen los cambios estructurales exactos que ocurren en los puntos de contacto entre las células cerebrales conforme se van creando los recuerdos. El desciframiento del genoma humano ha permitido identificar genes responsables por las distintas facetas de inteligencia y temperamento, así como aquellos que pueden llevar a las enfermedades cerebrales, tales como el síndrome de Alzheimer. Asimismo, las complejas técnicas de *cell-tracking* han revelado que el cerebro del adulto cuenta con células madre[2] capaces de producir nuevas neuronas sin límite.

Las implicaciones de estos recientes avances del saber son de gran alcance pero también pueden provocar miedo. Hoy en día los neurocientíficos no sólo saben cómo el cerebro codifica los recuerdos a niveles molecular y estructural, sino también cómo se puede manejar este proceso para hacer que el proceso de memorización sea automático y natural, cómo bloquear el proceso por completo, o incluso cómo eliminar los recuerdos ya formados. Las imágenes de PET permiten revelar las partes del cerebro que se activan al escuchar *una canción melodiosa y tranquila*, lo mismo aquellas que están en el estado activo (o, lo que es igual de importante, inactivo) durante una meditación o la Epifanía. Se avecina una vacuna contra la enfermedad de Alzheimer, que está diseñada para inducir el sistema inmunológico del cuerpo para que éste prevenga o arregle el daño causado por las proteínas beta amiloide que producen placa y perjudican las neuronas cuando éstas envejecen. Ahora es posible tomar en forma de tableta o inyección directa en el cerebro las hormonas o incluso las células madre responsables por el mantenimiento de la agudeza mental. El uso descontrolado de Pro-

---

[2] Células madre, conocidas también como células troncales, son aquellas que tienen la capacidad de dividirse ilimitadamente y dar lugar a diferentes tipos de células especializadas. Uno de los usos posibles que se pretende dar a las células madre *neuronales* consiste en el transplante del tejido fetal a cerebros adultos dañados en caso de enfermedades como la de Parkinson.

zac ha estimulado nuestra idea colectiva cultural acerca de cómo una pastilla que altera los sistemas cerebrales de neuro-transmisión no sólo puede mejorar el estado de ánimo, sino también manipular la energía, el autoestima y el temperamen-to junto con otros aspectos de la personalidad peligrosamente próximos al núcleo de nuestra identidad.

Al igual que siempre, los avances importantes conllevan tan-to peligros como esperanzas, además pueden llevar a remedios que resultan peores que las enfermedades. La comprensión de neurociencia a nivel básico es esencial para cualquiera que quiera defenderse y no estar desamparado; conocer los hallaz-gos de neurociencia a un nivel general se está volviendo una parte crucial de la educación cultural. No se puede esperar que los médicos de cabecera se mantengan al día en cuanto a estos hallazgos y mucho menos que los lleven a la práctica. Los re-sultados de las investigaciones son demasiado importantes en la vida de cada uno para confiar en las simplificaciones profanas o testimonios anecdóticos.

Este libro, como todas las publicaciones preparadas por *Brainwaves Center* para la publicación en la editorial *Brainwaves*, está dirigido al lector común que desea comprender y utilizar los hallazgos científicos que quizá sean poco conocidos fuera del mundo de los laboratorios corporativos de biotecnolo-gía y revistas especializadas. Es un objetivo apremiante, pues a pesar de que la gran parte de la tecnología en la que se basa la neurociencia es avanzada, críptica y costosa, muchos de los hallazgos pueden ponerse en práctica sin mayores inversiones y esfuerzos. Los conocimientos relevantes acerca de cómo me-jorar el funcionamiento de la mente y mantener el rendimien-to del cerebro no se divulgan a través de la propaganda comercial y la publicidad, pues al llevarlos a la práctica están totalmente disponibles para cualquiera, lo cual dificulta su explotación lucrativa como productos exclusivos. Así, como en muchas áreas de la salud pública y asistencia social, es necesa-rio que hagamos investigaciones por nuestra propia cuenta para enterarnos de las fuentes fidedignas sobre lo más reciente en el campo.

Así pues, el libro que el lector tiene en sus manos es una colección de información científica actual que contiene consejos prácticos para acelerar y fortalecer los procesos de aprendizaje y recuperación de memorias, así como para reafirmar la capacidad, confianza y productividad mental del lector y otras personas. Es por ello que dedicamos el libro a estudiantes y padres de familia, maestros y pedagogos que ayudan a desarrollar los placeres de la vida.

LOS AUTORES

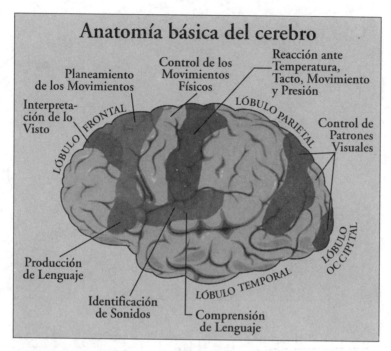

Anatomía básica del cerebro

Planeamiento de los Movimientos

Control de los Movimientos Físicos

Reacción ante Temperatura, Tacto, Movimiento y Presión

Interpretación de lo Visto

LÓBULO FRONTAL

LÓBULO PARIETAL

Control de Patrones Visuales

Producción de Lenguaje

LÓBULO OCCIPITAL

Identificación de Sonidos

LÓBULO TEMPORAL

Comprensión de Lenguaje

Glosario

Acetilcolina Neurotransmisor de función importante en la atención, aprendizaje y memoria.

Amígdala Parte del sistema límbico responsable de la respuesta a las amenazas.

Axón Prolongación de una neurona a través de la cual intercambia la información con otras.

Condicionamiento Respuesta aprendida a un estímulo que siempre precede un evento, como si el estímulo fuera el evento mismo.

Corteza Capa "arrugada" de células que cubre la superficie del cerebro; a veces se le llama *materia gris*.

Dendrita Ramificación de la neurona que recibe la información de otras células.

Dopamina Neurotransmisor antidepresivo que desempeña el papel central en el sistema interno de recompensación en el cerebro.

Glutamato Neurotransmisor que desempeña el papel central en la creación de conexiones de aprendizaje y memorización entre las neuronas.

Habituación Forma inconsciente de aprendizaje mediante la cual el cerebro aprende a pasar por alto un estímulo repetido que se ha categorizado como inocuo.

Hipocampo Parte del sistema límbico esencial en la creación de las memorias de largo plazo y acceso a ellas.

Lóbulos frontales La más recién desarrollada sección del cerebro utilizada para planeación consciente, solución de problemas y control de emociones.

Materia blanca Parte del cerebro ubicada bajo la corteza, que consiste principalmente en axones de las neuronas revestidas de mielina.

Materia gris Vea corteza.

Memoria declarativa Recuerdos cons-

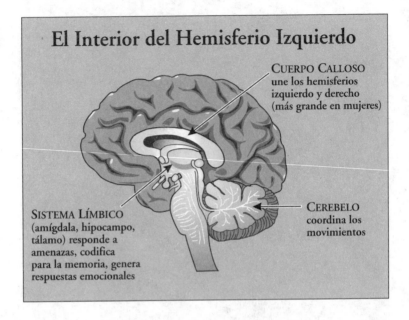

El Interior del Hemisferio Izquierdo

CUERPO CALLOSO
une los hemisferios
izquierdo y derecho
(más grande en mujeres)

SISTEMA LÍMBICO
(amígdala, hipocampo,
tálamo) responde a
amenazas, codifica
para la memoria, genera
respuestas emocionales

CEREBELO
coordina los
movimientos

cientes de hechos y sucesos; también llamada *memoria explícita*.

Memoria episódica Recuerdos conscientes que guardan el lugar y las circunstancias de lo ocurrido. A veces se denomina *memoria autobiográfica*.

Memoria funcional Memoria a corto plazo que almacena la información "en línea" y la utiliza para resolver problemas.

Memoria no declarativa Formas inconscientes de memoria y aprendizaje que influyen en la conducta sin que la persona se dé cuenta. También se le llama *memoria implícita*.

Memoria implícita Memoria automática utilizada para habilidades y hábitos, tales como andar en bicicleta o firmar un documento; se le conoce también como *memoria muscular*.

Mielina Una especie de aislamiento que recubre el axón de la neurona.

Neurogénesis Producción de nuevas neuronas.

Neurona Célula del sistema nervioso (esta denominación comprende también el cerebro). A veces se usa como sinónimo de *célula nerviosa*.

Neurotransmisor Sustancia sintetizada en las neuronas que éstas utilizan para la comunicación.

Potenciación a largo plazo Proceso en el cual se fundamentan el aprendizaje y la memoria, mediante el cual las neuronas adquieren sensibilidad a la estimulación por una neurona adyacente.

Potenciación Forma de memoria subliminal en la que cierta información puede darle pie a recordar otra.

Serotonina Neurotransmisor que actúa como un antidepresivo natural; su nivel aumenta al tomar fármacos como *Prozac*.

Sinapsis Una brecha diminuta entre las neuronas mediante la cual las sustancias neurotransmisoras transmiten los mensajes.

Sistema límbico Grupo de estructuras con funciones importantes en las emociones, la memoria y atención.

Subliminal Subyacente al nivel de la conciencia.

DESARROLLO DEL CEREBRO

El último trimestre de preparatoria

Aprendizaje en el útero

La evolución ha dotado a los bebés humanos de una capacidad increíble para aprender

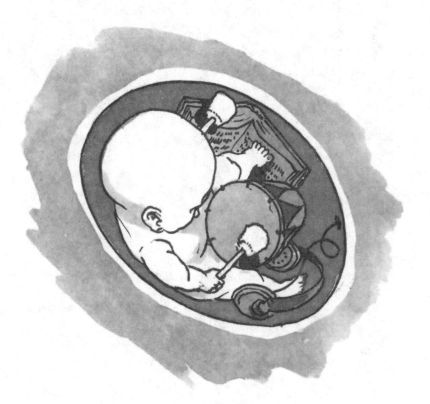

A diferencia de la cría de cualquier especie, los bebés humanos llegan a este mundo indefensos y desprotegidos. Un cachorro de alce puede ponerse de pie pocas horas después del nacimiento y correr al paso de un día. Por otro lado, los bebés humanos, que poseen un cerebro adaptable y ansioso por aprender, en los primeros dos años de vida pueden asimilar mucho más de lo que cualquier animal va a aprender durante la suya. En este periodo breve pueden incluso dominar lo básico de algo fantásticamente complejo y únicamente humano, esto es, el habla.

¿Por qué el cerebro humano está menos desarrollado al nacer que los cerebros de cualquier otro primate?

La teoría más difundida se fundamenta en el hecho de que los humanos caminan en la posición vertical, mientras que sus antepasados solían utilizar los brazos como patas delanteras, apoyándose en los nudillos al igual que los simios. Es probable que el humano haya empezado a erguirse para poder localizar a los depredadores y las presas por encima de la hierba de la llanura. (Esta suposición también puede explicar que el sentido del olfato sea más débil en humanos). Además, la postura vertical pudo haber facilitado la ventilación del cuerpo conduciendo el calor excesivo mediante la cabeza al aire encima de la hierba.

En el transcurso de la evolución, el peso de la posición vertical se ha de haber bajado a la pelvis que se hizo más gruesa para poder sostenerlo, lo cual estrechó el canal de nacimiento. Mientras que la pelvis iba haciéndose más gruesa, la cabeza del feto seguía creciendo a causa del cerebro cada vez más grande. Sea cual sea la verdadera razón, el feto humano tenía que nacer mucho antes de que el cerebro y la cabeza se desarrollaran por completo para poder pasar a través del estrecho canal.

¿Pueden los bebés aprender en el útero?

La fuerte necesidad en un bebé de aprender se compara en intensidad con una capacidad poco usual que se desarrolla paulatinamente en su cerebro. El hecho de estar desprotegido actúa como un fuerte estímulo para buscar maneras de sobrevivir en este nuevo ambiente fuera de la tranquilidad y protección del útero donde había comenzado el aprendizaje. Los científicos que estudian el proceso de aprendizaje y la memoria de los infantes hallaron que los fetos no sólo oyen lo que sucede fuera del útero, sino también pueden empezar a aprender y memorizar; en otras palabras, las memorias se forman incluso antes de que nazcamos.

Memorias que se forman en el útero

Toda madre sabe que para su bebé su voz es más preferible que cualquier otra y no es una de las presunciones maternas. Incluso en los primeros tres días de vida, los recién nacidos son capaces de distinguir la voz de su madre entre la de otras mujeres. Es más: les gusta tanto que hacen cualquier cosa con tal de escucharla. Los psicólogos lo saben a raíz de experimentos en los que a un recién nacido le dan la posibilidad de "producir" una voz —la grabación de una mujer que está narrando una historia— al mamar un chupón especial conectado a la grabadora. Si la grabación contiene el sonido de la voz de su madre, los bebés chupan con más vigor y mayor frecuencia que en el caso de la voz de cualquier otra mujer. (Tal vez sería interesante para los nuevos o futuros papás saber que el feto no adquiere esta preferencia por la voz del padre o ni incluso por cualquier otra voz fuera del útero aparte de la materna; así que no hay que sentirse ofendido si el bebé no le presta tanta atención).

Aprender a reconocer a la madre es un proceso más largo. Puesto que al nacer no hay manera para el bebé de saber cómo es su mamá, lo debe hacer después del nacimiento al relacionar la voz materna con la cara de donde ésta proviene, cosa que los infantes aprenden a hacer a un mes del nacimiento. Esto se puede comprobar por el hecho de que los bebés miran la cara de su mamá y pasan por alto el rostro de cualquier otra mujer que esté al lado de ella si se pone una grabación con la voz materna. Al paso de tres meses, los bebés ya pueden reconocer a la mamá sólo con la vista.

Podría pensarse que los recién nacidos reciben la preferencia por la voz materna al desarrollar una relación especial con la mamá después del nacimiento pero es una postura simplista. En un experimento, las futuras mamás leían en voz alta una historia determinada cada ocho días durante las seis últimas semanas del embarazo; resultó que después de nacer los bebés mostraron una preferencia precisamente por esta historia. Otro estudio demostró que si las mujeres embarazadas cantaban una cierta canción una vez al día durante las dos últimas semanas de su embarazo, los bebés preferían esta melodía a cualquier otra desconocida después del nacimiento. Así pues, los bebés no sólo oyen la voz de su mamá desde el útero y la reco-nocen después, sino también pueden escuchar con atención y recordar los más mínimos detalles de lo que escuchan, incluyendo las particularidades de las melodías y quizá hasta el sonido de ciertas palabras.

Cómo se sabe qué aprende el feto

Con otros estudios se ha visto lo que sucede dentro del útero con el fin de investigar la habilidad de aprender de los fetos en el último trimestre del embarazo. ¿Cómo es posible llevar a cabo un experimento así? Si producimos un sonido con un "estimulador vibroacústico" presionado contra el abdomen de la embarazada, el feto se moverá; si repetimos la acción varias veces, el feto finalmente dejará de moverse en respuesta al sonido. Esto demuestra que el feto se ha habituado, es decir, ha aprendido a reconocer el sonido y a no hacerle caso. Los efectos de este aprendizaje sencillo —disminución de la respuesta al mismo estímulo— son visibles en el feto no sólo después de diez minutos, sino también al paso de 24 horas.

Pero no se precipite a comprar un libro de latín para enseñarle un idioma clásico a su hijo que aún no nace. La habituación es un aprendizaje básico que compartimos con las moscas de la fruta y las babosas marinas. Además, se cree que los recién nacidos no entienden el significado de lo que escuchan.

Sin embargo, si la sobrevivencia del bebé recién nacido e indefenso depende de establecer un vínculo con la madre inmediatamente después del nacimiento, es de suponer que el cerebro infantil debe estar lo suficientemente desarrollado para poder reconocer los asuntos que atañen de manera directa su bienestar después del nacimiento. Por lo tanto, el proceso de vinculación debe de comenzar ya en el útero. Como hemos indicado, el feto puede dejar de reaccionar frente a un suceso que considera inofensivo con el fin de conservar la energía. Para poder identificar la fuente del alimento más tarde en la vida, el infante aprende a reconocer y buscar la voz de la madre, habilidad que le puede salvar la vida. Las investigaciones indican que los fetos adquieren la preferencia por los alimentos que consume la madre (por ejemplo, la zanahoria) y conserva esta predilección después del nacimiento. Queda sin resolver la cuestión si el bebé hereda los antojos que su madre presentaba en el tercer semestre del embarazo.

Bibliografía

Van Heteren, Cathelijne F., P. Focco Boekkooi, Henk W. Jongsma, y Jan G. Nijhuis (2000). Fetal learning and memory. *The Lancet*, 356: 1169-70.

Ward, C.D. y R.P. Cooper (1999). A lack of evidence in 4-month-old human infants for paternal voice preference. *Developmental Psychobiology*, 35(1): 49-59.

Autoevaluación "Una situación embarazosa"

¿**P**uede restablecer el orden de estas imágenes? Este ejercicio pone en práctica las habilidades de planeación ejecutiva y requiere de la capacidad de imaginarse en el lugar del Pequeño Rey, de ver las cosas desde su punto de vista para comprenderlo.

Vea la respuesta en la pág. 29

LOS OJOS LO DICEN TODO

Cómo los niños aprenden a leer el pensamiento

E l hombre es un animal social. Durante la evolución, hemos desarrollado la capacidad de deducir lo que podría estar pensando otra persona cuando dicen o hacen algo, y de predecir su conducta basándonos en esta inferencia. La comunicación entre dos personas es algo más que la simple comprensión de las palabras que cruzan. Los bebés empiezan a percibir las señales no verbales mucho antes de que aprendan a hablar.

A partir de la edad de cuatro meses, los niños pequeños aprenden a mirar a los ojos a otra persona para inferir su posible intención. Incluso en la edad de dos meses, los infantes se fijan más en los ojos que en cualquier otra parte de la cara. Para la mayoría de los animales, una mirada directa se considera una amenaza, pero para el hombre, también puede transmitir una señal de simpatía y afecto.

En un experimento realizado con los bebés de ocho y nueve meses, éstos miraban de manera automática a los ojos del adulto si la acción era ambigua; por ejemplo, si el experimentador les ofrecía un juguete y después lo retiraba o si lo colocaba enfrente del bebé y lo cubría con la mano. La comunicación visual se lleva a cabo tanto mediante la dirección en que miran los ojos como por mostrar el estado emocional. Incluso el tamaño de las pupilas tiene significado; a nivel inconsciente, consideramos más atractiva una persona si sus pupilas están dilatadas, quizá porque juzgamos que es un indicio de que somos nosotros los que llamamos el interés de la otra persona (vea el recuadro que aparece abajo).

Empezando con el primer año de vida, los bebés aprenden a interpretar la dirección de la mirada del adulto para inferir su destino o el pensamiento del adulto, cosa que otros anima-

Trucos de comunicación visual

El investigador de la Universidad de Chicago que estudia el "lenguaje de los ojos" Eckhard Hess afirma que en la Edad Media era popular entre las mujeres tomar el fármaco que dilata las pupilas llamado *belladonna* (lo que literalmente significa "mujer bella") con el fin de parecer más bonitas. Además, apunta que los compradores de jade en China se ponen lentes oscuros para ocultar los ojos de los vendedores, creyendo que las pupilas dilatadas delatarían su interés en una joya determinada. Se relata que los comerciantes de alfombras en Turquía utilizan la misma pista al tratar con los clientes europeos. Hess también reporta que en sus experimentos, las pupilas de los hombres heterosexuales se dilataban cuando éstos miraban fotografías de mujeres pero no cambian de tamaño con las imágenes de bebés u hombres; lo contrario ocurre con las mujeres, las cuales no presentaron dilatación de pupilas al ver las fotos de otras mujeres, pero sí con las imágenes de hombres o bebés.

Deducción del pensamiento

El término *teoría de la mente* se refiere a la habilidad de deducir los pensamientos de otros: conocimientos, creencias y deseos. Es una capacidad propia solamente de los humanos sin la cual se vuelve imposible la interacción social normal y que se desarrolla desde los primeros días de la infancia hasta la etapa media de ésta. Además, es una habilidad crucial para poder mentir y engañar con éxito.

Para la edad de cuatro años, en la mayoría de los niños se desarrolla una teoría de la mente que les permite manejar las *atribuciones de creencia del primer grado*, que les permiten sacar conclusiones como "él piensa que..." Las dos primeras historias que aparecen a continuación han sido redactadas para evaluar esta habilidad. Para los seis o siete años de edad, la mayor parte de los niños avanza hacia la etapa de las *atribuciones de creencia del segundo grado*, las cuales les permiten hacer deducciones como "él piensa que ella piensa que..." Evaluar esta habilidad es el propósito de la tercera historia en la pág. 29.

Atribuciones de creencia del primer grado (cuatro años)

La mamá de Joey le regaló una caja de chocolates para su cumpleaños. Cuando el niño se quedó solo, sacó los chocolates de la caja y los escondió en un contenedor de galletas. Su amiga Lisa se enteró de que a Joey le regalaron dulces para su cumpleaños; cuando fue de visita a su casa, vio la caja de chocolates y el contenedor. ¿Dónde va a buscar los chocolates Lisa?

Sally y Ann tienen canastitas de paja; Sally tiene además una preciosa canica de vidrio que le regaló su tía y que Sally guardó en la canastita. Después de que Sally se va a pasear, Ann saca la canica de la canastita de Sally y la pone en la suya. Cuando Sally regrese, ¿dónde va a buscar la canica?

(Continuará)

les, con la probable excepción de algunos primates, no hacen. En esta misma edad los bebés también aprenden a dirigir la mirada del adulto hacia el objeto al mover la mirada entre los ojos del adulto y el objeto, como si estuviera apuntando hacia él.

Un tipo más complejo de lectura de pensamiento entra en la categoría de *teoría de la mente*, para la cual es necesario poder entrar en la mente del otro para evaluar sus conocimientos y creencias. La mentira y otras formas de decepción requieren de esta habilidad. Para la edad de cuatro años, los niños pueden comprender el concepto de un enunciado como "sé que él sabe..." y al cumplir seis, pueden manejar las ideas como "sé que él sabe que ella sabe..." (vea el recuadro en la pág. 27).

Bibliografía

Baron-Cohen, Simon (1984). How to build a baby that can read minds: cognitive mechanisms in mindreading. *Cahiers de Psychologie Cognitive/Current Pscyhology of Cognition*, 13: 513-52.

Baron-Cohen, Simon y cols. (1997). Another advanced test of theory of mind: evidence from very high functioning adults with autism or Asperger's syndrome. *Journal of Chile Psychology and Psychiatry*, 38/7: 813-22.

Baron-Cohen, Simon, Alan M. Leslie y Uta Frith (1985). Does the autistic child have a "theory of mind"? *Cognition*, 21: 37-46.

Fletcher, P.C. y cols. (1995). Other minds in the brain: a functional imaging study of "theory of mind" in story comprehension. *Cognition*, 57: 109-28.

Hess, Echhard y S. Petrovich (1978). Pupillary behavior in communication. En A. Siegman y S. Feldstein (eds.), *Nonverbal Behavior and Communication*. Hillsdale, NJ: ed. Lawrence Erlbaum Associates.

Phillips, Wendy, Simon Baron-Cohen y Michael Rutter (1992). The role of eye contact in goal detection: evidence from normal infants and children with autism or mental handicap. *Development and Psychopathology*, 4: 375-83.

Atribuciones de creencia del segundo grado (de seis a siete años)

Durante la guerra, el ejército rojo captura a un soldado del ejército azul. El ejército rojo quiere saber dónde están los tanques del otro ejército; se sabe que los tanques pueden estar cerca del mar o en las montañas; además, se sabe que el soldado capturado va a mentir para salvar a los suyos. El soldado es muy inteligente y los tanques están en las montañas. El soldado informa al ejército enemigo: "Los tanques están en las montañas". ¿Por qué lo dijo?

(Basado en Baron-Cohen y cols., 1985 y Fletcher y cols., 1995)

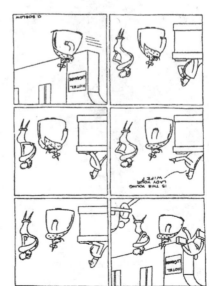

Orden correcto de las imágenes en la pág. 24

Los bebés son lingüistas autodidactas

¿Quiere enseñar gramática a su hijo?
Mejor preocúpese por repasarla usted mismo

Los bebés llegan a este mundo preparados para aprender el idioma, cosa que harán independientemente de su deseo, sin la necesidad de cualquier tipo de instrucción, pasando por una serie de etapas similares para todos los niños del mundo, sin importar si el idioma que estudian es suahili, mandarín o español. Lo único que necesitan es un poco de información en forma de datos proporcionados por su propio medio ambiente de manera automática, siempre y cuando estén rodeados por personas que hablan. Después, empiezan el análisis sistemático de su futura lengua materna, un análisis tan complejo y preciso que podría dejar en vergüenza a cualquier estudiante de lingüística. Parecen pequeños antropólogos especializados en lingüística que con entusiasmo y por instinto llevan a cabo los análisis fonológicos, morfológicos, semánticos y sintácticos de la lengua nativa de su país recién descubierto, con el fin de comprender sus reglas y convertirse en hablantes expertos.

¿Qué se considera "normal" para un niño?

En los típicos libros de texto que tratan de psicología, la adquisición del lenguaje generalmente suele dividirse en las siguientes etapas: aproximadamente de los cuatro a los seis meses de edad, los infantes producen breves y separados sonidos consonánticos y vocálicos, junto con chasquidos, susurros, gemidos y suspiros que tienen poca o nula semejanza con los sonidos de cualquier lenguaje. A la edad de seis meses entran en lo que se llama la etapa del balbuceo, articulando series de sonidos repetitivos que consisten en consonantes seguidos por vocales, como por ejemplo "ma". (Es curioso que durante esta etapa los bebés de todo el mundo casi nunca produzcan los sonidos que empiezan por vocal seguida por consonantes, tales como "am"). Al cumplir un año, el bebé deja atrás la fase del balbuceo y comienza a producir palabras reconocibles del idioma que se habla en su alrededor. Dentro de unos seis meses, un bebé adquiere en promedio un vocabulario de aproxi-

madamente 50 palabras. En este momento llega la hora de la
etapa de dos palabras, como "mamá va". El niño sigue perfec-
cionando su lenguaje hasta llegar a las estructuras sintácticamente más complejas a la edad de tres años. Un año después,
adquiere la noción de gramática; estamos hablando de la gramática real y no de las artificiales reglas prescriptivas como la
conjugación de verbos irregulares, esto es, básicamente lo que
maneja cualquier hablante adulto.

Los niños pequeños probablemente aprenden el idioma como los pajarillos aprenden a volar: nacen con las herramientas especializadas

El ritmo rápido de la adquisición del lenguaje, prácticamente
semejante para todos los niños (salvo aquellos que tienen defectos especiales o los que por una u otra razón carecen del
contacto con humanos), es predecible e inevitable. Es una de
las razones por las que a veces se afirma que la adquisición del
lenguaje es similar a otras conductas biológicamente progra-
madas, como lo es la visión binocular o el proceso de aprender a caminar o volar, ya sea en humanos u otras especies. Sin
embargo, los estudios más minuciosos muestran que la preco-
cidad del bebé es aun más sorprendente de lo que indica el
programa presentado más arriba. Mucho tiempo antes de que
el infante pueda pronunciar una sola palabra, ya está bastante
avanzado en el análisis fonológico de su lengua materna. Esta
primera etapa de la adquisición de lenguaje no se limita con el
simple reconocimiento de los sonidos que le son familiares y
por lo tanto pertenecen a su futura lengua materna; es algo
más complicado.

Predilección natural de los bebés por la voz materna

A la hora de nacer, el infante ya sabe distinguir el sonido de la
voz de su madre de otras mujeres (vea *Aprendizaje en el útero*).
Además, ya le es conocida la diferencia entre la lengua que
habla su madre —la *lengua materna*— y los idiomas extranjeros. De hecho, no sólo sabe distinguir entre las dos cosas, sino
prefiere la voz de la madre y la lengua materna a otras voces y

lenguas. Existen pruebas convincentes de que inicialmente los bebés aprenden a diferenciar la lengua materna y otros idiomas fijándose en la prosodia,[1] mucho antes de aprender a prestar atención a palabras específicas.

La razón por la que supuestamente existe la predilección temprana por la voz materna consiste en que ésta ayuda en el proceso del establecimiento de lazos afectivos entre la madre y el hijo; a la vez, dichos lazos le dan al bebé una evidente ventaja para la sobrevivencia. Pero surge otra pregunta: ¿de dónde viene la preferencia por la lengua materna? A final de cuentas, cuando el bebé se topa con muchas cosas en su ambiente, da preferencia a lo nuevo por encima de lo ya conocido. ¿Por qué esto es diferente en el caso del idioma?

La predilección del recién nacido por la lengua materna no es más que el primer paso en su determinación por concentrarse en los sonidos que desempeñan una función más importante en el proceso de adquisición del lenguaje. Tal vez, lo más sorprendente en este paso es la rapidez con la que los infantes aprenden a precisar su atención y descartar todo lo irrelevante para el aprendizaje del idioma.

Para el bebé todo es extranjero menos lo que escucha

Muchos lectores han escuchado que los bebés pueden producir el sonido de cualquier idioma antes de que aprendan qué conjunto limitado del inventario universal necesitan para su propio idioma. Esta afirmación no es del todo correcta. A todos los niños se les facilitan algunos sonidos más que otros. Las vocales no representan ninguna dificultad, al igual que tales sonidos consonánticos como "b", "n" o "d". Las fricativas ("f", "j", etcétera), africadas ("ch") o líquidas[2] ("r", "l") son más difíciles de pronunciar casi para todos los niños, por lo que se encuentran más raramente en esta etapa temprana.

---

[1] Los patrones de sonidos y ritmos en el habla (N. del T.).

[2] Consonantes que se encuentran entre otra consonante y una vocal, como la "l" o la "r" en "aplicar" o "traducir" (N. del T.).

Por otro lado, es cierto que los bebés muy jóvenes cuentan con la habilidad impresionante de poder escuchar cualquier sonido y sus variaciones, utilizadas en las 3,000 lenguas mundiales, incluso si su propia lengua materna no utiliza ninguna de estas diferencias. Por ejemplo, a un bebé japonés de cuatro meses no le cuesta trabajo distinguir entre la "l" y la "r", aun cuando sus propios padres no lo pueden hacer. Un infante de la misma edad nacido en Estados Unidos en un entorno de habla inglesa puede percibir la diferencia entre las tonalidades del chino que sus padres no podrían hacer por más que quisieran.

A pesar de lo anterior, muy pronto el oído del bebé se torna menos agudo. Desde luego, esto no sucede físicamente en el aparato auditivo; el cambio se da a nivel cerebral, el cual está acomodando su sistema de percepción fonética a las necesidades de un solo idioma. Al igual que muchas cosas en el desarrollo temprano del cerebro, este proceso de aprendizaje implica una pérdida de las sinapsis innecesarias paralelamente con el fortalecimiento de las importantes.

Tras haber llegado a la edad de seis meses, los infantes van perdiendo la habilidad de distinguir entre los sonidos vocálicos que diferenciaban tan sólo hace dos meses. Ésta es una de las razones por la cual con la edad el aprendizaje de un segundo idioma se hace más difícil que el primero, pues el cerebro reacomoda sus cables, por así decirlo, con el objeto de escuchar las diferencias solamente de la lengua materna y pasar por alto lo demás.

De este modo, el bebé de seis meses ya está llevando a cabo un complejísimo análisis fonológico de la lengua, separando las diferencias fonéticas importantes de las poco significantes. En esta etapa lo anterior sucede con las vocales y sólo después, al cumplir un año, con las consonantes. Así pues, pierden la capacidad de escuchar claramente las diferencias de sonidos que podrían ser importantes en otros idiomas.

Parece una tarea de suma complejidad, pero muchos aspectos de aprendizaje lingüístico difíciles para los adultos no representan problema alguno para un niño. La naturaleza provee al bebé con las herramientas necesarias de análisis, las cuales se pierden una vez cumplido su papel en el proceso de adquisición de la lengua materna. Por esto los bebés superan a cualquier adulto si se trata de aprender idiomas. Asimismo, un pequeño puede aprender varios idiomas a la vez con la misma soltura. Un argumento excelente a favor de enseñar lenguas extranjeras en el jardín de niños es la siguiente paradoja: las universidades se ven obligadas a establecer requisitos del conocimiento de lenguas extranjeras a los estudiantes que pagan por su educación mientras que los padres no podrían impedir que su hijo aprenda la lengua por más que quieran.

Bibliografía

Kuhl, Patricia K. (2000). A new view of language acquisition. *Proceedings of the National Academy of Sciences USA*, 97/22: 11850-57.

Kuhl, Patricia K. y cols. (1992). Linguistic experience alters phonetic perception in infants by 6 months of age. *Science*, 255: 606-8.

Moon, Christine, Robert Panneton Cooper y William F. Fifer (1993). Two-day-olds prefer their native language. *Infant Behavior and Development*, 16: 495-500.

Polka, Linda y Janet F. Werker (1994). Developmental changes in perception of nonnative vowel contrasts. *Journal of Experimental Psychology*, 20/2: 421-35.

¿Cálculo para pequeños?

Hoy en día con la aparición de exámenes de admisión para el kinder, algunos padres vanidosos piensan que pueden hacer que su niño sea más inteligente al acelerar su desarrollo normal. Existen varios trucos, algunos costosos, otros gratuitos, para darles ventaja intelectual a los niños.

El problema consiste en que los trucos específicos a menudo no son adecuados para la edad del niño y, por consiguiente, para su nivel cognitivo. Por ejemplo, existen pruebas suficientes a favor de que los fetos tienen la capacidad de escuchar e incluso recordar (vea *Aprendizaje en el útero*). Si es así, podría pensarse, ¿por qué no leerle en voz alta un fragmento de algún libro bueno para empezar a familiarizar al feto con los clásicos? El feto no comprende lo que escucha, así que no tiene mucho sentido leerle un libro como *El Quijote*. Además, se ha establecido que los bebés de seis meses saben diferenciar entre las cantidades de uno, dos y tres, lo cual quiere decir que comprenden nociones básicas de matemáticas. ¿Por qué, entonces, no utilizar las tarjetas con palabras y dibujos para ayudar al desarrollo temprano del dominio de algebra? Una vez más, el error lógico consiste en pensar que una técnica de enseñanza que funciona con los niños mayores podría ser de utilidad con los más pequeños. Resulta mucho más eficaz fomentar la estimulación apropiada para la edad que las técnicas de moda pasajera que tienen cierta relación con alguna que otra idea de neurociencia.

Indicios de la inteligencia temprana

¿Mi hijo es un genio?

Me gusta ir a diferentes lugares más que regresar. De ida, todo es interesante pero de regreso, veo las mismas montañas y nada nuevo.

Muchos padres se sienten orgullosos de sus hijos cuando éstos aprenden algo, como caminar, hablar o amarrarse las agujetas, antes que los hijos de los vecinos. ¿Será cierto que un desarrollo precoz significa mayores habilidades o inteligencia más tarde en la vida? ¿Hay otros tipos de conducta infantil que se pueden tomar como indicios de futuros éxitos? ¿Es posible predecir cuán inteligente será un niño a los diez años con verlo cuando tan sólo tiene diez meses? ¿Se puede hacer algo para mejorar su porvenir?

Las personas que observan de cerca el desarrollo de los niños, incluyendo madres con más de un hijo, saben que los pequeños siguen su propio ritmo de aprendizaje y adquisición de habilidades. La inteligencia se desarrolla con el transcurso de los años y a veces este proceso se acelera, cosa que algunos investigadores atribuyen a un desarrollo rápido de las sinapsis entre las neuronas. El orden de las etapas no se puede cambiar; asimismo, la mayoría de los científicos opina que es imposible acelerar las etapas. Diferentes tipos de aprendizaje requieren que el niño esté a una determinada etapa de desarrollo, así que los papás no pueden hacer nada en este caso. Por ejemplo, el niño no puede aprender la teoría de conjuntos antes de que su cerebro en desarrollo comprenda la noción de símbolos y de categorización.

Las pruebas variadas que pretenden medir la "inteligencia" de bebés incluyen diversas tareas de movimiento físico y de coordinación ("estando de espalda girar sobre su abdomen", "golpear con la cuchara"), así como las pruebas cognitivas para evaluar las capacidades mentales. Como regla general, estas pruebas no pueden determinar qué tan inteligente es el bebé ni tampoco mostrar su resultado en las pruebas de IQ (coeficiente intelectual) al paso de unos meses o años. Aun así, algunos investigadores consideran que ciertas pruebas cognitivas pueden, de alguna manera, predecir el futuro desarrollo intelectual.

Las mamás no necesitan tener un título en psicología para poder decir que a los bebés les gusta lo nuevo, pues les llama la atención algo que no habían visto. De hecho, un método para saber si el infante recuerda algo es ver si él trata un objeto como nuevo si se lo muestra otra vez.

Supongamos que a un niño pequeño se le muestra la foto de una cara; éste la examina, se aburre y aparta la mirada. Después de una pausa de unos cuantos segundos se le vuelve a mostrar la misma foto. Es probable que el bebé la mire pero al igual que la primera vez, se aburra y se distraiga pero más rápido; lo mismo sucederá aun más rápido la tercera vez y con el tiempo puede suceder que la foto le deje de interesar por completo. Este tipo de aprendizaje —dejar de prestar atención a un estímulo considerado conocido e inocuo— se llama *habituación*; los fetos en el útero aprenden de esta manera primitiva (vea *Aprendizaje en el útero*).

Los psicólogos encontraron que algunos bebés se interesan

más por los objetos nuevos que por los demás, en el sentido de que distinguen más decidida y rápidamente lo nuevo de lo viejo y sólo se fijan en lo nuevo. En otras palabras, se habitúan más rápido. Al parecer, sucede lo siguiente: aunque se enfocan en las novedades de inmediato, las procesan más rápido y pueden pasar al siguiente objeto nuevo.

En este aspecto, algunos infantes responden a lo nuevo con mayor entusiasmo que otros. Así, una reacción más fuerte a una muñeca nueva es lo mismo que una reacción débil a una vieja. El infante debe haber procesado la información visual que define la muñeca nueva como algo único y memorizándola bien para poder reconocer la muñeca como algo familiar cuando vea la próxima vez esta muñeca supuestamente nueva. Sólo la habilidad de recordar las características peculiares de la muñeca le permiten al bebé mostrar un mayor interés por algo que no le es familiar. Así pues, una fuerte respuesta a lo nuevo puede significar que el bebé procesa este tipo de información más rápido y recuerda mejor sus resultados.

¿Qué tan largo es el periodo de atención de mi bebé?

Los psicólogos hallaron que el periodo de atención de algunos bebés es más prolongado que el de otros; es decir, que algunos prestan atención a un objeto nuevo por periodos más largos la primera vez que lo ven. Podría pensarse que los del periodo más largo pueden aprender más, pero en realidad es el otro grupo el que lleva la ventaja, pues los primeros se tardan más en investigar la misma información que los segundos e incluso a veces asimilan menos información. En otras palabras, los del periodo más corto pueden ser más hábiles en recibir y procesar información nueva.

Muchos neuropsicólogos opinan que este tipo de velocidad de procesamiento de información puede resultar en un mejor desempeño en las pruebas de IQ después de unos años, suponiendo que esta habilidad es innata y, por lo tanto, se conserva a lo largo de toda la vida más o menos estable. Inclusive hay quienes piensan que una respuesta positiva a lo nuevo implica inteligencia. Existen pruebas de que algunos cerebros operan relativamente más rápido que otros. Además, los investigadores han encontrado que los bebés más rápidos en las pruebas con objetos nuevos tienden a mostrar en promedio mejores resultados en las pruebas de IQ en la infancia temprana y media. Así, algunas personas pueden tener ventaja sobre otras desde la infancia.

Es probable que exista otra manera de entender la diferencia entre los bebés con periodos de atención más cortos y más largos: consiste no sólo en la velocidad de procesamiento, sino también en su estilo. De acuerdo con algunos estudios, los bebés con periodos más cortos procesan una forma visual al echar un vistazo rápido de la imagen en total; los bebés con periodos más largos suelen enfocarse más en las partes específicas de la imagen, de manera que la diferencia puede yacer en lo que a veces llaman imprecisamente estilos de procesamiento de información "de hemisferio derecho" (los bebés con periodos más cortos) y "de hemisferio izquierdo" (los bebés con periodos más largos).

Otros factores que intervienen

Las estrategias de procesamiento de información visual cambian conforme se va desarrollando la mente infantil. Las pruebas con los infantes y con los niños a nivel preescolar muestran que los más pequeños reconocen a las personas al fijarse en las características visuales específicas, tales como el bigote, el tipo de cabello, los lentes o el color de piel. Por eso un infante puede soltarse a llorar al ver que su papá se pone una nariz rara para una fiesta de cumpleaños. Ante los ojos del bebé, esta diferencia es suficiente como para convertir la familiar cara cariñosa en un total desconocido. La mente de los niños más grandes está desarrollada lo suficiente como para emplear la estrategia "adulta" y determinar si una cara les es familiar o extraña. Son capaces de buscar rápidamente los abstractos patrones comunes de áreas oscuras o claras, tonos y formas.

No obstante, hasta cierto grado existe la correlación entre la velocidad de procesamiento de información en la infancia y el

IQ en los años posteriores. ¿Por qué decimos "hasta cierto grado"? Suponiendo que la velocidad de procesamiento es constante, debe haber otros factores que influyen en la inteligencia en desarrollo de una persona. ¿Cuáles son? Es evidente que el interés en lo nuevo no sirve de mucho si el ambiente no proporciona nuevos objetos para explorar, mientras que un ambiente más rico en detalles podría ayudar al bebé a aprender más habilidades incluso si su velocidad de procesamiento de información es más baja. Todos los niños tienen la necesidad natural de aprender y explorar; lo único que obstaculiza esta preferencia innata es la falta de nuevos objetos. En este aspecto, el ambiente siempre tiene la última palabra cuando se trata del desarrollo de la inteligencia.

Bibliografía

Colombo, J. (1993). *Infant Cognition: Predicting later intellectual functioning*. Newbury Park, CA: ed. Sage Publications.

DiLalla, Lisabeth F., y cols. (1990). Infant predictors of preschool and adult IQ: a study of infant twins and their parents. *Developmental Psychology*, 26/5: 759-69.

McCall, Robert B. y Michael S. Carriger (1993). A meta-analysis of infant habituation and recognition memory performance as predictors of later IQ. *Child Development*, 64: 57-79.

Stoecker, J.J., J. Colombo, J.E. Erick y J.R. Allen (1998). Long- and short-looking infants' recognition of symmetrical and asymmetrical forms. *Journal of Experimental Child Psychology*, 71/1: 63-78.

NACIMIENTO  ...sólo escucha

1 año  ...primera palabra

1 ½ años ...50 palabras

2 años  ...frases
...aprendizaje de
gramática

4 años 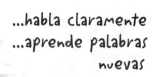 ...habla claramente
...aprende palabras
nuevas

7 años ...vocabulario de
10,000 palabras

Aprender a hablar

Razones por las que un bebé puede
aprender más lento de lo normal

Los niños de todo el mundo tienen en sus genes una necesidad natural de aprender a hablar. Prácticamente cualquier bebé está genéticamente preparado para desarrollar la motivación y las áreas cerebrales necesarias para aprender uno o más idiomas que escucha en su alrededor sin la ayuda o instrucción especial. Los padres nunca tienen que explicar cómo se conjuga un verbo en pasado o aclarar la diferencia en pronunciación de diferentes palabras, pues un niño normal aprende lo anterior sólo al escuchar.

Para la edad de los cuatro años, el niño habla con fluidez al haber pasado por una serie de etapas prácticamente iguales para todos los niños y todos los idiomas a nivel mundial. Las palabras separadas, a la edad de un año, se convierten en frases que contienen varios vocablos a la edad de cuatro y el vocabulario de 50 palabras se expande hasta 10,000 en cinco años. El habla de un niño de dos años madura, y para los siete se convierte en un repertorio complejo que contiene todos los sonidos del idioma dominados a la perfección. En promedio, las niñas tienden a desarrollarse un poco más rápido que los niños en cuanto a los sistemas de aprendizaje del habla.

Sin embargo, hay excepciones a esta regla. El retraso mental o la sordera pueden crear obstáculos en la vía natural por la cual avanza la adquisición del lenguaje. La influencia de las sustancias químicas o accidentes físicos que pudo haber sufrido el feto, o bien los genes que contienen información anómala, pueden dificultar el aprendizaje normal incluso si el niño es sano e inteligente en cuanto a lo demás. Algunos de estos trastornos están agrupados por los psicólogos en el grupo general denominado *Trastorno específico del lenguaje* o TEL.

Los trastornos que forman parte de este grupo están relacionados sólo con la habilidad de hablar y no pertenecen a los problemas generales de desarrollo cognitivo, inteligencia, traumas emocionales o ambiente "empobrecido". El hecho de que hay

Etapas típicas del desarrollo del lenguaje de acuerdo con la edad

De 0 a 1 año: Balbucea; aprende a reconocer su propio nombre.

1 año: Pronuncia palabras separadas, como *papá, más, oso.*

1.5 años: Tiene vocabulario activo de aproximadamente 50 palabras; empieza a combinar vocablos, formando uniones como *galleta papá, todos fueron, mano duele, pantalón pipí.*

De 2 a 3 años: Tiene vocabulario productivo de aproximadamente 500 palabras a la edad de dos años y medio. Las combinaciones de palabras se hacen más complejas: *me siento, ahí viene, veo el gatito.* Empieza a utilizar los morfemas gramaticales, tales como el participio, la forma plural, el artículo, los tiempos del pasado. Aprende a aplicar la negación y la pregunta: *¿Me ayudas?* o *No te conozco.*

De 3 a 4 años: Empieza a utilizar oraciones complejas y compuestas: *Te muestro cómo se hace, Mira cómo me siento, Quiero ésta porque es más grande.*

niños que nacen con un cerebro que aparentemente funciona bien en todas las habilidades menos en la del lenguaje puede significar que existen genes específicos que rigen las regiones de procesamiento del lenguaje en el cerebro y que no funcionan bien. Todos los trastornos del lenguaje que se describen a continuación son más comunes entre los niños y tienden a transmitirse por herencia.

Influencia de los genes heredados

La mayoría de los TEL se originan a raíz de una falla en el funcionamiento normal de ciertos genes. No obstante, recientemente se ha identificado el gen responsable del trastorno del lenguaje que afectaba a la mitad de los miembros de una familia londinense. Estas personas, aunque eran normales en lo demás, tenían un trastorno del habla tan obvio que las personas desconocidas no les entendían. La enfermedad de la que se trata parece surgir a partir de la disrupción de un gen en el cromosoma 7, ubicado en la misma posición que el gen relacionado con el autismo.

El problema ocasional de relacionar los sonidos y sus significados en una secuencia correcta

Muchos investigadores opinan que ciertos casos de los TEL no son un problema específico para el lenguaje. Desde su perspectiva, el trastorno a veces puede surgir de un problema con la *memoria funcional*, que es el sistema de memoria a corto plazo utilizada para almacenar, manipular y aplicar los datos con el fin de solucionar una dificultad. Algunas personas que padecen los TEL tienen impedimentos para almacenar en esta memoria los sonidos del habla; en otros casos, el problema con la memoria a corto plazo puede ser más general. Así, un experimento mostró que algunos niños con TEL memorizan y reproducen cualquier serie de sonidos con cierto esfuerzo, incluso si los sonidos no son del habla. La operación adecuada de la memoria funcional ayuda en varias habilidades de lenguaje y lectura, tales como la creación de un buen vocabulario, aprendizaje de un idioma extranjero o formación de hábitos de lectura a un nivel alto.

Todos los niños desarrollan las habilidades lingüísticas a un ritmo diferente, por lo cual evaluar si el niño tiene dificultades relacionadas con el aprendizaje del lenguaje que precisan solución puede ser una tarea difícil.

A algunos de los papás preocupados les sirve de consuelo la historia de Albert Einstein, quien aprendió a hablar tan lento que

Ejemplo de una historia narrada por un niño de cuatro años y medio con TEL

El hombre subió al barco. Él brincó del barco. Él mece el barco. Su cosa se cayó. Su otra cosa se cayó. Él cae, cae, se cayó del barco.

(De *Lindner and Johnston, 1992*)

EVALUACIÓN: REPETICIÓN DE PALABRAS INVENTADAS

Una manera de predecir el desarrollo del vocabulario y las habilidades de lectura y aprendizaje de lenguas extranjeras

Antecedentes

En algunos estudios se encontró que si el niño es capaz de repetir palabras inventadas (esto es, las que no existen en el idioma), es probable que con el tiempo adquiera un buen vocabulario. El tipo de la memoria a corto plazo que le permite al niño repetir una serie desconocida de sílabas (el componente del *circuito fonológico* de la memoria funcional) es una habilidad importante para aprender nuevas palabras. Asimismo, los investigadores han descubierto que el hecho de poder repetir las palabras no existentes a la edad de cuatro años es un buen pronóstico de obtener un amplio vocabulario y desarrollar habilidades de lectura un año después. Por el contrario, la incapacidad de repetir tales palabras puede indicar problemas para adquirir vocabulario y aprender idiomas en un futuro, así como ser una señal probable de dislexia.

Indicaciones

Pida al niño que repita cada una de las palabras inventadas que aparecen en la siguiente página inmediatamente después de que usted las diga. El grupo de "buenos resultados", clasificado por grupos de edad, equivale a los resultados de niños relativamente bien desarrollados de clase socioeconómica alta de la ciudad de Cambridge, Inglaterra.

Resultados

Buenos resultados:

Niños de cuatro años: Por lo menos cinco palabras de una sílaba, cinco de dos sílabas, cuatro de tres sílabas y tres de cuatro sílabas.

Niños de cinco años: Por lo menos siete palabras de una sílaba, siete de dos sílabas, seis de tres sílabas y cinco de cuatro sílabas.

Niños de seis años: Por lo menos ocho palabras de una sílaba, ocho de dos sílabas, siete de tres sílabas y seis de cuatro sílabas.

(A) Palabras inventadas de una sílaba

Sep	Gral
Jond	Fot
Bif	Nat
Smip	Jip
Clir	Lut

(B) Palabras inventadas de dos sílabas

Penel	Balo
Rubid	Diler
Banu	Jamen
Glisto	Sladi
Tafle	Prine

(C) Palabras inventadas de tres sílabas

Dopelate	Banifer
Barrazon	Comerine
Tiquiri	Glisterin
Frescovent	Trumpetine
Brasterer	Squiticul

(D) Palabras inventadas de cuatro sílabas

Guogalimic	Feneriser
Conecitate	Lodenapis
Peneriful	Contramponis
Perplisteron	Blontertapin
Stopogretic	Empliforven

su familia pensó que el niño era un retrasado mental. Los niños generalmente aprenden a hablar pasando por etapas determinadas que se presentan por etapas en la pág. 44.

Síntomas usuales de los trastornos del habla

Existen algunos tipos más comunes del TEL:

Déficit fonológico-sintáctico: Los niños con este problema tienen dificultades para pronunciar correctamente y descodificar la sintaxis, es decir, las reglas que rigen la manera de enlazarse y ordenarse las palabras en una oración. (Por ejemplo, la oración "Me gustan los muñecos y cochecitos azules" es sintácticamente ambigua y puede ser interpretada de dos maneras). A estos niños les cuesta trabajo comprender los enunciados largos y complejos; es probable que no hablen mucho y con poca claridad.

Trastorno semántico-pragmático: Los niños que padecen este problema no tienen dificultades de pronunciación, sino que les cuesta trabajo entender los significados de las palabras, así como las reglas más sutiles que rigen el uso de éstas en el contexto social (*pragmática*). Un ejemplo de este trastorno es la dificultad para entender la oración "¿Te gusta la menta?" como una probable oferta indirecta o "Tu recámara está muy desordenada" como una probable orden indirecta. Son los niños y adultos autistas los que a menudo sufren de este tipo de problemas con la pragmática.

Déficit léxico-semántico: Los niños con este trastorno comprenden las preguntas y enunciados que están fuera del contexto con mucha dificultad. Asimismo, frecuentemente les cuesta trabajo escoger bien las palabras para construir sus propias oraciones.

Dispraxia evolutiva verbal: Los niños diagnosticados con este trastorno no pueden manejar apropiadamente el aparato vocal, lo cual hace su habla muy difícil de entender. La familia londinense con un trastorno genético del habla padece dispraxia evolutiva; su comprensión del lenguaje no se ve afectada.

Bibliografía

Fischer, Simon E. y cols. (1998). Localization of a gene implicated in a severe speech and language disorder. *Nature Genetics*, 18: 168-70.

Gathercole, Susan E. y Alan D. Baddeley (1989). Evaluation of the role of phonological STM in the development of vocabulary in children: a longitudinal study. *Journal of Memory and Language*, 28: 200-13.

Gathercole, Susan E. y cols. (1991). The influences of number of syllables and wordlikeness on children's repetition of nonwords. *Applied Psycholinguistics*, 12: 349-67.

Lai, C.S. y cols. (2000). The SPCH1 region on human 7q31: genomic characterization of the critical interval and localization of translocations associated with speech and language disorder. *American Journal of Human Genetics*, 67/2: 357-68.

Montgomery, James W. (1998). Sentence comprehension and working memory in children with specific language impairment. En *Memory and Language Impairment in Children and Adults: New Perspectives*, Ronald B. Gillam (ed.). Gaithersburg, MD: ed. Aspen Publishers.

Montgomery, James W. (1995). Examination of phonological working memory in specifically language-impaired children. *Applied Psycholinguistics*, 16: 355:78.

Wijsman, E.M. y cols. (2000). Segregation analysis of phenotypic components of learning disabilities. I. Nonword memory and digit span. *American Journal of Human Genetics*, 67/3: 631-46.

EFECTOS DE LA NEGLIGENCIA SOBRE EL CEREBRO EN DESARROLLO
El caso de los huérfanos rumanos

Es evidente que con el fin de conocer qué efecto provoca un ambiente desfavorable sobre el cerebro humano en desarrollo los investigadores no pueden llevar a cabo los experimentos que suelen hacer en ratas o simios; por consiguiente, están obligados a basarse en los datos reunidos en los experimentos "naturales".

Hace poco tiempo, centenares de huérfanos rumanos fueron adoptados por familias británicas acomodadas después de haber sido descuidados en los orfanatorios rumanos bajo el régimen de Nicholae Caeucescu. Las condiciones en estas instituciones reflejaban el tipo de ambiente "empobrecido" que los investigadores establecen para las ratas en experimentos biológicos. Los huérfanos dormían en camas con barandales, tenían pocos juguetes y escasa atención por parte del personal.

Cuando los huérfanos llegaron a los países donde vivían las familias que los adoptaron, su desarrollo se vio seriamente afectado. Siguiendo su progreso, los científicos lograron entender a qué edad era demasiado tarde corregir los problemas del desarrollo cerebral provocados por la privación temprana, si es que había un límite de edad.

En su mayoría, los datos que obtuvieron eran consoladores, pues la mayoría de estos niños lograron igualarse cognitivamente con los niños normales en tan sólo pocos años. Sin embargo, los niños más grandes no se recuperaron por completo y este hecho hace necesario volver a comprobar los hallazgos alentadores.

La conclusión consiste en que el cerebro humano tiene afortunadamente una muy fuerte capacidad de recuperación y puede reponerse casi por completo incluso después de las privaciones más severas en los primeros años de vida. En el caso de los huérfanos rumanos, la posibilidad del futuro desarrollo no desapareció por completo en ningún momento de sus primeros tres años de vida.

NEGLIGENCIA

La peor forma de afectar el aprendizaje

Últimamente han aparecido muchos artículos sobre la importancia de los primeros tres años de vida para el cerebro infantil en desarrollo. Las noticias, aunque alentadoras, también contienen una amenaza: si el cerebro de un bebé no se estimula correctamente y en cantidades adecuadas, las posibilidades del futuro desarrollo pueden desaparecer, dejando al niño limitado en algunos aspectos.

Lo bueno es que el cerebro infantil busca en su ambiente la estimulación necesaria con tanta avidez que las circunstancias deben ser sumamente extremas para que el cerebro no encuentre cosas que necesita para desarrollarse de manera adecuada. Por fortuna, los humanos guardamos la posibilidad del futuro desarrollo por mucho tiempo y si los recientes avances de la neurociencia nos pueden enseñar algo, es que el cerebro humano es un órgano con la inmensa capacidad de recuperación que puede cambiar y desarrollarse no sólo a lo largo de los primeros años después del nacimiento, sino durante la vida entera.

No obstante, es cierto que la negligencia puede privar el cerebro en desarrollo de los datos que necesita para realizar por completo su potencial. La negligencia puede despojar al niño de la autoconfianza que necesita para aceptar nuevos retos en la vida. El maltrato puede encaminar a la mente joven hacia los caminos que lo lleven a problemas de estado de ánimo, así como a dificultades cognitivas y de conducta más tarde en la vida. Sólo a principios de los noventa los investigadores pudieron acceder a las tecnologías de escaneo cerebral que pueden representar con exactitud la manera cómo las experiencias tempranas pueden desfigurar el cerebro. El creciente volumen de conocimientos sobre el proceso en el cual el ambiente temprano negativo altera el cerebro también es de utilidad para los padres de niños que crecen en ambientes básicamente positivos.

La inseguridad que crean la negligencia y el maltrato afectan el cerebro en desarrollo de manera similar

De alguna manera, la negligencia y el maltrato violento pueden ser muy similares en cuanto al cerebro infantil. La negligencia no sólo se trata de aburrimiento o falta de nueva información para el aprendizaje adecuado, sino que representa un estrés para el niño. Los estudios llevados a cabo en animales mostraron que en caso de separar al recién nacido de la madre de inmediato aumenta el nivel de hormonas de estrés de éste. Los infantes también necesitan la atención de un padre que los ame. Así, en los bebés de nueve meses el nivel de hormonas de estrés —medido mediante una sencilla prueba de saliva— se incrementa en respuesta a un padre frío y alejado, a diferencia de uno amigable y afectuoso.

Es importante prestarle atención al bebé no sólo para darle consuelo emocional. En la mente indefensa de un pequeño que siente la atención de otros se crea una sensación de protección. De hecho, un sabio maestro de psicología infantil en una ocasión le aconsejó a una pareja que estaba a punto de convertirse en padres que podían cometer cualquier error en la educación de su hijo siempre y cuando mantuvieran la seguridad de éste en tres puntos: que sus padres se amaban, que querían brindarle su atención y que siempre había comida. Para los bebés lo mismo que para los niños pequeños, estas tres constantes significan seguridad.

La falta de seguridad ocasiona estrés

Los experimentos en otros animales, como ratas o simios, muestran que el estrés crónico lleva no sólo a un incremento en la producción de hormonas de estrés, sino también a la muerte de neuronas cerebrales y sitios de receptores, llegando en ocasiones a daños cognitivos. Por otro lado, algunos experimentos muestran también que el contacto físico y la atención adecuados en la edad temprana —cuando, por ejemplo, la madre de los cachorros los lame y limpia— puede ayudar a minimizar su respuesta autodestructiva al estrés para toda la vida. De este modo, su sistema cerebral funciona mejor para modular la respuesta al estrés, pierden menos neuronas e incluso presentan en menor grado problemas cognitivos en la edad avanzada.

Cómo el cerebro causa estrés y responde a él

Una de las áreas mejor estudiadas del sistema de respuesta al estrés en el cerebro y cuerpo se llama eje *hipotalámico-pituitario-adrenal* (HPA). Los primeros dos órganos del cerebro son responsables de liberar la hormona llamada adrenalina en la sangre (vea *Estrés*). En el sistema HPA, percibir el estrés provoca una sobreproducción de hormonas de estrés que actúan como receptores en el cerebro. Las hormonas de estrés conocidas como *glucocorticoides* hacen que la *amígdala*, el centro cerebral para la detección de amenazas, entre en estado de alerta elevado para poder "decir" al cuerpo si se debe responder a la amenaza o huir. Sin embargo, este estado está lejos de ser el óptimo para el aprendizaje y tiene dos desventajas: a corto plazo, puesto que el estímulo que hace que la amígdala entre en estado de "lucha o huída" también implica la suspensión de otros sistemas cerebrales, incluyendo los responsables de aprendizaje o memoria; a largo plazo, pues las hormonas de estrés pueden causar daño permanente en dichos sistemas.

APEGO INSEGURO
Cuando el niño no encuentra consuelo en la madre

Los defensores de una teoría del desarrollo infantil conocida como *de apego* sostienen que la naturaleza de la relación del bebé con la madre en los primeros años de vida puede tener un efecto duradero en su cerebro y conducta. Según esta teoría, el infante será más sano si la madre (o, menos frecuente, el padre) se acostumbra a responder a los indicios de incomodidad o inquietud con consuelos. Esta respuesta origina un "apego seguro" en la mente del bebé, ayudándole a construir una actitud sana y adecuada hacia la vida. Inclusive en el caso de un niño que nació con un temperamento ansioso, el "apego seguro" protege su cerebro en desarrollo de los efectos devastadores de las hormonas de "estrés" (glucocorticoides). Sin embargo, si la madre suele no responder a los llamados de su hijo para consolarlo, no le hace caso, lo maltrata o incluso presenta ansiedad para con él, pueden desarrollarse varios

Algunos investigadores mantienen que el estrés en la edad infantil también puede provocar problemas de aprendizaje en otros aspectos. Cuando el cerebro hace el intento por lidiar con el estrés, incrementa el nivel de *dopamina*, una de las sustancias químicas naturales del cerebro que sirve para transmitir las señales entre las células pero también da una sensación de satisfacción y bienestar. Sin embargo, el nivel alto de dopamina interfiere con el funcionamiento correcto de la *corteza prefrontal*. Esta área en la parte más superior del cerebro es responsable de muchos tipos de conducta que los niños pueden presentar cuando intentan aprender algo nuevo, en concreto, el planeamiento, la organización, la concentración y el descarte de las distracciones. Quizá no sea casualidad que muchos científicos opinen que el *Déficit de Atención-Trastorno de Hiperactividad* (DATH) está relacionado con el desequilibrio en el tipos de apego inseguro con un posible efecto perdurable en el cerebro y la conducta del niño.

Los psicólogos utilizan una prueba llamada "situaciones extrañas" para evaluar el grado de apego en los bebés de un año. *Grosso modo*, la prueba está ideada para estresar un poco al infante y observar si éste se calma con la presencia de la madre. Primero, la madre y el hijo entran en una habitación desconocida llena de juguetes; después, la madre sale y regresa dos veces. Lo que buscan los psicólogos es la reacción del bebé frente a la salida y el regreso de su madre. Se considera un resultado positivo cuando el pequeño se ve un poco angustiado o molesto cuando la mamá se sale, la saluda cuando regresa, se calma y se pone a jugar. Todo esto es señal de un apego seguro. Se considera apego inseguro cuando en el comportamiento del bebé se observan tres variaciones de conducta: 1) El infante no se angustia cuando la madre sale y la evita cuando regresa; 2) El infante se ve extremadamente angustiado cuando la madre sale, se acerca a ella cuando regresa pero no se calma; 3) El infante se ve confundido o desorientado.

sistema dopamínico en el cerebro. Por lo tanto, el estrés crónico en los primeros años de vida puede llevar a la incapacidad para aprender o, al menos, influir en su desarrollo.

Posibles acciones para reducir las causas y el efecto del estrés en los años de desarrollo

Si aplicamos los estudios en animales descritos más arriba a los humanos, podemos darnos cuenta de que el contacto físico del bebé con un ser querido puede ayudar a proteger el cerebro de los efectos dañinos de glucocorticoides aun después de la infancia. Asimismo, puede protegerlo de los trastornos mentales como la depresión, anorexia nerviosa, esquizofrenia y la enfermedad de Alzheimer, que según la opinión de algunos investigadores están relacionados con la hiperactividad del sistema de respuesta al estrés del cerebro y cuerpo.

Bibliografía

Arnsten, A. (1999). Development of the cerebral cortex: XIV. Stress impairs prefrontal cortical function. *Journal of the American Academy of Child and Adolescent Psychiatry*, 38: 220-22.

Charney, D. y cols. (1993). Psychobiological mechanisms of post-traumatic stress disorder. *Archives of General Psychiatry*, 50: 294-305.

Glaser, Danya (2000). Child abuse and neglect and the brain — a review. *Journal of Child Psychology and Psychiatry*, 41/1: 97-116.

Gunnar, M. y cols. (1992). The stressfulness of separation among 9-month-old infants: effects of social context variables and infant temperament. *Child Development*, 63: 290-303.

Liu, D. y cols. (1997). Maternal care, hippocampal glucocortocoid receptors, and hypothalamic-pituitary-adrenal responses to stress. *Science*, 277: 1659-62.

O'Brien, John T. (1997). The "glucocorticoid cascade" hypothesis in man: prolonged stress may cause permanent brain damage. *British Journal of Psychiatry*, 170: 199-201.

O'Connor, T.G. y cols. (2000). The effects of global severe deprivation on cognitive competence: extension and longitudinal follow-up. *Child Development*, 71/2: 376-90.

Plotsky, P. y M. Meaney (1993). Early postnatal experience alters hypothalamic corticotrophin-releasing factor (CRF) mRNA, median eminence CRF content and stress-induced release in adult rats. *Molecular Brain Research*, 18: 195-200.

Rutter, Michael y cols. (1998). Developmental catch-up, and deficit, following adoption after severe global early privation. *Journal of Child Psychology and Psychiatry*, 39/4: 465-76.

Conciencia de la propia identidad

La pareja terrible

E n muchas culturas del mundo existen mitos cosmogónicos semejantes a la historia del Edén en el Antiguo Testamento. En principio, las personas eran inocentes y estaban a solas con el mundo que les rodeaba. Después surge un tipo particular de conocimiento que destruye el paraíso. (En el Génesis, es el conocimiento de la diferencia entre el bien y el mal). Este saber viene acompañado de la conciencia de sí mismo y de su propia identidad. Adán y Eva miran hacia abajo y se percatan de que están desnudos, comprendiendo el significado de la vergüenza. Por primera vez, se sienten separados del resto de la creación. El paraíso se termina. Se convirtieron en humanos plenos, tal y como los conocemos, y hasta la fecha estamos pagando por este conocimiento con el dolor y la neurosis que implica la conciencia de sí mismo: culpa, vergüenza, frustración, alienaciones… En recompensa, sabemos que depende de nosotros si elegimos el camino del bien o del mal y que podemos ayudarnos entre nosotros y sentirnos orgullosos de nuestra ética y nuestros logros.

El bebé supone que los demás son parecidos a él

¿Por qué esta historia está tan propagada en todo el mundo? Porque es la alegoría del proceso del desarrollo que los infantes de todas las culturas experimentan en la etapa temprana de su vida. Los recién nacidos no tienen noción de la línea divisoria entre ellos mismos y el resto del mundo. A la edad de un año, los pequeños empiezan a entender que pueden hacer cosas que otros no pueden pero todavía les queda por aprender que son entes separados e independientes. Este fenómeno se demuestra de manera sorprendente en el juego en el que el adulto esconde su cara con las manos y después "reaparece" quitándolas. Cuando la mamá hace esto, el pequeño la imita; pero cuando él se quita las manos, se asombra al ver que el rostro de la mamá sigue cubierto. Cualquier niño de dos o tres años sabe que su hermanito o hermanita de un año es pésimo jugando a las escondidas: el bebé sale de su escondite antes de que lo encuentren, porque su cerebro no se ha desarrollado lo suficiente como para entender claramente la diferencia entre el "yo" y el "otro".

La conciencia de la propia identidad aparece a los dos años

Al cumplir dos años, el pequeño comienza a entender que otras personas pueden tener necesidades y sentimientos que difieren de los suyos. A partir de este momento, surgen los conceptos de "tener" y "pertenecer a otro". Antes de llegar a esta etapa, la idea de robo no tiene ningún significado para el bebé. (En el Jardín del Edén, ¿tenía alguien algo en su propiedad?) No es sino hasta la edad de dos años cuando el niño empieza a entender la importancia de respetar la propiedad de otros.

En esta edad aparece también la conciencia de sí mismo y de su propia identidad; al cumplir dos años, los niños empiezan a tantear la diferencia entre su voluntad e identidad y las

El movimiento de los ojos

Otro tipo de claves es el movimiento de los ojos. Con el fin de preparar el sistema nervioso para sentir o recuperar información, existen ciertas claves que predisponen nuestro sistema neurológico. Por ejemplo, la posición de los ojos desempeña un papel en la organización neurofisiológica que facilita la representación o recuperación de información. Si queréis ayudar a alguien a mejorar su disposición a visualizar las cosas, a imaginar algo, podéis pedirle que levante la cabeza y la mirada. Si lo queréis preparar para que sienta algo profundamente, lo indicado sería pedirle que baje la cabeza y la mirada. En el modelo de la PNL, los ojos no sólo son «espejos del alma», también son ventanas que permiten ver cómo está pensando la persona: Asimismo hay formas de ayudar a la gente a prepararse para utilizar su sistema neurológico con el fin de aprender. La PNL ha establecido unas categorías para estas claves en el siguiente modelo:

Visual
(recuerdo)

Auditivo
(recuerdo)

Auditivo
(digital)

Visual
(construcción)

Auditivo
(construcción)

Cinestésico

El movimiento de los ojos y los sistemas representativos

Evaluación sencilla de la conciencia de la identidad propia

Si desea poner a prueba la conciencia que tiene su bebé de sí mismo, póngale un poco de rubor en las mejillas y acérquele un espejo a la cara. Si el bebé trata de tocar el colorete en su propia cara y no en el reflejo, sabe que él es la persona en el espejo. Este tipo de conciencia empieza a surgir entre los 18 y 25 meses de edad y se desarrolla por completo entre los 24 y 28 meses; al mismo tiempo, aparece el potencial para sentir vergüenza.

de los padres. Se vuelven conscientes no sólo de su independencia de otros, sino también empiezan a formar una idea de cómo deben funcionar la cosas, por lo que se frustran cuando algo no funciona bien o cuando no les sale algo que les dijeron o que esperan de ellos. Si quiere que su hijo de dos años se sienta desilusionado, delante de él haga algo que no puede imitar y observe lo que sucede cuando intente hacerlo. Junto con la conciencia de la propia identidad vienen los principios de la empatía: los niños de dos años ya se acercan a otros pequeños que están afligidos y tratan de consolarlos, en vez de acongojarse ellos mismos, como lo haría un infante.

A mediados del segundo año de vida, el lóbulo frontal del cerebro se desarrolla lo suficiente como para que surja la conciencia de las costumbres sociales y la comprensión de que ciertas acciones son "malas" o prohibidas. Es la edad cuando el pequeño empezará a mostrar emociones tempestuosas a consecuencia de sus errores. Aún no entiende por qué está mal hacer una u otra cosa, pero ya puede distinguir los indicios que le dicen que es el responsable de una mala conducta.

Cómo los niños finalmente entienden lo que a los adultos les parece obvio

Todos estos desarrollos están acompañados de cambios estructurales y bioquímicos (y de hecho depende de ellos) en el cerebro, durante el periodo cuando las conexiones entre las neuronas crecen a centenares todos los días. Durante el segundo año de vida el crecimiento fulminante de la capa superior de las neuronas en el cerebro —llamada a menudo "materia gris"— tiene lugar en las áreas de la parte *prefrontal* de la *corteza*, la parte de extrema derecha ubicada arriba de los ojos. La corteza prefrontal es el sitio más recién desarrollado en el cerebro humano y es la última parte que se desarrolla completamente en la infancia. A medida que sus conexiones crecen poco a poco, la corteza transmite al niño la posibilidad de imaginar el futuro y el pasado, conciencia que trae consigo la habilidad de hacer planes. Hasta la pubertad e incluso un tiempo después, las células de la corteza continúan expandiendo sus conexiones, cosa que permite al niño controlar los impulsos emocionales, sentir empatía y apreciar incluso el valor de los deberes menos agradables en el presente por un beneficio en el futuro. Las neuronas de la corteza constantemente extienden los vínculos con otras partes del cerebro, incluyendo los profundos centros de emoción y el *cuerpo calloso* que une ambos hemisferios. Cuando estas fibras nerviosas (*axones*) se alargan, alrededor de ellos empieza a crecer el material aislante compuesto de *mielina* blanca, con el fin de mejorar la velocidad y potencia de transmisión. Jerome Kagan, psicólogo de desarrollo que colabora en la Universidad de Harvard, opina que cuando el cerebro de un niño integra casi por completo la información de otras regiones, surge la habilidad de aprender el lenguaje, la diferencia entre el bien y el mal, la conciencia de la identidad propia y la capacidad para sacar conclusiones.

Los sentimientos de vergüenza y orgullo aparecen cuando el niño adquiere la conciencia de que es una persona diferente a los demás

La edad de la conciencia de sí mismo y de su propia identidad es también la época cuando el niño aprende las nociones de vergüenza y orgullo. Los padres deben tener cuidado en elegir los castigos para que no sean demasiado severos, puesto

LO QUE NO SE USA, SE PIERDE
De pequeños a adolescentes

Nuevos estudios de imagen ponen de manifiesto los patrones del desarrollo cerebral en la infancia temprana que no cambian hasta la adolescencia. Los recientes estudios con MRI (Imagen de resonancia magnética), en los que se escanea el cerebro de un niño cada dos años, permiten apreciar la naturaleza dinámica del cerebro en la adolescencia.

En el primer estudio longitudinal de este tipo en el que participaron 145 niños y adolescentes, llevado a cabo en el Instituto Nacional de la Salud Mental (NIMH, por sus siglas en inglés) por la Dra. Judith Rapoport y colaboradores, se encontró para la sorpresa de los científicos que poco antes de la pubertad se da una ráfaga de la producción excesiva de la *materia gris*, la parte del cerebro que se ocupa del pensamiento. Este pico, probablemente relacionado con la influencia de las hormonas sexuales que están apareciendo, ocurre a la edad de 11 años en niñas y 12 en niños; después, la capa de la materia gris se hace un poco más fina.

Antes de este estudio, las investigaciones habían mostrado que el cerebro producía excesivamente materia gris en la primera etapa del desarrollo —esto es, en el útero y a lo largo de los primeros 18 meses de vida— y posteriormente pasaba sólo por una fase de reducción activa. Ahora los científicos saben de los cambios estructurales mucho más tardíos. El crecimiento explosivo de materia gris inmediatamente antes de la pubertad predomina en los lóbulos frontales, que son la sede de las funciones ejecutivas, como el planeamiento, control de impulsos y razonamiento. Es tentadora la idea de interpretar estos hallazgos recientes para alentar a los adolescentes a que protejan y cultiven su cerebro como una obra no terminada.

Fuente
Oficina de comunicaciones y relaciones públicas del Instituto Nacional de la Salud Mental (NIMH)

que la percepción de sí mismo en un bebé de dos años aún es muy frágil: el niño puede sentir que todo su "yo" está en peligro, aun cuando se trate de castigar un acto concreto.

Puede ser de particular importancia limitarse con los niños temperamentalmente "difíciles", puesto que medidas disciplinarias severas pueden conducir a una conducta aun más difícil, sumiendo al niño en un negativo círculo vicioso. Tan sólo las exageraciones en el control negativo pueden producir mayor rebeldía. Muchos psicólogos que estudian el desarrollo humano opinan que es saludable llevar un equilibrio sensato de animosidad y control, pues el primero ayuda al niño a tener más iniciativa en el aprendizaje de nuevas habilidades y desarrollar un autocontrol sano; el segundo, cuando es razonable ("establecer los límites"), ayuda al niño a evitar las reprimendas severas. Al igual que las limitantes barandillas de un corral, las restricciones autoimpuestas pueden hacer que el niño se sienta más libre para explorar nuevas habilidades sin el temor de perderse entre amenazas.

Bibliografía

Herschkowitz, N., J. Kagan y K. Zilles (1999). Neurobiological bases of behavioral development in the second year. *Neuropediatrics*, 30/5: 221-30.

El cerebro engañoso

Es muy probable que un bebé de tres años de verdad se acuerde de haber visto a los Tres Reyes Magos junto al arbolito de Navidad

¿En qué momento el niño aprende a mentir? Al parecer, los niños de tres años no tienen la habilidad de informar acerca de lo que creían que era cierto. En otras palabras, si el niño cree que si no se duerme, vendrá el coco y lo comerá, y después se cerciora de que no es así, negará por completo haber creído en eso. ¿Será esto mentir? No, si por "mentir" entendemos "saber que lo que uno dice no es cierto". Los niños de tres años de edad no han desarrollado la capacidad cognitiva de atribuir las creencias falsas a otros (incluyendo su yo en el pasado) cuando ellos saben la verdad. Esta capacidad de entender las representaciones mentales alternativas —las otras mentes— a veces se denomina la *teoría de la mente*, (vea *Los ojos lo dicen todo*) que los niños empiezan a desarrollar a la edad de cuatro años. Otros hechos sobre el desarrollo paulatino de la memoria y el cerebro también ponen en claro por qué el concepto de la "mentira" no se aplica fácilmente a un niño muy pequeño.

Memoria infantil

Sólo a partir de la segunda mitad del primer año de vida en los bebés comienza a formarse lo que podría llamarse la memoria explícita o consciente. Aproximadamente a lo largo de los primeros seis meses e incluso en el útero, los infantes tienen diferentes tipos de memoria, la cual aparece también en los animales recién nacidos. Los bebés presentan un tipo primitivo de aprendizaje conocido como *habituación*, en la que dejan de responder a un estímulo después de que éste aparece varias veces (vea *Aprendizaje en el útero*), cosa que hacen también las moscas de la fruta y las babosas. Además, a los recién nacidos se les puede *condicionar*, como en los experimentos del fisiólogo ruso Iván Pavlov, quien enseñó a los perros a segregar saliva al escuchar el sonido de una campana que sonaba cada vez que les daba de comer. Incluso a las moscas de la fruta se les puede condicionar.

Asimismo, los infantes presentan un tipo sencillo de memoria de *reconocimiento*, cuando se interesan por las cosas que no habían visto o escuchado antes o cuando reconocen la voz de su madre o la lengua materna (vea *Aprendizaje en el útero*).

Los tipos anteriores de memoria son automáticos; además, ninguno es exclusivo del hombre. Pertenecen al tipo de memoria que en los adultos se denomina memoria *implícita*, lo cual quiere decir que se manifiestan independientemente de la conciencia. (La memoria implícita difiere de la memoria *explícita*, también llamada *declarativa*, la cual es un tipo de recuerdos de los que podemos hablar, como el recuerdo de un hecho o de haber estado en algún lado en un tiempo determinado).

Todo empieza a cambiar en el segundo semestre del primer año. Una de las cosas más interesantes en el desarrollo de la memoria es que no implica una especie de interruptor para cambiar de la memoria implícita, inconsciente a las variedades más conscientes. La memoria consciente se incorpora al repertorio de las habilidades de memoria inconsciente y automática que nos acompañan toda la vida. Así pues, el cerebro en crecimiento empieza a acumular diferentes tipos de memoria y aprendizaje, de los cuales algunos son primitivos y animales en naturaleza, mientras que otros son particularmente humanos.

En los últimos seis meses del primer año, los infantes comienzan a desarrollar el tipo de habilidades que desde nuestro punto de vista presuponen una dependencia de la memoria consciente. Por ejemplo, en el periodo que abarca aproximadamente del noveno al doceavo mes, en los bebés surge la habilidad de imitar una secuencia de acciones que han visto en alguien más, incluso después de haber pasado mucho tiempo. En este mismo periodo, también empiezan, aunque muy lento, a adquirir cierta familiaridad con las capacidades que dependen de la *memoria funcional*, un sistema de memoria a corto plazo que sirve para almacenar y manipular información. Es la memoria funcional la que nos permite recordar un número telefónico el tiempo necesario para marcarlo o multiplicar mentalmente 9 por 12. Además, esta memoria se relaciona con las estrategias de solución de problemas más que con recuerdos o reconocimientos de algo. Poco a poco, a lo largo de la infancia e incluso en la adolescencia, mejoramos nuestra capacidad de concebir las estrategias de solución de problemas que dependen de la memoria funcional. Una razón de la lentitud de este proceso es que éste depende a la vez de una parte del cerebro, la *corteza prefrontal*, que se desarrolla durante un largo periodo.

La memoria de cuándo ocurrió algo... si es que ocurrió

Una parte de la memoria que se cree que depende de la corteza prefrontal es algo que a veces se llama memoria *autobiográfica* o *episódica*, el tipo de memoria que nos permite recordar de manera consciente dónde estuvo y qué hizo en las vacaciones pasadas, por ejemplo. Si un bebé de cuatro años ve que alguien pone una canica en una caja o se le dice que la canica está allí, no sólo recordará que la canica está en la caja, sino también el cómo se enteró de esto, ya sea al verlo o escucharlo. Por otro lado, un niño de tres años puede recordar que la canica está en la caja, pero no se acuerda de cómo lo supo, al igual que un adulto puede no recordar cómo obtuvo el conocimiento de que París es la capital de Francia. Este tipo de memoria, llamado *memoria fuente*, no se desarrolla sino hasta los cuatro años de edad.

Posición inicial   Posición del objetivo 1 (2 movimientos)   Posición del objetivo 2 (4 movimientos)   Posición del objetivo 3 (5 movimientos)

Las habilidades estratégicas crecen poco a poco conforme se va desarrollando el lóbulo prefrontal

El acertijo llamado "Las torres de Hanoi" es una buena prueba para medir las habilidades de la memoria funcional que se encuentran en el lóbulo prefrontal del cerebro. Conforme éste se va desarrollando, al niño le sale cada vez mejor planear los movimientos necesarios para adivinar el acertijo de manera eficaz. La posición del objetivo uno en la imagen de arriba requiere de dos movimientos; la mayor parte de los niños de cuatro años la pueden adivinar. Para la segunda posición, se necesitan cuatro movimientos. Sólo un 10 % de los niños de cuatro años pueden adivinar este acertijo sin hacer más de cuatro movimientos, junto con un 20 % de los niños de ocho años y el 60 % de los adolescentes. La solución del acertijo final, para la cual se necesitan cinco movimientos, depende mucho de la habilidad del lóbulo frontal de planear con anticipación. Muy pocos niños de cuatro años podrán adivinarlo en cinco movimientos; 5 % de los niños de cinco años sí lo podrán hacer, así como el 10 % de los niños de siete años, poco menos del 20 % de los niños de ocho años y el 60 % de los adolescentes.

Por esta razón un niño de tres años no está mintiendo cuando dice que vio a los Tres Reyes Magos junto al arbolito de Navidad. No se acuerda si en realidad vio algo, lo escuchó en una historia o se lo imaginó. Lo único que recuerda es que esta idea de algún modo se le ocurrió. No es casual que los niños puedan relacionar explícitamente el pasado con el presente sólo a partir de los cuatro años; es decir, comprender que, por ejemplo, la razón por la que el gato se escapó es porque el niño dejó la puerta abierta.

El desarrollo paulatino de estas habilidades puede explicar el hecho de que la mayoría de la gente no se acuerde de lo ocurrido durante los primeros cuatro años de su vida, fenómeno que se conoce como la *amnesia infantil*. Puesto que el cerebro de un niño no está desarrollado lo suficiente como para crear recuerdos autobiográficos, más tarde no podrá acordarse de haber estado en un lugar determinado y haber hecho algo en una hora determinada. Esto no significa que otros sistemas cerebrales no almacenen la información durante este periodo; simple y sencillamente, no existe la manera de acceder a estos datos de manera consciente.

La amnesia infantil también explica por qué los jueces toman con tiento las declaraciones de los niños pequeños en tribunales. Es probable que un niño de tres años no recuerde cómo se le ocurrió que alguien del personal del jardín de niños abusó de él: puede ser que realmente sucedió o que alguien se lo sugirió, tal vez un trabajador social o policía pero con buenas intenciones.

Bibliografía

Cowan, Nelson (ed.) (1997). *The Development of Memory in Childhood.* Sussex, Gran Bretaña: ed. Psychology Press.

Luciana, Monica y Charles A. Nelson (1998). The functional emergent of prefrontally-guided working memory systems in four- to eight-year-old children. *Neuropsychologia*, 36/3: 273-93.

Nelson, Charles A. (1995). The ontogeny of human memory: a cognitive neuroscience perspective. *Developmental Psychology*, 31/5: 723-38.

Nelson, Charles y Floyd. E. Blood (1997). Child development and neuroscience. *Child Development*, 68/5: 970-87.

Van Petten, C., A.J. Sekfor y W.M. Newberg (2000). Memory for drawing in locations: spatial source memory and event-related potentials. *Psychophysiology*, 37/4: 551-64.

Cuatro rasgos temperamentales innatos según el esquema de Robert E. Cloninger

Búsqueda de lo nuevo
<u>Alto</u>
explorador,
impulsivo,
extravagante,
desordenado
<u>Bajo</u>
rígido,
pensativo,
reservado,
disciplinado

Perseverancia
<u>Alto</u>
entusiasta,
ambicioso,
decidido
<u>Bajo</u>
poco ambicioso,
desinteresado
en el éxito

Evitación de perjuicio
<u>Alto</u>
preocupado,
temeroso, tímido,
se fatiga rápido
<u>Bajo</u>
optimista, seguro
de sí mismo,
sociable, activo

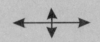

Dependencia de recompensa
<u>Alto</u>
sentimental, apegado,
necesidad de aprobación
de los demás
<u>Bajo</u>
distante, cínico,
independiente,
socialmente insensible

Tradicional esquema europeo de temperamentos y fluidos corporales relacionados

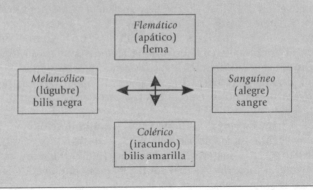

Flemático
(apático)
flema

Melancólico
(lúgubre)
bilis negra

Sanguíneo
(alegre)
sangre

Colérico
(iracundo)
bilis amarilla

LIMITACIONES TEMPERAMENTALES

Al igual que con las cartas, las particularidades genómicas definen el carácter al azar

Cualquier maestro de preescolar sabe que los niños tienen temperamentos diferentes a partir de una edad muy temprana. Uno puede ser tímido, otro muy sociable, uno tranquilo, otro emotivo. Las parteras incluso dicen que saben determinar el temperamento del bebé en el momento del nacimiento. Hay pruebas de que las diferencias temperamentales pueden estar presentes aun antes de nacer: los infantes con pulsaciones relativamente altas en el útero son aquellos que serán categorizados como "tímidos" por sus maestros de preescolar.

Cualidades que compensan el temperamento innato
Los estudios del desarrollo de la personalidad sugieren que existen algunos elementos relativamente estables e innatos

de la personalidad misma que por lo menos, en parte, dependen de factores genéticos; otros elementos se subordinan más a la influencia del ambiente y la educación. Son éstos últimos los que se clasifican bajo el nombre de *temperamento*, mientras que aquéllos suelen catalogarse como elementos del *carácter*.

El temperamento que acompaña al niño desde el momento que nace tiene influencia en su manera de estudiar, su paciencia y perseverancia, incluso en su propia evaluación de los éxitos escolares. Sin embargo, esto no está predestinado, pues el temperamento interactúa con la educación y las experiencias vitales para determinar cómo será el niño cuando sea grande.

Si bien todos los temperamentos son diferentes, a los humanos nos encanta catalogar todo. (Existe un chiste al respecto que dice: "Hay dos tipos de personas: los que dividen el mundo en dos tipos de personas y los que no lo hacen"). De acuerdo con una antigua tradición europea que tiene más de 2,000 años, los diferentes tipos de temperamento se solían asociar con el balance relativo de cuatro *humores* o fluidos corporales (vea el recuadro en la pág. 68). En el siglo XX, esta tipología se expandió para incluir una clasificación más. Muchos utilizan diferentes variaciones de dicha clasificación, pero las clases básicas son *extroversión*, *simpatía*, *escrupulosidad*, *estabilidad emocional* e *imaginación*. Diferentes rasgos se combinan entre sí de diferentes maneras de modo que un individuo, por ejemplo, puede describirse como muy simpático y escrupuloso, mientras que el otro, muy simpático y poco escrupuloso, etcétera. Estos cinco rasgos, que pueden adoptar tres diferentes valores (alto, medio, bajo), nos dan un sistema que consta de 243 tipos de temperamento.

Cuatro rasgos fundamentales del temperamento

El psicólogo de la Universidad de Washington Robert Cloninger propone cuatro clasificaciones temperamentales: *búsqueda de lo nuevo*, *evitación de perjuicio*, *dependencia de recompensa* y *perseverancia* (vea el recuadro en la pág. 68). Cada uno de estos tipos puede asumir uno de los valores que lo describen, alto, bajo, medio, independientemente de otros rasgos. Así pues, las personas altas en la búsqueda de lo novedoso tienden a ser aventurados, impulsivos y rápidos en percibir ideas nuevas. Sólo en el caso de que a esto se una baja evitación de perjuicio, serán también propensos a una conducta peligrosa y auto-destructiva.

La lógica de este sistema consiste en que tanto intuitiva como empíricamente parece ser cierto que algunos rasgos personales son independientes de otros. Por ejemplo, un extro-vertido puede o no ser imaginativo; por ende, los factores que dan lugar a la extroversión necesariamente son diferentes de aquellos en que se fundamenta la imaginación. ¿Cuáles son estos factores fundamentales? Ya se descartó la teoría de los humores corporales; los neurocientíficos modernos creen que sistemas cerebrales diferentes codificados por genes diferentes pueden ser responsables de rasgos temperamentales poco pa-recidos.

Cada rasgo temperamental puede estar regido por uno de los neurotransmisores cerebrales

Cloninger asocia cada una de sus dimensiones temperamenta-les con un determinado *neurotransmisor*, sustancia química producida naturalmente en el cerebro que transmite señales entre las neuronas y afecta el humor. El científico estadouni-dense relaciona la búsqueda de lo novedoso con la *dopamina* y la evitación del perjuicio con la *serotonina*, por mencionar unos pocos. Su tesis apoya el hecho de que los antidepresivos, como el *Prozac*, que suben el nivel de serotonina, suelen pro-vocar que los pacientes estén menos ansiosos, pesimistas, de-primidos y propensos a la fatiga, todas estas características son propias de la evitación del perjuicio. El otro factor es el genéti-co. Los investigadores han hallado pruebas de que el *gen recep-tor de dopamina D4* puede predisponer a uno a ser alto o bajo en la búsqueda de lo novedoso, dependiendo del hecho de heredar la versión larga o corta del gen.

Jerome Kagan, estudioso del temperamento que trabaja en la Universidad de Harvard, nos remite a las pruebas de que los ni-ños valientes pueden tener genes que condicionan un nivel bajo de *norepinefrina*, un neurotransmisor que, como uno de sus efectos, estimula la *amígdala*, centro primitivo de "miedo" en el cerebro (vea *Estrés*). Dichos niños además suelen tener pulsaciones bajas. Así, una sencilla diferencia biológica en el sistema neurotransmisor puede de hecho eliminar los impedimentos a una conducta perniciosa, antisocial y violenta, sometiendo a la persona al riesgo de convertirse en criminal. Por lo tanto, una diferencia biológica parece capaz de influir la moralidad, puesto que el temperamento se funde con el carácter.

Observación importante para padres y maestros

Las diferencias temperamentales de ninguna manera determinan la personalidad en general. Por ejemplo, una persona baja en la dependencia de recompensa según la escala de Cloninger puede ser un inconformista que ocultamente desdeña las opiniones ajenas. Sin embargo, puede ser un altruista que con gusto colabora con los demás y los trata con tolerancia, respeto y compasión. De hecho, el temperamento en la adultez no depende en lo absoluto de las diferencias temperamentales en la infancia. Así, un niño muy miedoso no necesariamente presentará un trastorno de ansiedad al crecer; antes bien, un temperamento enfocado hacia la evitación de perjuicio hace menos probable que por el temperamento el niño se vuelva un adulto valiente y extrovertido.

Esto merece mencionar otro punto importante para los padres. De acuerdo con los estudios de Kagan, aproximadamente un tercio de los niños muy miedosos o muy valientes a la edad de cuatro meses (lo que Cloninger llamaría nivel alto o bajo en la evitación de perjuicio) mantiene este perfil temperamental hasta la edad de 14 a 21 meses. Prácticamente ningún bebé muy miedoso de cuatro meses se convirtió en uno muy valiente más tarde y viceversa, lo cual demuestra la manera cómo el temperamento innato pone ciertos obstáculos en el desarrollo del temperamento, pero de ninguna manera lo determina.

Pero ¿cómo puede ser explicado el hecho de que en dos tercios de los niños se produce un cambio, mientras que en los demás, no? Una explicación probable puede ser el ambiente.

Por ejemplo, si el niño tiene una amígdala de baja actividad debido al nivel reducido de norepinefrina, como se explica más arriba, corre el riesgo de estar bajo en evitación de perjuicio y desarrollar una conducta antisocial y violenta. El ambiente determina si el riesgo se hace realidad, si el niño presentará conducta antisocial y violenta y si ésta será castigada. A este aspecto, el ambiente y la educación determinan finalmente el desarrollo de la personalidad.

Bibliografía

Benjamin, Jonathan y cols. (1996). Population and familial association between the D4 dopamine receptor gene and measures of novelty seeking. *Nature Genetics*, 12: 81-4.

Cloninger, C. Robert (1987). A systematic method for clinical description and classification of personality variants. *Archives of General Psychiatry*, 44: 573-88.

Kagan, Jerome (1994). Galen's Prophecy. Nueva York, ed. Basic Books.

Kagan, Jerome (1997). Temperament and the reactions to unfamiliarity. *Child Development*, 68/1: 139/43.

EDUCACIÓN DE LOS HIJOS

Tres maneras de formar el carácter

L a mayoría de los psicólogos concuerdan en que la personalidad que desarrolla el niño al crecer es producto de
una combinación de factores, tanto innatos como adquiridos.
El psicólogo de la Universidad de Washington Robert Cloninger resume esta idea de manera muy sencilla en un modelo de
la personalidad que consta de dos elementos principales: *temperamento* y *carácter*.

Temperamento *versus* carácter
El temperamento —que tiene un componente genético y es
relativamente innato— se refiere a tales rasgos como la timi-
dez o extroversión. En un sentido más amplio, el temperamento es lo que trae el niño al mundo y, aunque el temperamento
infantil no determina al adulto, sí influye en las circunstancias
limitando algunas posibilidades de desarrollo en el futuro. El
carácter, siendo más bien producto del ambiente y la educación, puede abarcar rasgos como los valores personales,
la moral, la ética y las creencias sobre la importancia de la
educación.

Cómo los niños adoptan los rasgos de la personalidad
En otras palabras, los padres (así como los maestros y amigos,
más tarde) pueden tener mucha influencia en el carácter de su
hijo. El psicólogo de la Universidad de Harvard Jerome Kagan
divide en tres categorías la manera cómo los padres influyen
en el carácter de sus niños: *interacciones directas, identificación
emocional* e *historias familiares*. En seguida, aparece en forma
resumida el significado de cada categoría, las edades en las
que tienen mayor influencia sobre el pequeño, además se explica a los padres o tutores cómo aplicar este conocimiento
para el beneficio del niño.

Interacción directa
La interacción directa se refiere a qué tan seguido y por qué
razón un niño se topa con medidas disciplinarias. El niño las

absorbe, demostrando una vez más la atención protectora si se experimenta en un contexto de apoyo constante. Por el otro lado, la falta de disciplina en caso de agresión o desobediencia puede aumentar el riesgo de conducta antisocial, rechazo por parte de los amigos y baja autoestima.

Fuertes incentivos tempranos del desempeño cognitivo en un futuro incluyen pasar el tiempo leyendo o narrando historias al niño, mostrar interés en lo que el niño disfruta hacer y darse tiempo para nombrar los objetos nuevos y explicar las palabras desconocidas. Todo esto influye en la personalidad del niño desde la infancia y dará sus frutos en las épocas posteriores. Las actividades como leer y platicar con el pequeño desde la infancia pueden contribuir para crear un vocabulario más amplio. Las habilidades lingüísticas, a la vez, ayudan a crear una amplia gama de ventajas en la escuela: buenas calificaciones, alta autoestima, curiosidad intelectual y ambición.

Desde el punto de vista del infante, el recibir la atención de apoyo influye positivamente su salud emocional y física pues reduce el estrés. En comparación con los otros primates, el infante tiene un cerebro inusualmente grande para un cuerpo inusitadamente débil e indefenso. Un bebé depende enteramente de la atención confiable que le proporciona el padre (o la persona que lo atiende) para satisfacer sus necesidades básicas y darle seguridad.

Identificación emocional

Al llegar a la edad de cuatro o cinco años, los niños empiezan a desarrollar la creencia implícita de que se parecen a sus padres. Ésta es la edad cuando la noción del *modelo de conducta* adquiere especial importancia. Un niño de cinco años absorbe todo lo que percibe como los miedos, los placeres, las actividades y los talentos de los padres. En esta edad la manera en que éstos se comportan se vuelve más importante que lo que dicen. Así pues, a partir de una edad temprana, el interés por la lectura o la inclinación por comprender, explicar y hablar sobre el funcionamiento del mundo puede empezar a dejar huella, quizá imborrable, en la imagen de sí mismo del niño.

Los científicos relacionan el aprendizaje temprano con la prevención del Alzheimer

Una investigación reciente sugiere que un ambiente que estimula el aprendizaje en la etapa temprana de la vida puede ayudar a prevenir enfermedades neurodegenerativas en los años posteriores. Los científicos llegaron a la conclusión de que la educación puede ser más eficaz que los factores genéticos cuando se trata de la capacidad del cerebro de resistir el daño.

Los investigadores en el Colegio Médico Jefferson de la Universidad Thomas Jefferson, Filadelfia, y de la Universidad de Auckland en Nueva Zelanda, criaron un grupo de ratas en un complejo ambiente de aprendizaje que contaba con ruedas para correr, túneles, bolas de hule y un laberinto. El otro grupo de ratas se crió en condiciones normales sin los juegos.

Los científicos hallaron que en el primer grupo de ratas de laboratorio, criado en un ambiente estimulador, la muerte de las neuronas relacionada con la edad se dio en un 45% menos que en las ratas que se criaron en las celdas normales. Asimismo, al agregar la neurotoxina al alimento de ambos grupos, se demostró que las ratas del primer grupo fueron casi completamente protegidas de la pérdida de neuronas a diferencia de los animales del segundo grupo.

El neurocientífico Matthew During, Director del Centro de Terapia Génica del Sistema Nervioso Central en la Universidad Jefferson, se mostró sorprendido al darse cuenta de la solidez del cerebro de las ratas que se criaron en un ambiente de aprendizaje. "En este estudio demostramos que un ambiente enriquecido 'encendió' los genes en el cerebro. Creemos que gracias a este mecanismo el cerebro resiste tenazmente el envejecimiento y las enfermedades como la de Alzheimer, Parkinson y la lesión cerebral traumática", afirmó.

(Fragmento del artículo aparecido en el número de abril de 1999 de la revista Nature Medicine)

Historias familiares

Hoy en día, este tercer factor no se toma en cuenta con demasiada frecuencia. Es importante que el niño —y el adulto en el que el niño se convierte con el tiempo— tenga un sentido de orgullo familiar. Las historias sobre logros y excelentes dotes de los antepasados y familiares, narradas quizá durante las reuniones familiares, ayudan a que los pequeños desarrollen la fe en sus capacidades y perspectivas de los futuros éxitos. Además, los niños comenzarán a percibir el lugar que ocupa su familia —y, por consiguiente, el niño mismo— en la sociedad, o la identidad que sienten. Por ejemplo: "Soy negro", "Mi mamá es maestra y los demás hacen caso a lo que dice", o "Somos más pobres que otros", o bien "Mi papá cocina muy bien y sabe arreglar coches". En los años posteriores de la vida del niño, las ideas de esta naturaleza le serán cuando menos igual de importantes para el éxito como cualesquiera rasgos temperamentales innatos.

Los neurocientíficos que estudian el desarrollo infantil son de la opinión de que las tres categorías de la influencia paternal interactúan con otras, tales como el temperamento, la clase social, el orden de nacimiento de los hijos, origen étnico, así como las características sobresalientes del periodo histórico en que crece el niño. La compleja telaraña de fuerzas heredadas y ambientales actúan sobre el desarrollo del carácter del niño. Si bien el padre o la madre no tienen la posibilidad de controlar estas influencias, algunos de los factores controlables pueden compensar la mala suerte en otras áreas. Por ejemplo, la historia familiar puede ayudar a fomentar el sentido de orgullo por la familia que los escasos recursos podrían debilitar.

Bibliografía

Cloninger, C. Robert (1987). A systematic method for clinical description and classification of personality variants. *Archives of General Psychiatry*, 44: 573-88.

Kagan, Jerome (1999). The role of parents in children's psychological development. *Pediatrics*, 104/1 suplemento: 164-7.

MÚSICA

El mejor constructor del cerebro, a pesar de Mozart

Algunas investigaciones que se han hecho desde 1993 parecen mostrar que el escuchar ciertos tipos de música puede estimular significativamente la inteligencia. Otros estudios ponen de manifiesto que la educación musical preescolar o escolar puede favorecer la habilidad de razonamiento que se utiliza en matemáticas, ingeniería y ajedrez. Por otro lado, hay estudios que contradicen estos hallazgos; uno de los investigadores que descubrió el fenómeno que se llamó "el efecto Mo-zart" ha criticado la aplicación práctica de este efecto por no tener los fundamentos.

Resulta que el genio de Mozart como compositor es más duradero que su "efecto" como una solución rápida
Quizá, en el último decenio ninguna investigación en el área de la neurociencia ha tenido más resonancia en la cul-

tura popular que el llamado "efecto Mozart", el cual consiste en la estimulación de la inteligencia que tiene el sencillo hecho de escuchar una obra de piano del compositor austriaco. Las noticias de este fenómeno no sólo sirvieron para incrementar las ventas de revistas. A principios de 1998, Zell Miller, el gobernador del estado norteamericano de Georgia, al leer en las revistas *Time* y *Newsweek* los temas de la portada que trataban de la plasticidad del cerebro infantil se mostró tan impresionado que propuso asignar 105,000 dólares en el presupuesto estatal para adquirir y repartir entre las madres de recién nacidos discos compactos con la música de Mozart. "Nadie duda", explicó el gobernador a la asamblea legislativa, "de que el escuchar música en una edad muy temprana mejora el razonamiento espacial-temporal; en él se fundamentan las capacidades para las matemáticas, la ingeniería e incluso el ajedrez".

Aunque el escepticismo por parte de los neurocientíficos en respuesta a tal afirmación pudo haber sorprendido al gobernador, los investigadores que originalmente propusieron esta idea incluso rechazan los hallazgos en los que se basó la idea de Miller. Uno de ellos, la psicóloga Frances Rauscher de la Universidad de California en Irvine (que actualmente labora en la Universidad de Wisconsin), comentando el proyecto de Miller, dijo que "ninguno de nuestros estudios demostró que el escuchar esta música de fondo no tiene absolutamente ningún efecto sobre los niños".

Qué mostraron originalmente los estudios en cuestión

En la realidad, la investigación que dio pie al efecto Mozart no guarda relación alguna con los recién nacidos ni con los niños en general. En una carta publicada en 1993 en la prestigiosa revista *Nature*, la ya mencionada Rauscher, Gordon L. Shaw y Katherine N. Ky comunicaron los resultados de un experimento en el cual tras escuchar durante diez-quince minutos la sonata para dos pianos de Mozart en re mayor, K488, en los estudiantes se observó un alza de ocho a nueve puntos en promedio en el resultado del examen de IQ, en la parte que pone a prueba el razonamiento espacial. El escuchar una grabación para relajamiento durante el mismo tiempo o el estar sentado en silencio no dio ningún resultado. También en 1993, en su estudio piloto no controlado y que nunca se publicó (se supo de él a través de una nota breve en un número de la revista *Science* de 1994), Rauscher y Shaw lograron mostrar los efectos favorecedores de la educación musical para los niños de edad preescolar.

Así, a raíz de una aparente mezcla de los resultados de dos estudios diferentes surgió la idea del efecto Mozart que tiene en su poder subir la inteligencia del niño. Cabe observar que ningún estudio tenía por objetivo investigar el efecto de la música de Mozart sobre el razonamiento espacial de niños. Sin embargo, ambos estudios, considerados en conjunto, sí ofrecieron pruebas alentadoras de que ciertos tipos de música en la edad infantil o adulta podrían convertirse en otros tipos de inteligencia. Después de estos estudios pioneros, algunos experimentos han proporcionado más pruebas a favor de esta idea, mientras que otros la han contradecido. En seguida presentamos algunos resultados importantes para cualquier padre de familia o cualquiera que esté tratando de llegar a comprender este tema.

El sólo escuchar música ayudó a subir algunos puntos las habilidades de visualización, e incluso esto duró poco tiempo

En el estudio original acerca de la relación entre la música de Mozart y la inteligencia espacial se encontró que el mejoramiento ocurrió sólo en un una tarea específica que forma parte de la prueba de IQ y que se conoce como la prueba de Standford-Binet. Esta tarea, llamada también "doblamiento de papel", consiste en que la persona que realice dicha prueba debe comprender el patrón resultante de una hoja de papel con base en las instrucciones visuales que describen varios pasos de doblar y recortar la hoja (vea el recuadro en la pág. 82).

Razonamiento espacial-temporal y el efecto Mozart

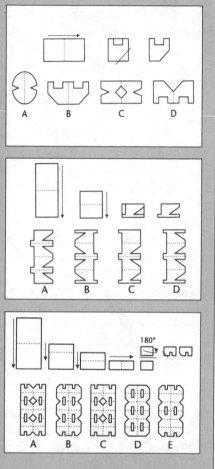

Los científicos que estudian el efecto Mozart han encontrado que una sonata de este compositor puede mejorar un determinado tipo de inteligencia espacial por un periodo breve. Este tipo de inteligencia, llamado "espacial-temporal", puede ser ilustrado con la prueba que se presenta en este recuadro. El examinado se debe imaginar una hoja de papel doblada en una serie de pasos (como indican los puntos en los diagramas en la derecha) y recortada con tijeras (mostrado con líneas continuas). ¿Cuál de las imágenes que aparecen más abajo representa la hoja doblada y recortada después de desdoblarla? En el cuadro inferior la tarea es más difícil, pues además de las operaciones anteriores, es necesario imaginar un giro de 180°. Vea la pág. 86 para la solución.

La habilidad específica que pone a prueba esta tarea es el razonamiento *espacial-temporal* que mencionó el gobernador Miller en su discurso presentado en la asamblea legislativa de Georgia. Este tipo de razonamiento difiere de otras lógicas espaciales en que requiere visualizar el resultado final después de toda una serie de figuras.

Pruebas de influencia de otros tipos de música en otras habilidades

Diferentes estudios llevados a cabo por otros investigadores han mostrado que el efecto Mozart existe siempre y cuando se haya utilizado el tipo de música y de inteligencia apropiados; sin embargo, los estudios que evalúan la acción del efecto en otras habilidades contradicen estas conclusiones. Asimismo, los estudios de los efectos de otras obras musicales han dado resultados contradictorios. Por ejemplo, la fantasía de Schubert para cuatro manos en piano en fa menor, D940, el concierto para piano de Mozart No. 23 en la mayor, K488 e incluso una moderna pieza de Yanni incrementan el desempeño espacial-temporal, efecto que no mostró "trance", música contemporánea y minimalista.

Aprender a interpretar melodías es una manera de mejorar la inteligencia

En cuanto a las investigaciones relacionadas con los niños, el estudio piloto de 1993 sugiere que las clases de piano pueden mejorar el resultado que muestran los niños de tres años en una prueba que evalúa las habilidades de razonamiento espacial en niños pequeños. La prueba, conocida como *montaje de objetos*, consiste en que el niño monte un rompecabezas sencillo. Rauscher y Shaw afirman que ésta es la habilidad que según su pronóstico podrían mejor las clases de piano, puesto que el montaje de objetos es un procedimiento espacial-temporal y requiere la visualización del objeto cambiante.

Más tarde, esta hipótesis fue sometida a prueba en un estudio controlado de 78 niños de edad preescolar divididos en cuatro grupos. Un grupo recibió seis meses de clases de piano y canto, el segundo sólo de canto, el tercer grupo recibió clases de computación y el último no recibió clases. ¿Por qué las clases de piano? Rauscher y Shaw sostuvieron que este instrumento podría ayudar a desarrollar las habilidades espaciales-temporales ya que "el teclado da una representación visual lineal de las relaciones espaciales entre los tonos", por lo que interpretar una obra para piano implicaría conceptualizar una serie de configuraciones espaciales durante un tiempo.

En este estudio controlado, los investigadores hallaron que sólo el grupo de piano mostró avances importantes en la prueba de montaje de objetos. El desempeño de este grupo en la tarea de reconocimiento espacial (que consiste en encontrar los objetos de la misma forma) siguió igual.

Las habilidades cognitivas desarrolladas al interpretar melodías –tocar un instrumento o cantar– duran más debido a cambios físicos en el cerebro

De importancia para los padres de familia es el hecho de que el mejoramiento no desaparece tan rápido comparado con el incremento de diez minutos en el efecto Mozart. Los niños sometidos a prueba 24 horas después de la última clase de piano presentaron el mismo mejoramiento que aquellos evaluados el mismo día que terminaron de tomar clases. Una mejoría que dura 24 horas por definición depende de los cambios en el aprendizaje y la memoria a largo plazo, misma que a la vez depende de los cambios a nivel físico en la estructura nerviosa. En cambio, la mejora de diez minutos producida por el efecto Mozart solamente muestra que la música puede causar cambios pasajeros al alterar por poco tiempo el patrón de las ondas cerebrales. De este modo, sólo las clases sistemáticas y continuas son capaces de cambiar el cerebro.

Otros estudios han revelado más información sobre el efecto Mozart y el efecto de las clases de música en el cerebro. Los electroencefalogramas (EEG) muestran que la respuesta del cerebro a las sonatas de Mozart se asemeja en términos de ubicación y tipo de actividad al funcionamiento de este órgano durante la solución de una tarea temporal-espacial. Así, es probable que el efecto Mozart funcione mediante la "potenciación" del cerebro a través de estimulación del tipo de pa-

Sinestesia
El cerebro del bebé relaciona
colores, sonidos y olores

Existe una habilidad rara que se presenta en diez adultos por cada millón, en la cual el estímulo percibido a través de un sentido (por ejemplo, un sonido musical) produce una sensación vívida en el otro (por ejemplo, un color). Esta aptitud, conocida como *sinestesia*, parece estar presentada sin proporción en muchos artistas, incluyendo el compositor Nikolái Rimski-Kórsakov y el escritor Vladimir Nabokov.

Nabokov pensaba que la sinestesia era una habilidad natural que muchos de nosotros solemos "desaprender" en los primeros años de vida. Algunos investigadores de la percepción sensorial infantil están de acuerdo con él. Por ejemplo, los recién nacidos prácticamente no saben diferenciar las sensaciones percibidas a través de diferentes sentidos. Los bebés muy pequeños responden al lenguaje oral no sólo en la parte del cerebro responsable del oído (donde los adultos procesan los sonidos y el habla), sino también en la regiones visuales.

Es probable que los bebés pierdan la capacidad de sinestesia porque tienen *conexiones nerviosas transitorias* que desaparecen con el comienzo del desarrollo cerebral. Así que puede haber un vínculo comunicativo entre, por ejemplo, las regiones visuales y auditivas que se pierden en el primer año de vida.

Puede ser que las regiones del cerebro responsables de la percepción sensorial "normal" no se hayan desarrollado por completo. En los estudios de imagen cerebral de un adulto con un don artístico raro, la sinestesia se presenta como una paralización espectacular de la corteza —la capa externa del cerebro encargada del pensamiento consciente—. Algunos estudios sugieren que en los adultos la corteza generalmente desempeña un papel en la inhibición de la sinestesia, o por lo menos en el bloqueo de su percepción consciente.

No hay manera de aumentar las probabilidades de que un bebé se convierta en un artista talentoso al retener las habilidades sinestéticas. La sinestesia no es más que un sacrificio que la mayoría de nosotros hace durante el proceso de crecimiento.

trones de encendido que requieren habilidades espaciales-temporales. Otros estudios de EEG mostraron que diferentes tipos de música —Mozart, Schönberg, Bach o jazz— provocan distintos tipos de actividad cerebral, lo cual podría explicar por qué sólo un tipo de música funciona para mejorar un tipo específico de inteligencia.

Desde luego, ni el efecto Mozart ni el de las clases de piano serían de interés si sólo sirvieran para incrementar un tipo de inteligencia tan raro y específico que únicamente es útil en las pruebas de IQ. Los autores de estos estudios, así como políticos, educadores y defensores de la política pública siempre
han recalcado que valdría la pena invertir el presupuesto público en clases de música sólo si tal inversión pudiera traducirse en actividades económicamente valiosas como las matemáticas o la ingeniería. (Por alguna razón, siempre se menciona el ajedrez cuando se habla de habilidades como las que se mencionan arriba porque se piensa que es útil para nuestros hijos). Otro estudio reciente, llevado a cabo por Shaw y otros investigadores de la Universidad de California en Irvine han encontrado pruebas de que las clases de piano pueden hacer más fácil el aprendizaje para los niños de segundo de primaria en fracciones y ecuaciones sencillas. Si se mantiene el interés por incluir clases de música en los programas escolares, quizá se necesitarán más pruebas de esta índole. Mientras tanto, no hay que esperar que con tan sólo escuchar la música de Mozart pueda mejorar la memoria o afinar las habilidades de aprendizaje con el tiempo, aunque sí podría crear un ambiente propicio para hacer la tarea de geometría.

Solución al problema del doblamiento de papel, pág. 82

1=B
2=D
3=B Es necesario voltear la hoja de papel doblada 180 grados alrededor del eje vertical

Bibliografía

Graziano, Amy B., Matthew Peterson y Gordon L. Shaw (1999). Enhanced learning of proportional math through music training and spatial-temporal training. *Neurological Research*, 21/2: 139-52.

Rauscher, Frances H. y cols. (1997). Music training causes long-term enhancement of preschool children's spatial-temporal reasoning. *Neurological Research*, 19/1: 2-8.

Rauscher, Frances H. y Gordon L. Shaw (1998). Key components of the Mozart effect. *Perceptual and Motor Skills*, 86: 835-41.

Sarnthein, Johannes y cols. (1997). Persistent patterns of brain activity: an EEG coherence study of the positive effect of music on spatial-temporal reasoning. *Neurological Research*, 19/2: 107-16.

ESTRATEGIAS PARA MEJORAR LA MEMORIA

Es que los niños no aprenden de inmediato

PREESCOLAR	2º DE PRIMARIA	5º DE PRIMARIA	UNIVERSIDAD
4 NÚMEROS	5 NÚMEROS	7 NÚMEROS	8 NÚMEROS

E s por todos sabido que el cerebro de los bebés cuenta con una maravillosa capacidad para aprender. Por ejemplo, entre el primer y tercer cumpleaños, el niño aprende alrededor de 2,500 palabras (lo que equivale a tres o cuatro palabras nuevas cada día). Sin embargo, los niños pequeños pueden salir peor en las pruebas de memoria que los niños mayores o adultos. Así, en las pruebas de *línea digital* (que consiste en aprender y repetir una serie de números) los niños de edad preescolar pueden recordar alrededor de cuatro dígitos, los niños de seis a ocho años de edad cinco, los de doce años siete dígitos y los universitarios pueden retener en la memoria aproximadamente ocho.

Frecuentemente esto se debe a que los niños más pequeños no aplican estrategias de memoria. Los niños de edad preescolar, por ejemplo, no repiten para sí la información para retenerla, lo cual es una estrategia fácil que le ocurriría naturalmente a un niño más grande. También les es difícil comprender qué información es necesaria para resolver un problema y concentrarse en la tarea inmediata.

En parte, ello está relacionado con el lento desarrollo de algunas partes del cerebro, como los lóbulos frontales, que se ocupan de las tareas que implican estrategia, organización y concentración. No obstante, el psicólogo ruso L.S. Vygotsky ha sostenido la tesis de que el peor rendimiento de memoria en los infantes constituye más el problema de la *inexperiencia* que el de la capacidad cerebral limitada. De acuerdo con sus experimentos, lo único que se necesita para hacer que el niño aprenda y recuerde mejor es darle las estrategias que éste podría aplicar.

El uso de las estrategias de mejoramiento de la memoria...

Las estrategias que se utilizan más frecuentemente para el mejoramiento de la memoria se dividen en tres categorías. La *repetición* consiste en repetir la información que se quiere memorizar para ayudar a establecerla en la memoria hasta que surja la necesidad de usarla. La *organización* se trata de agrupar la información en categorías con sentido. Si usted planea ir al mandado, es más fácil recordar la lista de compras al dividirla en categorías más reducidas, tales como artículos para el desayuno, la comida y la cena. La *elaboración* se refiere a agregar información adicional con el fin de recordar algo.

La estrategia de elaboración funciona independientemente si la información adicional se trata de hechos o no. Por ejemplo, si el niño conoce el significado de las palabras "cow" y "coward",[1] sería lógico pensar que podría aplicar este conocimiento (aunque sea de manera inconsciente) para memorizar el significado de los vocablos "cower" y "cowed".[2] De hecho, no hay ninguna relación

---

[1] "Vaca" y "cobarde" en inglés (N. del T.)
[2] "Encogerse (de miedo)" e "intimidado, atemorizado" (N. del T.)

Memoria y organización

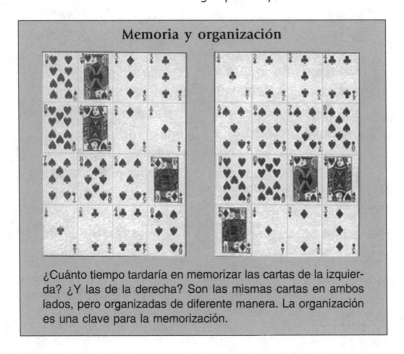

¿Cuánto tiempo tardaría en memorizar las cartas de la izquierda? ¿Y las de la derecha? Son las mismas cartas en ambos lados, pero organizadas de diferente manera. La organización es una clave para la memorización.

etimológica entre estas cuatro palabras; aunque no lo crea, todas provienen de diferentes palabras en diferentes idiomas, pero su semejanza casual fonética y semánticamente permite recordarlas con mayor facilidad.

... se acelera conforme el niño crece

Por regla general, es más probable que un niño más grande ya haya aprendido a aplicar alguna estrategia mnemotécnica para retener información. Pero aun los más chiquitos utilizan ciertos artificios, aunque espontáneamente. Cuando a los niños de tres o cuatro años se les pide esconder un objeto en uno de los 196 contenedores organizados en una cuadrícula de 14 por 14 filas, cada vez que lo hacen ponen el objeto en el mismo lugar. Sin embargo, los niños de cinco años ya empiezan a aplicar el truco de esconder el objeto en un lugar fácil de recordar, como por ejemplo en una esquina. Estas son estrategias sencillas que ayudan a retener en la memoria ciertas cosas.

VEINTE PREGUNTAS VISUALES
Juego para desarrollar habilidades estratégicas

Los juegos como "20 preguntas"[3] permiten que los niños desarrollen habilidades estratégicas aplicables para la solución de problemas reales. Aquí presentamos una versión visual del mismo juego que lo hace más divertido. Uno de los jugadores en silencio selecciona algún objeto de la tabla que aparece en la siguiente página; el otro puede hacerle hasta veinte preguntas a las que sólo pueda contestar "sí" o "no" para entender en qué objeto pensó el primer jugador. Después los jugadores se cambian los papeles. Gana aquel que adivina el objeto con hacer menos preguntas. Para ganar en este juego, es necesario tener las habilidades de planeamiento, estrategia y memoria funcional en los que sobresalen los lóbulos frontales.

Desde luego, los adultos ganarán más seguido en este juego que los niños y los niños mayores más que los chiquitos, porque las habilidades estratégicas basadas en el lóbulo frontal están más desarrolladas en niños grandes. Lo que puede hacer un adulto es darle a su hijo consejos y pistas para dirigir su atención a algo que se le pudo haber escapado. Los niños muy chiquitos probablemente recurrirán a la estrategia más simple e ingenua que consiste en preguntar sucesivamente el nombre de cada uno de los objetos que aparecen en la tabla. Con esta estrategia, la probabilidad de adivinar en 20 preguntas equivale al 50%; en el peor de los casos, se tendrá que contestar a 41 preguntas.

Una mejor técnica consiste en utilizar lo que los psicólogos llaman *preguntas restrictivas* que sirven para reducir el número

---

[3] Conocido juego para dos o más jugadores que se lleva a cabo de forma oral. La persona que va a responder a las preguntas piensa en un objeto; los demás jugadores hacen preguntas a las que se puede contestar sólo "sí" o "no" (por ejemplo, "¿Es de madera?" o "¿Es más grande que un automóvil?") Si en veinte preguntas nadie adivina el objeto, el que respondía las preguntas sigue en el mismo papel; de lo contrario, el que adivinó piensa en un objeto y responde las preguntas en la siguiente ronda (N. del T.)

de respuestas posibles y después hacer las preguntas más específicas para probar las hipótesis que aparecen. Un buen ejemplo de este tipo de pregunta sería: "¿Es más grande que mi cabeza?" o "¿Está hecho por el hombre?"; un ejemplo malo —lo que los psicólogos llamarían *pregunta pseudorestrictiva*— sería preguntar algo como "¿Tiene ocho patas?" Esta pregunta prácticamente equivale a preguntar "¿Es una araña?" y no reduce las respuestas posibles. El adulto puede ayudarle al niño explicándole de las implicaciones lógicas, como es el hecho de que la respuesta positiva a la pregunta como "¿Es una herramienta?" hace redundante preguntar "¿Está hecho por el hombre?"

Algunas veces los niños más grandes recuerdan mejor, porque han aprendido a no tener en cuenta si lo que tienen que memorizar tiene algún sentido. Tanto para los niños como para los adultos, es más fácil recordar las cosas si éstas tienen un significado particular, como en el ejemplo de "cow" más arriba, sobre todo si se aplican en la vida real y existe una fuerte motivación de recordarlas. Cuando a los niños de dos años se les pide aprender de memoria la lista de cosas que tienen que hacer ese día, incluyendo algo divertido como obtener un dulce y algo aburrido como el quehacer doméstico, recordarán mucho mejor las tareas divertidas.

Las estrategias mnemotécnicas, al igual que las estrategias de solución de problemas en general, no forman parte de nuestra herencia genética. Por esta razón las técnicas y los trucos que utilizan diferentes personas varían bastante dependiendo de la persona y de su cultura. Aprender y aplicar estrategias toma un poco de práctica, pero el esfuerzo inicial se traduce en una eficacia a largo plazo en el procesamiento de información, especialmente cuando los trucos se vuelven más automáticos.

Entre más información tiene que procesar el cerebro, más fácil se vuelve recordar, porque se pueden asociar los datos nuevos con los ya aprendidos

A medida que las estrategias eficaces de aprendizaje y retención de los datos dan mejores resultados, el niño construye una base de conocimientos más amplia, la cual a la vez fomenta el aprendizaje y la memorización. El principio fundamental del mejoramiento de la memoria (el conocimiento ayuda a la memoria) se demuestra por el hecho de que alguien que sabe jugar ajedrez podrá recordar con mayor facilidad la ubicación de las piezas en el tablero que alguien que no tiene las bases correspondientes.

Desde luego, la estructura cerebral adecuada en el momento de nacer vuelve más fácil el aprendizaje y la retención de información. Tales diferencias fundamentales como el IQ básico y la velocidad del procesamiento de información están casi por completo fuera del control del niño o de los padres. Pero por otro lado, el desarrollo de habilidades "superiores" tales como el aprendizaje y la retención eficaces puede influir en las "inferiores" o fundamentales. Conforme las estrategias mnemotécnicas van edificando una base de conocimientos más amplia, ésta a la vez se transforma en velocidad y eficacia de procesamiento mayores. Con esto se explica que un ajedrecista con experiencia ideará más rápido buenas jugadas que uno que apenas empieza.

No sólo dos niños de diferente edad pueden diferenciarse por la prontitud de aplicación de estrategias, sino también dos de la misma edad. Inclusive hay muchos adultos que nunca se aprenden ciertas estrategias "avanzadas", mismas que pueden servir de herramienta para diferenciar a los que tienen un alto desempeño de los que no son tan eficaces. Por ejemplo, algunas personas son más hábiles que otras en el arte de organizar los datos para un artículo o libro: enfatizar los puntos principales, resumir los argumentos y hallazgos. De este modo, los primeros cuentan con las aptitudes que les permiten entender y retener mejor la información, lo cual los convierte en lectores más competentes en comparación con los que no se han aprendido esta técnica. Sin importar la situación de aprendizaje de la que se trate, es necesario utilizar el cerebro de manera activa: razonar, cuestionar y comparar.

Bibliografía

Bjorklund, David F. y Rhonda N. Douglas (1997). The development of memory strategies. En *The Development of Memory in Childhood*, Nelson Cowan (ed.). Sussex, Gran Bretaña: ed. Psychology Press.

Pressley, M., J.G. Borkowski y W. Schneider (1989). Good information processing: what it is and what education can do to promote it. *International Journal of Educational Research*, 13: 857-67.

JUEGO DE PALABRAS

Entre más palabras escucha el niño desde la infancia, mejor será su resultado en las pruebas de vocabulario

Los niños de todo el mundo y de todas las culturas, clases sociales y situación económica están preparados para aprender su lengua materna sin ayuda especial. Las bases de competencia en la adultez se sientan a la edad de cuatro años, en el jardín de niños o en la familia; lo que sigue después no es más que el perfeccionamiento de estas habilidades. Sin embargo, es la presencia de este perfeccionamiento que separa a las personas según su vocabulario, a los buenos lectores de los malos, a William Shakespeare de alguien que ni siquiera puede aprender las bases de su idioma en la primaria. Entre la variedad de factores responsables de las diferencias en el rendimiento académico, ¿qué pueden hacer los padres para darle a su bebé las mejores herramientas lingüísticas desde los primeros años de vida?

La posición socioeconómica alta da algunas ventajas, de acuerdo con los resultados de las pruebas de IQ

Muchas investigaciones sugieren que los niños de familias acomodadas en promedio salen mejor en las pruebas de inteligencia. ¿Por qué sucede esto? Puede haber varias explicaciones. Las familias que gozan de holgura económica cuentan con mayores recursos para financiar una mejor educación formal, que puede traducirse en mejores resultados en las pruebas de inteligencia, suponiendo que el IQ por lo menos en parte se determina por la experiencia. En términos generales, las personas de situación socioeconómica alta tienden a llegar a niveles más avanzados de la educación formal. En este caso, la influencia de los padres educados puede permitir que sus hijos desarrollen mejores habilidades de los que se detectan mediante las pruebas de inteligencia. Desde luego, ya que se cree que el IQ tiene un componente genético también es posible que las personas educadas en promedio sean más inteligentes según los mismos criterios y que pasen sus genes de "inteligencia" a la progenie. Cualquier factor de los mencionados puede traducirse en altos rendimientos de los hijos de padres adinerados.

Herramientas que todos los padres pueden aplicar para mejorar el aprovechamiento escolar de sus hijos

El psicólogo Jerome Kagan, de la Universidad de Harvard, distingue tres posibles influencias que los padres pueden ejercer sobre los hijos: *interacción directa, identificación emocional* e *historias familiares* (vea *Educación de los hijos*). No cabe duda de que las primeras dos son especialmente útiles para el desarrollo de las habilidades verbales del niño y no necesitan otra cosa que el tiempo invertido por los padres o educadores.

Platique con sus hijos. Los estudiosos han determinado que las charlas con los hijos son una herramienta que todos los padres, independientemente de la posición socioeconómica, pueden aplicar para aumentar la inteligencia verbal del niño, incluyendo la

Clase de latín

En la columna izquierda aparecen algunos prefijos comunes derivados del latín que forman parte del vocabulario de muchas lenguas indoeuropeas, como el inglés o el español. En la columna derecha figuran algunas raíces latinas comunes junto con el significado que expresan. Al combinar diferentes prefijos y raíces, se pueden formar muchas palabras que tienen un significado y fácilmente comprensibles.

re- "repetición o retroceso"
contra- "contrariedad, rectificación"
male- "malo"
dis- "separación, oposición, negación"
pre- "anterioridad (en el tiempo o en el espacio)"
e-, ex- "sacar o poner fuera; descubrir"
bene- "bueno"
de- "dirección de arriba abajo; separación; proceden-

cia; privación"
con-, com- "participación o cooperación" mit "enviar"
je[c]t "arrojar"
potent "poderoso"
vene "llegar, venir"
factor "creador, hacedor"
volent "dispuesto, que desea"
diction "habla, discurso"
sonant "perteneciente al sonido"

magnitud del vocabulario, la capacidad para leer y otras habilidades lingüísticas. Así, se ha demostrado que entre más platica el padre o la madre con su hijo, más se enriquece el vocabulario de éste, lo cual se verá reflejado en mejores resultados en las pruebas de tipo lingüístico en la escuela.

Independientemente de la edad de su hijo, una táctica comprobada para desarrollar buenas habilidades lingüísticas consiste en leerle libros en voz alta; tales lecturas, sobre todo a "la hora de los cuentos", en un horario habitual, a solas con su hijo y sin estrés de por medio, también ayudan a que el niño se sienta tranquilo y protegido. Esto es una ventaja adicional aparte de ayudarlo a desarrollar sus habilidades de lectura y enriquecer su vocabulario en el futuro.

Clase de griego

Ahora vamos a ver qué combinaciones pueden formarse a partir de los prefijos y raíces provenientes del griego. Es fácil inventar algunas que tengan el mismo significado que las combinaciones latinas, como *cacofonía/malsonante*. (Observación para los que hablan inglés: el prefijo *mis-* en esta tabla no tiene relación con el prefijo homófono que forma parte de algunas palabras inglesas como "mistake" (error) o "misread" (malinterpretar); en este último caso, es un prefijo nativo del inglés del origen germánico que significa "mal, equivocado, incorrecto").

auto- "mismo"	*logy, ology* "habla, estudio de"
poly- "mucho"	*pathy* "sensación"
mis-, miso- "odio"	*anthropy* "(de) la gente"
demo- "pueblo"	*cracy* "poder de"
phil-, philo- "amor"	*chrony* "tiempo"
syn-, sym- "con, juntos"	*phony* "sonido"
caco- "mal, malo"	*gyny* "de mujeres"
psych- "mente"	*sophy* "sabiduría"
eu- "bueno"	

Una buena manera de despertar el interés del niño en las palabras es explicarle cómo se llaman las cosas y por qué
Cuando está con su hijo, enséñele diferentes objetos y dígale cómo se llaman. Además de la utilidad evidente de esta idea, existen pruebas convincentes de que el vocabulario infantil se ve beneficiado por los padres que no escatiman en el tiempo para explicar los nombres de diferentes cosas a su hijo. Es importante que entienda una cosa: este consejo no tiene nada que ver con aprender a ser un hablante fluido y competente. Cualquier niño va a aprender su lengua materna sin el esfuerzo adicional por parte de su padre o tutor para indicar los nombres de los objetos que se encuentran en el ambiente del niño. El efecto de este juego pertenece más bien a la afinación del vocabulario de la cual se habló anteriormente. De esto modo, este esfuerzo en un futuro determinará cuán grande o desarrollado será el vocabulario del niño comparado con sus coetáneos.

Hable de las cosas que despiertan el interés del niño
Otro fenómeno comprobado con experimentos y que además no es tan evidente como enseñar los objetos diciendo sus nombres, es el hecho de que es mucho más probable que el niño aprenda dichos nombres si el adulto sigue el foco de atención del pequeño. Los niños aprenden más rápido los nombres de los objetos si el adulto se fija en lo que está estudiando el niño y le da el nombre del objeto que cuando el adulto trata de desviar la atención del niño. Por esta razón, los padres no deben atraer la atención de su hijo a los objetos que el padre mismo considera más importantes, por más tentadora que les parezca la idea. Al darse cuenta de lo que le interesa al niño, el padre puede entrar en su mundo adaptando la conversación a los intereses del pequeño.

Con la edad se necesitan nuevos métodos
Cuando el niño aprende a identificarse con sus padres, sus habilidades lingüísticas necesitan aportaciones menos obvias pero igual de importantes. A partir de cuatro o cinco años de edad, los niños empiezan a comprender que se parecen a sus

papás, así que si éstos muestran interés en el vocabulario y las palabras, es más probable que el niño también lo haga. No escatime el tiempo para explicar el significado de palabras nuevas y sugerir estrategias para entender las palabras que el pequeño puede escuchar de otras fuentes.

Estrategias que emplean buenos maestros de la lengua materna y que los padres pueden considerar útiles

En el periodo del primer al tercer año de primaria, el vocabulario de un niño normal aumenta en promedio alrededor de 9,000 palabras, lo cual equivale a aproximadamente ocho palabras por día, una cantidad impresionante para cualquier adulto. Del tercer al quinto año, el número alcanza más o menos las 20,000 palabras. ¿Cómo es posible aprender tantas palabras nuevas tan rápido?

El secreto de la estrategia consiste en que los niños aprenden a comprender el significado de las palabras por su propia cuenta. Es algo que los adultos hacen automáticamente: por ejemplo, después de conocer el significado de la palabra "concreto" no es necesario buscar en el diccionario la entrada "concretar" para comprender este verbo. Los niños asimilan este truco, que tanto facilita el aprendizaje de palabras nuevas a los adultos, un poco después de conocer otros patrones lingüísticos.

Los padres pueden enseñar a sus hijos las estrategias más complicadas —útiles para la comprensión de nuevas palabras— que a los adultos parecen evidentes. El ejemplo más sencillo es la explicación del significado de prefijos, sufijos y raíces comunes, tales como:

Prefijos	*Raíces*
bene- "bueno"	*dicción* "habla"
omni- "todo"	*potent* "poderoso"
col-, con-, com- "con"	*ciencia, sciencia* "conocimiento"
pre- "antes, delante de"	*mit* "enviar"
e-, ex "fuera de"	*vene* "venir"

Mnemotécnicas visuales
Cómo ayudar al niño a adquirir un buen vocabulario

Las *mnemotécnicas* (palabra que proviene del griego "mnemosyne", memoria) visuales son una estrategia que consiste en memorizar las cosas con la ayuda de una imagen visual. La técnica de imágenes no sólo se utiliza para recordar los nombres de personas; si quiere que su hijo extienda su vocabulario, intente lo siguiente: vamos a suponer que al niño le cuesta mucho trabajo recordar el significado de la palabra "pugnaz".

Intente hacer lo mismo con las siguientes palabras: *saturnino* (triste), *prolijo* (verboso), *nugatorio* (engañoso), *pusilánime* (cobarde), *idílico* (paradisiaco)

Una vez que el padre explique el significado de los prefijos y raíces comunes, el niño puede inferir el concepto de las voces que nunca había oído (por ejemplo, *bendecir, omnipotente, presciencia, emitir* o *convenir*) al dividir la palabra y analizar sus componentes, capacidad que le da una actitud lingüística más profunda que el simple conocimiento de raíces y prefijos. Al aprender a desenmarañar las palabras desconocidas en forma de juego, las palabras nuevas que su hijo pueda escuchar en el futuro no lo dejarán perplejo.

Juegos para determinar el vocabulario del niño

Empleando el diccionario, podemos explicar al niño el significado de algunas palabras interesantes con raíces latinas o griegas. Podemos comenzar con las voces como *simpatía, malévolo* o *benefactor*. El truco de desglosar la información oscura, incomprensible en componentes "transparentes" es una de las posibles maneras para darle el significado a las cosas, lo cual a la vez es un paso relevante en el proceso de aprendizaje y memorización. De esta manera una palabra como *misantropía*, de una secuencia arbitraria de cinco sílabas que hay que memorizar como algo con cierto significado, adquiere más sentido gracias a sus componentes más claros, que además pueden encontrarse en otras combinaciones.

Si el niño observa que sus padres con gusto se preguntan de los orígenes etimológicos de las palabras, de su significado actual y de su uso debido, todo esto recurriendo al diccionario, empiezan a apreciar el valor de las palabras como juguetes interesantes. Es uno de los mejores métodos que los padres pueden emplear para mejorar las habilidades lingüísticas futuras de su hijo.

Bibliografía

Dunham, P.J., F. Dunham y A. Curwin (1993). Joint-attentional states and lexical acquisition at 18 months. *Developmental Psychology*, 29: 827-31.

Hart, B. y T.R. Risley (1995). *Meaningful Differences in the Everyday Experience of Young American Children*. Baltimore: ed. Paul H. Brookes.

Hoff, Erika (2001). *Language Development*. Belmont, CA: ed. Wadsworth/Thomson Learning.

Hoff-Ginsburg, Erika (1998). The relation of birth order and socioeconomic status to children's language experience and language development. *Applied Psycholinguistics*, 19: 603-30.

Huttenlocher, J. y cols (1991). Early vocabulary growth: relation to language input and gender. *Developmental Psychology*, 27: 236-48.

HABITUACIÓN

Las ventajas de ser distraído

¿Qué tienen en común una primitiva babosa marina y un adolescente moderno? "Mucho", dirían los neurocientíficos. "No puede ser", contestan las madres. Sin embargo, desde cierta perspectiva interesante, prácticamente no hay diferencia entre no mantener ordenada la recámara y no retraer el sifón para protegerlo cuando se siente un empujón ligero. Sólo depende del número de veces que uno se expone a esto.

Los neurocientíficos hace mucho tiempo comprendieron que para entender cómo funciona el cerebro humano a menudo es necesario empezar con el siguiente principio

Aplysia Californica.
Una especie de babosa marina comúnmente utilizada en las investigaciones neurocientíficas.

básico: si desea resolver un problema complejo, primero hay que solucionar uno más fácil que comparta la estructura fundamental con el complejo. En este caso, el problema más complejo es el funcionamiento de los mecanismos de nuestro cerebro empleados para el aprendizaje y la memorización; el más fácil es cómo funciona el proceso de aprendizaje en un "minicerebro" —un conglomerado de tejido nervioso llamado ganglio— de un molusco gasterópodo denominado *Aplysia*, la babosa marina que se encuentra en los litorales de California.

MAMÁ: "Por favor, recoge en tu recámara".
ADOLESCENTE: "Ya lo hice".

El sistema nervioso humano consta de aproximadamente 50 mil millones de neuronas, cada una de las cuales tiene vínculos con muchas otras, por lo que el número de punto de comunicación entre todas las neuronas crece de manera exponencial. El neurocientífico Robert Ornstein mantiene que en potencia pueden ser más conexiones entre las neuronas en nuestro cerebro que átomos en todo el universo.

MAMÁ: "Pues no parece".
ADOLESCENTE: "Ay, ¡mamá!"

La babosa marina californiana, en contraste, sólo tiene alrededor de 20,000 neuronas en su sistema nervioso. El primitivismo de este molusco sería de poca ayuda para los neurocientíficos si su organismo no aprendiera de la misma manera cómo nosotros lo hacemos o si su sistema nervioso no funcionara del mismo modo que el nuestro. Resulta, sin embargo, que compartimos con esta babosa elemental muchos patrones de aprendizaje, pues su sistema nervioso es igual al nuestro en lo que respecta a muchas estructuras, mecanismos y sustancias químicas.

Es natural que uno dude que el ganglio de la babosa marina californiana tenga mucho en común con el cerebro humano en cuanto al aprendizaje, pues las habilidades cognitivas de las que estamos tan orgullosos están fuera del alcance de la *Aplysia*. Con todo y eso, los lóbulos frontales de nuestro cerebro que albergan las habilidades de la toma de decisiones conscientes y el aprendizaje estratégico representan desarrollos recientes desde el punto de vista evolutivo. Por lo demás, otras estructuras responsables del aprendizaje todavía se asemejan en mucho a los organismos más primitivos.

MAMÁ: "¿Bueno? Si no es ahora, ¿cuándo?"
ADOLESCENTE: "Esteeeee".
Muchos lectores recordarán el perro de Pavlov. Hace unos cien años, el fisiólogo ruso Iván Pavlov demostró que si la alimentación de un perro iba acompañada del sonido de una

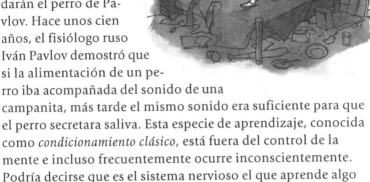

campanita, más tarde el mismo sonido era suficiente para que el perro secretara saliva. Esta especie de aprendizaje, conocida como *condicionamiento clásico*, está fuera del control de la mente e incluso frecuentemente ocurre inconscientemente. Podría decirse que es el sistema nervioso el que aprende algo y no el cerebro.

MAMÁ: "BASTA. ¡Empieza a recogerlo ahora mismo!"
(Silencio)
Otra forma sencilla de aprendizaje se llama *habituación*, que ocurre cuando uno deja de reaccionar frente a un estímulo aplicado constantemente o en repetidas ocasiones y pronto no es consciente de él. Los investigadores que estudian la *Aplysia* mostraron que la babosa pronto deja de retirar el sifón cuando se le toca constantemente y en repetidas ocasiones, aunque los empujones son una de las advertencias para el molusco sobre la presencia de un depredador. Un ejemplo de habituación en el comportamiento humano sucede cuando dejamos de escuchar un ruido de fondo constante y repetitivo, siendo el sonido uno de los indicios que el cerebro humano utiliza como indicación de una amenaza.

MAMÁ: "Recoge... tu... tiradero... ¡AHORITA!"
(Silencio)
En el transcurso de la evolución, el cerebro se modificó para pasar por alto la información que no sea esencial para la supervivencia. La babosa responde a los indicios de un depreda-

dor (y constantes empujones ligeros no lo son), de alimento y la oportunidad de reproducirse. De igual manera, un adolescente que constantemente escucha los mismos reproches u órdenes hace lo que la naturaleza le exige; al igual que la babosa marina californiana, responderá sólo a lo nuevo, desatendiendo lo que ya le es conocido.

MAMÁ: "Se me olvidó decirte... Llamó tu amiga Sally. Que ya estaba muy cerca de aquí".
ADOLESCENTE: "Mamá, ¿por qué no me lo dijiste antes? ¿Dónde guardaste mis jeans rotos, los que están limpios?"
(Silencio)

Bibliografía

Carew, Thomas J. (1996). Molecular enhancement of memory formation. *Neuron*, 16: 5-8.

Mayford, Mark y Eric R. Kandel (1999). Genetic approaches to memory storage. *Trends in Genetics*, 15/11: 463-70.

Ruben, Peter y cols. (1981). What the marine mollusk Aplysia can tell the neurologist about behavioral neurophysiology. *Canadian Journal of Neurological Sciences*, 8/4: 275-80.

LOS AÑOS
DE MADUREZ
De la universidad a la jubilación

Autoevaluación: Concentración

El ejercicio que se presenta a continuación fue desarrollado por la Real Fuerza Aérea Holandesa para evaluar e incrementar la habilidad de los pilotos de combate para concentrarse y para prolongar su periodo de atención. Cuando esté listo, comience a tomarse el tiempo. Sólo tendrá 15 segundos para contar cuántos números 4 y cuántas letras g hay en este recuadro. Si no puede encontrarlas en 15 segundos, inténtelo de nuevo, pero esta vez busque las letras c y los números 5, nuevamente durante 15 segundos. Repita el ejercicio, pero cada vez busque diferentes pares de letras y números; sólo dispondrá de 15 segundos cada vez que repita el ejercicio. Vea las respuestas en la pág. 116.

```
a  7  3  d  g  t  p  9  6  2  x  d  e  o
d  g  v  c  d  w  3  6  7  9  w  d  z  x
x  c  k  l  p  o  u  t  e  e  4  c  v  b
p  h  4  f  d  s  a  q  w  6  r  t  y  u
4  d  e  r  g  f  r  t  y  u  i  c  s  w
3  s  w  e  d  3  5  h  t  c  e  3  c  d
e  w  q  d  c  5  6  o  1  r  d  w  2
j  g  e  2  3  7  b  f  d  f  g  h  y
n  m  s  w  e  r  u  i  o  5  3  4  4  d
i  7  o  e  r  t  y  u  i  w  s  q  x  d
```

Poner atención es la llave del aprendizaje, especialmente cuando se está bajo presión

Algunas cosas llaman nuestra atención porque son llamativas o ruidosas, como un relámpago que atraviesa el oscuro cielo de verano o el trueno que le sigue. Por lo tanto, sería razonablemente correcto suponer que las cosas en las que nuestro cerebro decide poner atención están influidas por la naturaleza de la entrada de nuestros sentidos.

Localizar las llaves del automóvil
Lo anterior no significa de ninguna manera que el cerebro reciba pasivamente lo que los receptores de la vista, el oído, el olfato, el

gusto y el tacto le mandan. Esto es evidente cuando conscientemente tomamos la decisión de poner atención en algo que no se califica como crucial para sobrevivir –por ejemplo, localizar las llaves del automóvil que deben estar justo en el lugar donde se dejaron, pero no están ahí. Los centros de la toma de decisiones de la *corteza prefrontal* y la *parietal* le dicen a las partes sensoriales primarias del cerebro en qué deben poner atención. Este mensaje de "para qué estar alerta" provoca cambios en las regiones inferiores del cerebro que procesan el significado de información visual pero, sorprendentemente, también cambia las áreas de procesamiento de datos en bruto que reúnen entradas visuales elementales, tales como ángulos de líneas, curvas, orillas, colores. En su búsqueda de las llaves, la corteza visual modifica su interpretación de los impulsos no procesados que los ojos le envían al alterar sus neuronas de tal modo que responderán a los

La conexión ojo-cerebro

En realidad, el ojo humano no "ve" absolutamente nada. Las proporciones del espectro de la energía electromagnética que pasa a través del ojo estimulan los receptores del bastoncillo y del cono en la parte trasera de la retina. Estos receptores transmiten información al tálamo del cerebro, que con frecuencia se les llama "la puerta a la corteza" que, a su vez, envía la información a la corteza visual primaria que, posteriormente, reenvía la información a otras partes de la corteza para procesamientos e interpretaciones más sofisticados. La corteza es la que interpreta la entrada visual como patrones de luminosidad, oscuridad, forma, color y textura que componen las imágenes. Así pues, la corteza recodifica los datos de tal forma que adquieran significado y potencial para la memoria. Los ojos de algunas personas que sufren daltonismo, o incluso ceguera total, con frecuencia funcionan a la perfección. Lo que no funciona son las regiones del cerebro que normalmente procesan e interpretan la información de sus ojos.

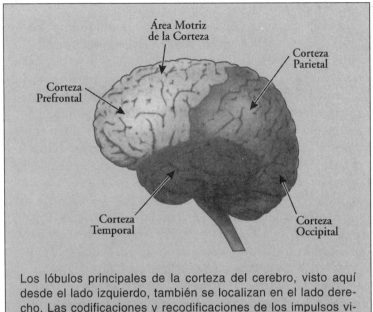

Los lóbulos principales de la corteza del cerebro, visto aquí desde el lado izquierdo, también se localizan en el lado derecho. Las codificaciones y recodificaciones de los impulsos visuales se llevan a cabo en primer lugar en el lóbulo occipital, después en el parietal. Otras entradas sensoriales se procesan en diferentes áreas. Los sonidos, por ejemplo, se procesan principalmente en el lóbulo temporal.

estímulos que encajan con las características físicas de las llaves. Estos cambios ocurren en la corteza visual, incluso, antes de que los ojos encuentren las llaves que estaban buscando. En suma, las neuronas del mismo tipo responden a la información que se está recibiendo, relacionando lo que la parte de la toma de decisiones del cerebro les ha dicho que busquen en un proceso en el que el poder de la mente está literalmente sobre el objeto.

(Consejo: Asegúrese de recordar exactamente cómo son las llaves que está buscando antes de empezar a buscarlas).

Una vez encontradas las llaves del automóvil y concluido el proceso de atención selectiva, estamos fuera de casa y rumbo a nuestro destino. No obstante, el proceso de atención selectiva no siempre trabaja a la perfección, debido a que un sinnúmero de factores pueden interferir con esta operación.

El poder de los factores de distracción

Lo que acaba de comer o el hecho de haber dormido o no lo suficiente la noche anterior son tan sólo dos aspectos que pueden
interferir con el proceso de atención selectiva (vea *Alimento para
el cerebro* y *Sueños en el trabajo*). Sin embargo, el culpable mucho
más común es la distracción. En un reciente estudio que seguramente tendrá repercusiones en el debate sobre el uso de teléfo-
nos celulares al volante, un grupo de investigadores británicos
descubrió que es difícil para el cerebro enfocarse en una tarea
importante cuando la capacidad de memoria funcional está llena
o sobrecargada de estímulos distractores.

La *memoria funcional* es el sistema del cerebro que retiene la
información en línea mientras que la manipula para resolver un
problema (vea *Falta de atención*). Muchas habilidades mayores
—planeación, toma de decisiones, solución de problemas y el
idioma— dependen de la memoria funcional. Este mecanismo
maravilloso puede ocupar su máxima capacidad con facilidad
cuando estamos solucionando mentalmente un problema difícil
—por decir, multiplicar 23 por 57— o cuando estamos tratando
de hacer varias cosas a la vez.

En el experimento británico, los investigadores pidieron a los
participantes realizar un ejercicio empleando la atención selectiva mientras que, simultáneamente, intentaban recordar una secuencia de cinco dígitos. El ejercicio de atención selectiva era
identificar la profesión de una persona conocida, cuyo nombre se
mostró en una pantalla junto con su cara. Algunas veces su cara
se relacionaría con el nombre, pero otras no; así que, con el fin
de hacer la relación correctamente, los participantes tuvieron
que ignorar el rostro de la persona y enfocarse sólo en el nombre.

Cuando simultáneamente se les dio a los participantes una
secuencia sencilla de dígitos para que los recordaran —0-1-2-3-4,
por ejemplo—, lograron ignorar fácilmente el estímulo del rostro y concentrarse en el nombre. No obstante, cuando se les pidió que recordaran una serie de dígitos al azar —4-0-1-3-2, por
ejemplo, lo cual colocó una mayor carga en su memoria funcional—, se les dificultó aún más el ejercicio y con frecuencia se
tardaron el doble para poder relacionar la profesión con el nombre.

¿Dónde se llevó a cabo la actividad de relación de elementos?

Una imagen de resistencia magnética funcional (fMRI) de los cerebros de los participantes reveló que la tarea más difícil de la memoria funcional se llevó a cabo en la corteza prefrontal, lo cual era de esperarse considerando que en la corteza prefrontal se hallan regiones cerebrales que más se utilizan para la memoria funcional. Sin embargo, la imagen también mostró que una región procesadora de la cara en la corteza parietal se activó cuando los participantes estaban preocupados con los ejercicios de memoria funcional más difíciles: recordar el orden al azar de los dígitos. En otras palabras, aunque se indicó explícitamente a los participantes que ignoraran los rostros mostrados en la pantalla, sus cerebros no pudieron seguir esas instrucciones cuando se les saturó con una tarea de memoria funcional difícil.

Poniendo atención para poner atención

En general, la investigación sobre la memoria funcional y la atención selectiva muestra que los sistemas de toma de decisiones conscientes en el cerebro ejercen control decisivo sobre las partes del cerebro que están recibiendo información de los sentidos. Y, dado que la memoria funcional puede ser un guardián de la memoria a largo plazo, todo el aprendizaje mejora cuando se fuerza al cerebro a poner atención. De hecho, una de las razones más comunes de quejarse de tener mala memoria es el fracaso a forzar al cerebro a estar alerta de los datos que se están recibiendo. Es decir, si el cerebro no capta algo desde el inicio, no podrá recordarlo después. La razón por la cual es necesario "decirle" al cerebro que esté alerta de las cosas más sutiles en vez de poner atención en un rayo es porque el cerebro fue diseñado para no poner atención a todo por sí mismo. De ser así, el cerebro procesaría una gran cantidad de la energía disponible del cuerpo, lo cual forzaría a todos los sistemas a apagarse, muy parecido a un apagón paulatino.

Consejo práctico

Durante el proceso de realizar tareas que requieren enfoque es imprescindible mantener los contornos lo más libre posible de distracciones. Cualquier comunicación oral o sonidos que se le parezcan ganarán terreno automáticamente en la memoria funcional, por lo que es importante tener la televisión apagada cuando uno se está concentrando en una tarea. Si hay música de fondo, la música instrumental es menos distractora que la música vocal. La memoria funcional comienza a decrecer en una etapa temprana de la adultez, de tal forma que estos consejos se hacen cada vez más importantes conforme el tiempo pasa.

Respuesta de autoevaluación, pág. 110
    Hay cinco números 4 y cinco letras g
    Hay siete letras c y tres números 5

Bibliografía

De Fockert, Jan y cols. (2001). The role of working memory in visual selective attention. *Science* 291: 1803-6.

Somers, David C. y cols. (1999). Functional MRI reveals spatially specific attentional modulation in human primary visual cortex. *Proceedings of the National Academy of Sciences USA* 96: 1663-8.

Aprenda de manera fácil

Un poco de emoción ayuda

¿Recuerda dónde estaba cuando escuchó que la Princesa Diana había muerto en un accidente automovilístico, o cuando el Edificio Federal de la Ciudad de Oklahoma había sido bombardeado, o cuando la nave espacial *Challenger* había explotado o, en un plano más personal, sabe dónde se encontraba cuando falleció su mamá; cuando se enamoró por primera vez o cuando le levantaron su primera infracción?

Emociones en el trabajo

Todas estas experiencias comparten un mismo denominador común que estaba estrechamente relacionado con grabarlas para siempre en la memoria a largo plazo: la emoción. La evolución diseñó al cerebro de tal forma que éste identificara los sucesos que se perciben como esenciales para sobrevivir al crear una fuerte reacción emocional. Dado que la sobrevivencia es la prioridad número uno del cerebro, el suceso desencadenará un mecanismo incorporado que asegura que el cerebro nunca olvide tal suceso.

Los neurocientíficos han localizado con exactitud el componente central de este mecanismo de la memoria inmerso en el cerebro: una pequeña estructura con forma de almendra llamada amígdala. Ésta forma parte del centro emocional del cerebro que se desarrolló a principios de la evolución conocido como sistema límbico, el cual es una pieza clave en varios aspectos del aprendizaje inconsciente que compartimos con otros animales.

¡Ay, me duele!

Una forma de aprendizaje inconsciente se conoce como *condicionamiento*. Éste es el tipo de aprendizaje hecho por ratas de laboratorio cuando un estímulo neutral (por ejemplo, un olor determinado) se relaciona con un estímulo no placentero (como una descarga eléctrica). La rata aprende rápidamente a temerle a ese olor incluso cuando no sucede simultáneamente con la descarga. Esta clase de aprendizaje es cien por ciento inconsciente y automática. En la especie humana este aprendizaje se opone en gran medida al análisis racional, ya que se realiza independientemente de las áreas de pensamiento "superiores" del cerebro y, por lo tanto, es muy difícil que la mente racional y consciente pueda controlarlo. Es por ello que no es fácil superar las fobias.

Al parecer la amígdala hace todo esto al establecer comunicación con el hipocampo (que también es un componente fundamental del sistema de la memoria declarativa más característico de los humanos) y con el ganglio basal (una parte central del sistema del cerebro que nos permite aprender nuevas habilidades y hábitos), además de estimularlos para que reciban la información con seriedad. En algunos experimentos, los científicos han determinado la curva de aprendizaje de las ratas con tan sólo inyectarles un estimulante de anfetamina de forma directa en la amígdala. A la inversa, las inyecciones de lidocaína en el hipocampo o en el ganglio basal bloquean los efectos de ampliación de aprendizaje de la amígdala inyectada con anfetamina.

No sólo es cuestión de malas vibras

La amígdala no sólo le permite aprender cosas que se limitan al conocimiento inconsciente o "primitivo", como el miedo, los

Cuando el cerebro presiente el miedo reacciona antes de que usted se dé cuenta –y nunca lo olvida

¿Cómo va construyendo el cerebro recuerdos de sucesos importantes de la vida; en especial, cómo se crean, almacenan y recuperan los recuerdos traumáticos? El cerebro tiene múltiples sistemas de memoria, cada uno enfocado en diferentes tipos de funciones de la memoria (vea *La memoria es plural*). Para los recuerdos traumáticos, son dos sistemas los que cobran especial importancia: si regresa al lugar del accidente, recordará el accidente, a dónde iba, con quién estaba, así como otros detalles de esa experiencia; a esto se le llama recuerdos explícitos (conscientes). Además, su presión sanguínea y sus palpitaciones podrían acelerarse, podría empezar a sudar y sus músculos podrían ponerse rígidos; a esto se le conoce como recuerdos implícitos (inconscientes).

La respuesta del cerebro a los estímulos de amenaza involucra conexiones nerviosas que envían información sobre el mundo exterior a la amígdala. Este sistema determina la importancia del estímulo potencialmente amenazador y desencadena respuestas emocionales, como quedarse inmóvil o tratar de huir. Antes de que lo dinosaurios dominaran la tierra, la evolución creó esa forma de conectar al cerebro para producir respuestas que son capaces de mantener vivo al organismo en situaciones de peligro. La solución fue tan eficaz que desde entonces no se ha modificado (por supuesto que si este sistema controlado por la amígdala no hubiera funcionado, los descendientes de las criaturas que lo tenían no estarían aquí para discutirlo). El funcionamiento es muy similar en ratas, en el ser humano, en pájaros y reptiles.

Fuente

Ledoux, Joseph, Profesor, Center of Neural Science, New York University. Adaptado de una presentación en la conferencia *Learning and the Brain*, el 4 de mayo de 2001, Washington, D.C.

sentimientos viscerales o similares. Asimismo, la amígdala le ayuda a tener memoria explícita relacionada con hechos y sucesos. He ahí la razón por la cual la noticia sobre la bomba en la Ciudad de Oklahoma se arraigó más en la memoria a largo plazo de la mayoría de las personas que cualquier otro acontecimiento que hayan anunciado en las noticias ese día.

La emoción no sólo aumenta la memoria para sucesos momentáneos: varios estudios han mostrado que la gente recuerda mejor historias que surgen a partir de la emoción que historias de la misma extensión y complejidad, pero con menos carga emocional. La emoción ni siquiera tiene que contener cierta intensidad o fuerza. Por su parte, estudios con imágenes de tomografía por emisión de positrones (PET) han mostrado que la amígdala contribuye a aumentar la memoria para datos con dejo de emoción aun si usted no está consciente de alguna excitación emocional. (La excepción a esta regla son las personas con daño de amígdala, cuya memoria responde mejor a una historia emocional que a una neutral).

Aplicaciones prácticas para los estudiantes

El papel de la emoción al ayudar a transformar experiencias en memoria a largo plazo es la razón de la eficacia de los estilos de enseñanza y aprendizaje comprometidos con la emoción. Por ejemplo, si en vez de aprenderse algo de memoria, debate con sus compañeros lo aprendido al terminar una clase, lo recordará por más tiempo. Un debate tiende a despertar sus emociones y no sólo su intelecto, así es más probable que los temas permanezcan en su memoria a largo plazo.

Por cierto, si decide aprenderse un tema de memoria, haga intervalos de descanso de 20 minutos y, si es posible, haga lo posible por descansar bien esa noche después de haber terminado de estudiar. Este no es solamente un consejo maternal: está basado en investigaciones neurocientíficas del sonido (vea *Sueños en el trabajo*).

Bibliografía

Adolphs, Ralph y cols. (1997). Impaired declarative memory for emotional material following bilateral amygdale damage in humans. *Learning & Memor*, 4: 291-300.

Cahill, L. y J.L. McGaugh (1995). A novel demonstration of enhanced memory associated with emotional arousal. *Consciousness and Cognition*, 4: 410-21.

Cahill, L. y cols. (1996). Amygdala activity at encoding correlated with long-term, free recall of emotional information. *Proceedings of the Americal Academy of Sciences USA*, 93: 8016-21.

McGaugh, J.L., L. Cahill y B. Roozendaal (1996). Involvement of the amygdale in memory storage: interaction with other brain systems. *Proceedings of the National Academy of Sciences USA*, 93: 13508-14.

Morris, J.S., A. Ohman y R.J. Dolan (1998). Conscious and unconscious emotional learning in the human amygdale. *Nature*, 393: 467-70.

¿Qué es la capacidad del oído de su mente?

Si lee estos tres números ya sea en voz alta o en silencio y después mira hacia otro lado, probablemente usted podrá repetirlos correctamente:

3-7-6

Ahora, inténtelo con cuatro números:

3-7-6-8

después cinco:

3-7-6-8-5

ahora seis:

3-7-6-8-5-2

después siete:

3-7-6-8-5-2-4

y ahora ocho:

3-7-6-8-5-2-4-6

¿Todavía no comete ningún error?

Utilice el oído de su memoria

Herramienta versátil de la función ejecutiva:
el sorprendente circuito fonológico

¿Cómo se llama el cliente que mi jefe me acaba de presentar? ¿Qué dijo
el policía, que diera vuelta a la izquierda o a la derecha en el primer
cruce? ¿Qué pidió mi tía Martha: un jerez seco o un martini seco? En
otras palabras: ¿por qué pareciera que muchas cosas eluden mi radar
de memoria a corto plazo?

Los psicólogos se refieren a nuestro mecanismo del oído de la memoria a corto plazo como circuito fonológico. Este mecanismo es una de las herramientas más importantes que nuestro cerebro tiene que rastrear y recordar lo que escuchamos o leemos. Entender cómo funciona y cuáles son sus limitaciones puede ayudarnos a sacarle más provecho.

En un prestigioso artículo publicado hace más de cuarenta años, el psicólogo de Princeton George A. Miller propuso que la capacidad de nuestra memoria a corto plazo se limitaba a siete "piezas" de información aproximadamente. Estas siete piezas pueden estar compuestas por dígitos o letras solos, o "pedazos" de dígitos y letras o combinaciones de ambos. Casualmente (quizá), los números telefónicos están formados por siete dígitos.[4] Haya sido o no planeado premeditadamente, eso significa que podemos retener el número telefónico en nuestra mente el tiempo suficiente como para marcarlo sin errores después de haberlo visto escrito en el directorio telefónico.

---

[4] En algunas ciudades del mundo, los números telefónicos todavía constan de siete dígitos (N. del T.).

Si cree que usted puede recordar más de siete piezas de información, haga la prueba que está en la página anterior. (Los psicólogos la llaman prueba de retención de dígitos inmediata). En este tipo de ejercicios, el límite máximo para la mayoría de nosotros es de seis o siete números. No obstante, existen formas de incrementar el número de dígitos que podemos recordar: una es por "pedazos" o grupos; es decir, formando una secuencia de números con dos dígitos. La mayoría de las personas forman secuencias de cuatro números con dos dígitos cada uno: 37-68-52-46, lo cual es más fácil de repetir que si decimos ocho números de un dígito cada uno: 3-7-6-8-5-2-4-6. De hecho, hacemos esta clase de agrupaciones rutinaria y automáticamente cuando tenemos que recordar la clave lada más los siete dígitos del número telefónico. De tal forma que (510) 434-95-23 (5-1-0-4-3-4-9-5-2-3) se convierte en 5-10-4-3-4-95-23.

Trabajos más recientes han mostrado que no sólo influye el número de pedazos que limitan el número de grupos que el ser humano puede retener en su almacenaje de memoria acústica a corto plazo, sino también cuánto tiempo tarda en pronunciar dichos pedazos. Así, cualquier palabra familiar formará un solo grupo, pero es más fácil recordar una serie de siete palabras de una sola sílaba que una de siete con varias sílabas. El porqué se relaciona con nuestra dependencia en el almacenaje a corto plazo del circuito fonológico para este tipo de memorización, y por el hecho de que los sonidos se retienen en el almacenaje del circuito fonológico durante sólo un periodo corto: alrededor de dos o tres segundos.

Por supuesto, si la información realmente se borra de su circuito fonológico después de dos segundos más o menos, es de esperarse que se olviden las primeras piezas o grupos de información en una secuencia de dos segundos de duración para cuando comiencen a repetirse; no obstante eso no sucede, ¿por qué?

La respuesta es la misma del porqué usted puede retener un número telefónico en la mente si se tarda, por ejemplo, diez segundos en aprenderse el número y marcarlo. Aunque el sistema de almacenamiento temporal para sonidos retiene trazos de memoria que se borran después de dos segundos aproximadamente, dichos trazos se pueden almacenar nuevamente mediante la repetición en voz alta o en silencio. Este sistema de repetición articulatorio forma el segundo componente del circuito fonológico, junto con el almacenaje fonológico. Los dos componentes trabajan en conjunto para procesar la información como si ésta estuviera en la memoria de una computadora, pero dichos componentes en realidad se encuentra en varias partes del hemisferio izquierdo del cerebro.

La memoria funcional y el oído de la mente

El circuito fonológico es una de las herramientas utilizadas por la memoria funcional que es un componente de lo que los neurocientíficos llaman la función "ejecutiva" del cerebro. Con frecuencia, repetimos algo que acabamos de escuchar y automáticamente lo traducimos en sonidos con el fin de utilizar esa información para resolver un problema o para completar una tarea. Lea la siguiente oración:

El conductor de un camión le hizo una señal al camión de carga rojo para que avanzara, el cual dio vuelta a la izquierda, se detuvo en el tercer carril y tocó el claxon dos veces.

Para seguir el significado de una oración como ésta, mucho menos para contestar una pregunta basada en la información que

---

Efecto de la información reciente

Lea una vez las palabras contenidas en esta lista (o pídale a alguien que se las lea en voz alta) y repita todas las palabras que recuerde sin importar el orden. ¿Pudo recordar más palabras del final de la lista o del principio?

carrito	zebra	botella
avestruz	vela	pintura
papaya	computadora	lima
motocicleta	tulipán	lápiz
calabaza	regadera	reloj

Agrupación y memoria a corto plazo

Lea una vez esta serie de letras:

pgrxhgcafisatamlo

¿Cuántas pudo recordar?

Ahora, observe la serie y vea que consisten en series de letras conocidas pero todas juntas:

pgr, xhgc, afi, sat, amlo

¿Cuántas puede recordar ahora?

contiene (¿hacia dónde dio vuelta el camión de carga?), debemos retener cada palabra en nuestra memoria a corto plazo lo suficiente como para hilar todas las piezas, repasarlas nuevamente de ser necesario y descifrarlas correctamente.

Circuitos fonológicos disfuncionales

Incluso con un circuito fonológico con mal funcionamiento, las conversaciones ordinarias se pueden manejar sin gran dificultad, ya que la mayor parte de lo que la gente dice en conversaciones informales no es estructuralmente complejo. Los hablantes tienden a evitar estructuras con sintaxis complicada no sólo porque son difíciles de descifrar, sino porque también son difíciles de construir, y entorpece las capacidades lingüísticas tanto del hablante como del oyente. Por otra parte, el circuito fonológico con mal funcionamiento puede ser la causa de otros problemas más serios.

Se ha descubierto que al parecer muchos niños con dislexia también presentan disfunción en el mecanismo de su circuito fonológico lo que les impide que dividan las palabras por sonidos o que aprendan a traducir correctamente sonidos en letras. Asimismo, niños pequeños a los que se les dificulta repetir palabras inventadas como "fluego" y "sleis" tienden a presentar un voca-

Nuevo tratamiento contra la dislexia

E studios recientes han mostrado que el déficit del circuito fonológico en la dislexia puede deberse a una incapacidad más general que al único hecho de segmentar la serie acústica del habla en unidades. A los niños con problemas de habla-aprendizaje se les dificulta más detectar y seguir rápidos cambios no sólo en estímulos acústicos (como el habla) sino también en los visuales (como una serie de símbolos visuales presentados rápidamente en la pantalla de la computadora). Dicho de otra forma, más que tener un déficit cognitivo específico del lenguaje, presentan un déficit de procesamiento sensorial que afecta su habilidad de aprender un idioma, así como capacidades basadas en el idioma mismo, como la lectura o la escritura.

¿Cuál es la causa del déficit de procesamiento sensorial? Algunos exámenes estructurales muy recientes y estudios de imágenes del cerebro indican que los disléxicos tienen menos mielinación en las neuronas de algunas partes de su hemisferio izquierdo empleado para el procesamiento del idioma. La mielina es el aislamiento en el axón —o componente transmisor de mensajes— de una célula cerebral. Menos mielinación significa transmisión más lenta del impulso eléctrico hacia el axón y entre las células cerebrales, lo cual obstaculiza el procesamiento de señales sensoriales que cambian con rapidez y, a su vez, dificulta procesar el idioma.

En el ejemplo de un libro de texto sobre la aplicación de la neurociencia al aprendizaje y la enseñanza en un salón de clases, los investigadores enfocados en la dislexia han descubierto una forma de mejorar sorprendentemente la habilidad de niños con problemas de habla-aprendizaje que en tan sólo algunas semanas después del tratamiento podrán estar casi al mismo nivel de otros niños de su edad, si no es que alcanzarlos o hasta rebasarlos, en exámenes auditivos de comprensión del lenguaje. La técnica consiste en ralentizar la corriente del habla artificial a tal punto que los niños no tengan ningún problema para segmentarla correctamente. Después, durante sesiones de entrenamiento múltiples espaciadas en un periodo de tres a cuatro semanas, la velocidad se va incrementando poco a poco hasta alcanzar la velocidad normal. De esta forma, usar un método que en realidad obligue a modificar el cableado del cerebro, va mejorando paso a paso la sensibilidad de los niños relacionada con la corriente de sonidos que se están recibiendo, lo que también les permite mejorar su lectura y escritura.

bulario pobre y continúan teniéndolo en comparación con personas de la misma edad, conforme vaya pasando el tiempo. De este modo, la dificultad de repetir palabras inventadas puede servir como un excelente indicador de problemas futuros: incrementar el vocabulario y aprender algún otro idioma, por ejemplo. Además, puede servir como examen rápido para detectar una posible dislexia.

La capacidad del circuito fonológico no se puede incrementar por el simple hecho de practicar: si repite una serie de números cada día durante un mes, su capacidad no mejorará –al menos no es posible si sólo está confiando en su circuito fonológico nada más. A pesar de que éste desempeña un papel fundamental en el sistema de memoria funcional, tiene limitaciones inherentes. Además, recordar o analizar algo por sus sonidos es únicamente el primer paso del nivel de procesamiento de información que está compuesto por tres niveles. No obstante, sin el circuito fonológico sería mucho más difícil, si no es que imposible, alcanzar los otros niveles de aprendizaje y recordación.

Bibliografía

Merzenich, Michael M. y cols. (1996). Temporal processing deficits of language-learning impaired children ameliorated by training. *Science*, 271: 77-81.

Tallal, Paula (2000). The science of literacy: from the laboratory to the classroom. *Proceedings of the National Academy of Sciences USA*, 97/6:2402-4.

Tallal, Paula y cols. (1996). Language comprehension in language-learning impaired children improved with acoustically modifies speech. *Science*, 271: 81-4.

Temple, E. y cols. (2000). Disruption in the neural response to rapid acoustic stimuli in dyslexia: evidence from functional MRI. *Proceedings of the National Academy of Sciences USA*, 97/25: 13907-12.

MEMORIA A LARGO PLAZO

Por qué la repetición y la práctica funcionan tan bien

El problema con la memoria a corto plazo es que es, como su nombre lo dice, a corto plazo. El componente del circuito fonológico de la memoria funcional sólo puede retener algo en nuestro oído de la mente durante algunos segundos. En cuanto marcamos el número telefónico, se olvida ya que dejamos de repetirlo en nuestra mente. Si quiere retener el número por un periodo más largo, tiene que hacer algo extra.

Una de las formas para transferir información (como un número telefónico) del oído de su mente hacia su memoria a largo plazo es regresar a dicha información una y otra vez (como el número telefónico de un amigo cercano). La habilidad de la repetición para consolidar el conocimiento en la memoria a largo plazo no sólo funciona a través de la *memoria declarativa* —la memoria de hechos y sucesos—, sino también mediante el conocimiento de procedimiento de habilidades tales como recordar cómo usar el ratón de una computadora, o (en países y estados donde todavía está legalmente permitido) cómo marcar un teléfono celular mientras conduce un auto.

Por otra parte, la investigación más reciente indica que estas piezas de información en las cuales nuestro cerebro pone especial atención a lo largo del día también se repetirán durante la noche mientras dormimos. Así pues, además de realizar conscientemente repeticiones del conocimiento o de una herramienta, de igual manera nuestro cerebro repite las cosas inconscientemente, lo cual es una buena razón como cualquiera para evitar escatimar en las horas de sueño (vea *Sueños en el trabajo*).

La práctica hace al maestro

No hace mucho tiempo atrás que los neurocientíficos entendieron cómo el cerebro olvida la mayor parte de la información que fluye por nuestra mente cada segundo día tras día, y nos permite recordar las cosas que practicamos y repetimos (vea el recuadro en la pág. 133). Sin embargo, es importante tener en cuenta que la consolidación del conocimiento en la memoria a largo plazo no garantiza que dicho conocimiento se quedará ahí para siempre. Si el mismo número telefónico se marca todos los días, se memorizará temporalmente, pero en el momento que lo deje de marcar se le olvidará y tendrá que buscarlo otra vez en el directorio telefónico. La memorización puede funcionar bien si lo único que le preocupa es pasar el examen, pero no le será de mucha ayuda si quiere recordar ese conocimiento después de un año. Para poder acceder al conocimiento más objetivo, nosotros mismos debemos acordarnos de los detalles y utilizarlos continuamente.

En resumen, los vestigios de la información en la memoria a corto plazo se borran con rapidez a menos que se conserven mediante la repetición y la práctica. Al recurrir a la información una y otra vez podemos transferirla a los bancos de la memoria a largo plazo, incluso si se trata de información arbitraria como un número de identificación personal (NIP) o una combinación numérica. Pero ¿existe alguna forma en la que podamos ayudar a desarrollar la memoria y acelerar el proceso de aprendizaje? La respuesta es sí, mas en esta conexión lo importante es recordar que la memoria no funciona como una cámara fotográfica o una grabadora. Estamos equivocados si pensamos que nuestro cerebro es un receptor pasivo de información. Como investigador de la memoria, Alan Baddeley, comentó: la característica central del aprendizaje humano es que es dependiente de la organización.

Organícese

La organización funciona en varios niveles: primero, usted puede organizar nueva información de tal forma que pueda recordar sólo esa información, sin integrarla en realidad en una base de conocimiento más amplia. Muchos trucos mnemónicos funcionan así. Si trata de recodar el cajón del estacionamiento del aeropuerto número C-2 al imaginarse salir del área donde se recoge el equipaje con un amigo y diciéndole "Yo también lo vi", ése es un truco específico de la situación. Esto organiza la información en algo que tiene sentido, así que usted podrá recordarlo lo suficiente como para encontrar su automóvil. De igual manera, aprenderse las cosas de memoria para los exámenes con frecuencia funciona en este nivel.

Verdad o fantasía

Investigaciones recientes realizadas por el Premio Nobel, el neurobiólogo Eric Kandel y cols., han identificado una molécula llamada CREB como elemento clave en la cadena de sucesos guiada desde la memoria a corto y a largo plazo. A nivel celular, una diferencia fundamental entre la memoria a corto plazo y la memoria a largo plazo es que ésta última requiere del crecimiento de sinapsis totalmente nuevas –los puntos de comunicación entre las células cerebrales. En contraste, la memoria a corto plazo sólo tiene que ver con un cambio temporal en la sensibilidad de sinapsis ya existentes. Para que crezcan nuevas sinapsis, el cerebro debe activar los genes que producen las proteínas que construyen estas nuevas conexiones de aprendizaje y memoria. Por su parte, CREB es la molécula que activa estos genes.

Pero ¿cuál es la explicación de que sólo algunas experiencias provoquen que CREB active la cadena molecular de sucesos? CREB tiene una contraparte, llamada CREB-2, la cual bloquea la producción de proteína y de nuevas sinapsis. Por lo regular, justo después de un encuentro con un nuevo hecho o experiencia, los niveles de CREB-2 se elevan un poco más que los niveles de CREB y la producción de nuevas sinapsis se bloquea.

El cerebro desarrolló este mecanismo por dos razones: por una parte, no sería favorable recordar cada detalle que pasó por nuestros sentidos segundo a segundo, cada minuto, hora y día de nuestra vida, ya que la mayoría de lo que los sentidos registran no es importante. No le gustaría recordar por el resto de su vida que el camión de la basura pasó frente a su ventana justo cuando estaba leyendo este enunciado. (Las excepciones a esta regla son las experiencias aisladas que desencadenan fuertes reacciones emocionales. Si de casualidad el camión de la basura atravesara su ventana y entrara por su sala, la experiencia indudablemente desencadenaría una fuerte reacción emocional y, en casos como éste, se pasaría por alto el mecanismo de represión de memoria CREB-2).

Por otra parte, si algo sucede en repetidas ocasiones es porque puede ser importante. Por ejemplo, si el teléfono suena y cuando contesta sólo percibe la respiración de la persona que llamó, probablemente se trate de alguien que marcó el número equivocado y que le da pena admitir su error. Sin embargo, si esto ocurre día tras día, usted necesita recordar ese suceso para empezar a idear qué hacer al respecto. Como el creador de James Bond, Ian Fleming, expresó en una ocasión: "Una vez es equivocación; dos coincidencia y tres es el enemigo en acción".

Investigaciones con moscas de la fruta o babosas han permitido descubrir formas de manipular el aprendizaje y la memoria a nivel molecular de CREB y CREB-2: si se bloquea o se envenena temporalmente a la molécula CREB, los animales de laboratorio no pueden aprender nada, sin importar el número de sesiones de entrenamiento que tengan; pero si se bloquea a la CREB-2, los animales recuerdan después de una sola sesión de entrenamiento lo que en circunstancias normales les tomaría muchas sesiones de entrenamiento para aprenderlo. Las aplicaciones prácticas de esto para ayudar a la gente a mejorar su memoria (o, a la inversa, para impedir que los recuerdos a largo plazo de ciertas experiencias se formen por completo) son obvias. Cabe preguntar si este tipo de manipulación de la memoria molecular abriría la caja de Pandora llena de dilemas éticos y prácticos.

Por el contrario, si quiere recordar información de manera permanente, eso ayuda a relacionarla con lo que ya está en su memoria a largo plazo.

Así que en lugar de memorizar individualmente, reúnase con sus compañeros de clase para discutir y debatir sobre el material visto en clases de una manera más profunda. La experiencia le ayudará a recordar el material por más tiempo después de que haya pasado el examen. El componente emocional de la discusión también mejorará sus posibilidades de recordar el material a largo plazo.

Bibliografía

Baddeley, Alan (1999). *Essentials of Human Memory*. Hove, Reino Unido: Ed. Psychology Press.

Carew, Thomas J. (1996). Molecular enhancement of memory formation. *Neuron*, 16: 5-8.

Dubnau, Josh y Tim Tully (1998). Gene discovery in Drosophila: new insights for learning and memory. *Annual Review of Neuroscience*, 21: 407-44.

Mayford, Mark y Eric R. Kandel (1999). Genetic approaches to memory storage. *Trends in Genetics*. 15/11: 463-70.

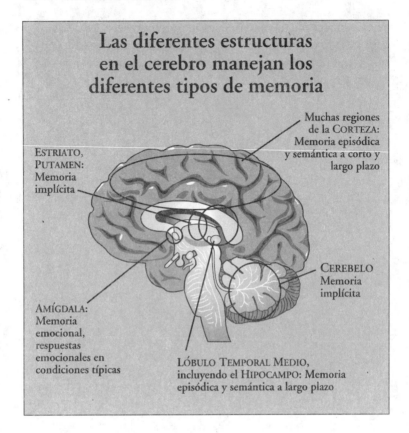

Las diferentes estructuras en el cerebro manejan los diferentes tipos de memoria

Muchas regiones de la CORTEZA: Memoria episódica y semántica a corto y largo plazo

ESTRIATO, PUTAMEN: Memoria implícita

CEREBELO Memoria implícita

AMÍGDALA: Memoria emocional, respuestas emocionales en condiciones típicas

LÓBULO TEMPORAL MEDIO, incluyendo el HIPOCAMPO: Memoria episódica y semántica a largo plazo

LA MEMORIA ES PLURAL

*Aprender cómo sus sistemas se interrelacionan mejora
la codificación de la memoria a largo plazo*

U n caso histórico en la investigación de la memoria es el de
H.M., un hombre que desarrolló amnesia después de que
en una operación le quitaron una parte del cerebro para curarlo
de ataques epilépticos. H.M. presentaba un tipo de amnesia conocida como anterógrada, la cual le impedía recordar cualquier
acontecimiento que hubiera sucedido después de que sufriera de
amnesia. Por ejemplo, parecía una persona normal cuando le
presentaban a un nuevo médico, pero si éste salía de la habitación y regresaba unos minutos más tarde, el hombre ya había
olvidado no sólo el nombre del doctor sino incluso se olvidaba
por completo de que se acababan de conocer. En otras palabras,
al parecer no podía crear ningún nuevo recuerdo; de hecho, también olvidó todo lo que había sucedido en su vida adulta antes de
la operación, pero retuvo sólo aquellos recuerdos de su infancia.

Por qué el caso de H.M. fascinó a los neurocientíficos

Los psicólogos que estudiaron el caso de H.M. llegaron al sorprendente entendimiento de que, aunque H.M. no podía crear nuevos recuerdos conscientes, sí podía aprender nuevas cosas. Es decir, él mostró una curva de aprendizaje normal al adquirir experiencia para dibujar en espejos o trazar el contorno de un objeto mientras observaba su mano en el espejo. Para cualquier persona es difícil hacerlo al principio, pero después de unos días de práctica la mayoría de la gente puede aprender a hacerlo sin cometer muchos errores. Esto ocurrió con H.M., a pesar de que en cada sesión de práctica no recordaba en lo absoluto haber intentado alguna vez hacer este ejercicio.

Por ello, H.M. es una prueba viviente de que existen múltiples sistemas de memoria que dependen de diferentes estructuras en el cerebro. H.M. perdió su habilidad de crear recuerdos conscientes de hechos y sucesos, pero conservó la habilidad de aprender nuevas habilidades motoras junto con otras formas inconscientes de memoria.

Por ejemplo, es complicado para cualquier persona descifrar un objeto cuando la imagen de éste está incompleta como se muestra arriba. No obstante, si le muestra a la mayoría de la gente el dibujo de un objeto trazado con claridad —como aparece en la página 136—, podrá identificar con mucha mayor facilidad el dibujo incompleto si lo ve de nuevo (aun si no puede recordar explícitamente haber visto antes la imagen completa). Esto pasaba con H.M.: este tipo de memoria, conocida como *potenciación*, no se basa en la clase de memoria explícita, consciente, en la que por lo general pensamos –el tipo de memoria que H.M. perdió.

El tipo de memoria consciente para hechos y sucesos que se destruyó en el cerebro de H.M. se le ha llamado declarativa, pues es una especie de memoria sobre la que usted puede hablar; por ejemplo, "Ayer en la mañana se me cayó la avena sobre mi gato". Este es el tipo de aprendizaje que se clasifica como "saber que...": saber que ciertos hechos y sucesos pueden ser verdaderos o falsos. Se basa en estructuras localizadas en el lóbulo temporal medio, que incluyen al hipocampo, el cual quedó destruido con la operación que le practicaron a H.M.

Por otra parte, aprender habilidades motoras –"aprender cómo"– no depende del hipocampo, por lo que esto no representó ningún problema para H.M. Lo mismo ocurrió con la potenciación y con otras clases de aprendizaje y memorias inconscientes o no declarativas que una variedad de otros sistemas del cerebro controlan (vea la ilustración en la pág. 136).

El caso de H.M. mostró que todos estos diferentes sistemas de memoria son lo suficientemente independientes uno del otro, de tal modo que uno puede quedar destruido y los otros quedar intactos. Los diferentes tipos de memoria operan en forma paralela todo el tiempo e influyen en nuestro comportamiento en diversos niveles estemos o no conscientes de ello.

Engañe a la amígdala para divertirse y obtener beneficios

Todavía algunos investigadores creen que los diferentes sistemas de memoria, aunque distintos, no son *tan* distintos como comúnmente se piensa. La amígdala, por ejemplo, es una estructura relacionada con recuerdos emocionales, incluyendo aquellos que provocan las fobias, los ataques de pánico y los trastornos de estrés postraumáticos. Todos éstos son trastornos que surgen después de que una experiencia bastante aterradora se queda grabada en el cerebro. Dado que el sistema del cerebro responsable de dichos trastornos opera de manera independiente del pensamiento consciente y racional, todos ellos se resisten a ser curados mediante argumentos conscientes y racionales. Para una persona con un miedo fóbico a volar, simplemente no le ayuda que le digan: "Relájate, cada año menos gente muere en accidentes aéreos que en accidentes en bicicletas".

No obstante, también se puede engañar a la amígdala con sucesos y hechos comunes codificados para su almacenaje permanente (vea *Aprenda de manera fácil*). Si la amígdala se daña, no sólo altera la respuesta emocional del cerebro a las cosas, sino que también afecta la adquisición de nuevo conocimiento consciente. Es cierto, la amígdala se especializa en la clase de memoria emocional que provoca miedo a volar después de un vuelo turbulento aterrador; sin embargo, he ahí por qué también puede ser una herramienta poderosa para incluir datos ordinarios en la memoria cuando usted embellece datos sencillos con detalles dramáticos que provocan emoción. ¿Qué es más fácil de recodar: "Mi número telefónico es 78-69-26-83" o "Mi número telefónico es *PUNZANTE*"?

Cómo utilizar un sistema de memoria para extraer un hecho depositado en otro sistema

El recuerdo de una experiencia en cierto momento y en cierto lugar es por lo general un recuerdo visual, a esto se le llama memoria *episódica*. Estas clases de recuerdos visuales con frecuencia son el primer paso para extraer información que se suma a nuestro conocimiento semántico de hechos sobre el mundo. Por ejemplo, si un amigo suyo le dice cuánto le costó su nuevo Audi convertible, usted podría retener una imagen visual de la conversación. Más tarde, puede ser que olvide el suceso y que recuerde sólo el costo de un convertible costoso. Con frecuencia se olvida para siempre cómo se adquirió ese hecho; de esta forma interactúan la memoria episódica y la semántica.

También puede funcionar totalmente al revés: la memoria episódica puede ayudar a acceder la memoria semántica. Es decir, recordar el lugar donde algo ocurrió también puede ayudarle a

La ciencia: cómo los investigadores usan babosas y moscas de la fruta para estudiar la memoria humana

Dado que el caso de H.M. dejó una enseñanza a los investigadores en cuanto a los sistemas de la memoria múltiples, se ha recopilado una cantidad impresionante de conocimiento sobre cómo funcionan los diferentes tipos y etapas de la memoria en el cerebro, en un nivel químico y estructural sutil.

Por increíble que parezca, la mayor parte de este trabajo se realizó mediante el estudio de tales criaturas como babosas y moscas de la fruta. Las babosas, por su parte, tienen la ventaja de poseer un pequeño número de neuronas muy grandes que funcionan bajo los mismos principios que los nuestros (vea *Habituación*). Así, al estudiar partes muy específicas de sistemas animales muy sencillos, los científicos pudieron aprender bastante acerca de los sistemas humanos de creación y almacenamiento de recuerdos mucho más complejos.

Por supuesto, hay algunas clases de memoria que los humanos tienen y que las babosas y las moscas de la fruta no: las babosas pueden aprender a dejar de reaccionar si se les pica en la branquia en repetidas ocasiones, lo cual significa un cambio en el comportamiento basado en un tipo de aprendizaje y memoria sencillo llamado *habituación*. Los humanos pueden manejar este tipo de aprendizaje mientras que todavía están en el vientre materno (vea *Aprendizaje en el útero*). Las moscas de la fruta pueden aprender a asociar un olor con una impresión desagradable si los dos ocurren en varias ocasiones al mismo tiempo, lo que implica una forma de aprendizaje y memoria llamado *condicionamiento clásico*. Estos tipos de memoria han existido por cientos de millones de años, mucho más tiempo del que la vida humana ha estado en la tierra. Son tan útiles que la evolución no prescinde de ellos, sino más bien los utiliza como base para las nuevas especies que se desarrollan.

Sin embargo, los humanos tienen otros tipos de memoria no declarativa, como el aprendizaje de habilidades y hábitos (*memoria de procedimiento*), así como formas conscientes de la memoria declarativa para sucesos (*memoria episódica*) y hechos (*memoria semántica*). Algunos de estos tipos de memoria dependen (como H.M. lo demostró) del hipocampo y de otras estructuras cercanas que las babosas y las moscas de la fruta no tienen. De tal modo que ¿cómo podrían estudiarse estas clases de memoria en un modelo animal?

A pesar de que las especies no humanas no pueden "declarar" nada, algunas de ellas sí tienen hipocampo y muestran evidencia de memoria episódica cuando su comportamiento muestra que recuerdan haber estado en cierto lugar antes. Por ejemplo, los pájaros también tienen hipocampo y memoria espacial, por lo que los investigadores han tenido la oportunidad de estudiar otras formas de memoria dependientes del hipocampo en animales como los monos o los roedores. Así pues, al utilizar animales más complejos que las babosas, los científicos además han podido estudiar la memoria declarativa a nivel molecular detallado. Resulta que, aunque la memoria declarativa emplea diferentes partes del cerebro de la memoria no declarativa, todos los tipos de aprendizaje comparten los mismos mecanismos moleculares esenciales para convertir la experiencia en cambios estructurales permanentes en el cerebro.

recordar lo que aprendió ahí. Este hecho tiene aplicaciones prácticas. Las puntuaciones de las pruebas tienden a aumentar cuando la prueba se lleva a cabo en el mismo lugar en donde el material se aprendió o revisó. Lo mismo sucede cuando la gente olvida lo que estaba buscando cuando entra en un lugar: les ayuda a recordar al imaginarse dónde estaban y lo que estaban haciendo cuando tomaron la decisión de ir a "buscar" algo. En algunas ocasiones, por supuesto, puede ocurrir que la gente no

quiera recordar o pensar en algo. A los que padecen de insomnio
con frecuencia se les recomienda que sólo utilicen su recámara
para dormir; si también asocian la habitación con el trabajo,
por ejemplo, podrían terminar mirando el techo a las 3:00 a.m.
pensando en la presentación que prepararon para la junta
de las 8:00 a.m.

Memoria de cómo hacer algo para ayudar al cerebro a acceder otro conocimiento

De procedimiento significa el tipo de memoria empleado para
aprender habilidades, como andar en bicicleta o conducir un
vehículo o adquirir el hábito de ir por el mismo camino hacia el
trabajo todos los días. De todos los sistemas de memoria no declarativa, la memoria de procedimiento es la más accesible a la
conciencia. Después de todo, una habilidad como conducir un
vehículo es un esfuerzo consciente que realizamos y habilidades
como ésta las consideramos como parte de nuestro repertorio de
conocimientos junto con el conocimiento de hechos y sucesos
que tenemos en nuestros sistemas de memorias episódica y semántica. Un tipo de conocimiento puede ser saber *cómo*, mientras que el otro es saber *qué*, pero ambos incluyen tipos de
conocimiento de los que estamos conscientes.

Por otra parte, las habilidades y los hábitos en nuestra memoria de procedimiento son mucho más estables que nuestros recuerdos de hechos y sucesos. Los movimientos complejos
necesarios para andar en bicicleta siempre regresan; una vez que
rutinas automáticas como esa quedan registradas en el sistema de
memoria de procedimiento del cerebro es difícil que cambien:
una razón por la cual es complicado cambiar tanto los buenos
hábitos como los malos.

Encadenamiento: apoyo práctico que usa un tipo de memoria para recordar algo más

Usted puede sacar ventaja del sistema de memoria de procedimiento a través del encadenamiento del conocimiento semántico con la memoria muscular. Por ejemplo, si siempre tiende a
olvidar algo (tomar su medicamento por la mañana), encadene

esta acción a una actividad habitual (tener la cafetera lista); de esta forma, puede usar una acción para realizar la otra.

Asimismo, usted puede ayudar a consolidar nuevo conocimiento semántico en su mente al codificar nuevo conocimiento en su memoria muscular, de modo tal que estará fácilmente disponible cuando usted lo necesite. Para una mujer, una cosa es saber en teoría qué hacer en caso de que un violador quisiera atacarla, pero otra muy distinta es ponerlo en práctica cuando su nivel de adrenalina sube en una situación real a causa de un ataque de miedo. Seguramente entrará en pánico, pero si hace una simulación de la escena y practica la forma cómo debería responder a ese ataque –simulando un robo en una clase de defensa personal, por ejemplo–, las posibilidades de que usted pueda emplear su conocimiento cuando en realidad lo necesite son mucho mejores.

Otra forma de utilizar la memoria de procedimiento y la episódica para reafirmar la memoria semántica es simular escenas de cuando está aprendiendo una lengua extranjera, en lugar de estudiar solo en la privacidad de su propia habitación. Así, tanto la memoria episódica de la escena y la memoria de procedimiento del uso de vocabulario y gramática aprendidos recientemente le ayudarán a acceder ese conocimiento en el futuro.

Bibliografía

Adolphs, Ralph y cols. (1997). Impaired declarative memory for emotional material following bilateral amygdala damage in humans. *Learning & Memory*, 4: 291-300.

Milner, Brenda, Larry R. Squire y Eric R. Kandel (1998). Cognitive neuroscience and the study of memory. *Neuron*, 20: 445-68.

Squire, Larry R. y Stuart M. Zola (1996). Structure and function of declarative and nondeclarative memory systems. *Proceedings of the National Academy of Sciences USA*, 93: 13515-22.

FALTA DE ATENCIÓN

El cerebro en piloto automático pierde altitud

Una vez, una mujer estaba pagando una bolsa que acababa de comprar en una tienda departamental cuando la persona que la atendió se dio cuenta de que la mujer había olvidado firmar la parte de atrás de su tarjeta de crédito. Ella le regresó su tarjeta para que la firmara, lo cual hizo en presencia de la vendedora. Ésta hizo el cargo y le dio el voucher para que lo firmara. Después, la vendedora comparó la firma del voucher con la que aparecía detrás de la tarjeta para asegurarse de que era la misma firma. El paso final era tan rutinario que la vendedora ni siquiera pensó en el hecho de que era imposible que las firmas no coincidieran, dado que acababa de presenciar que la clienta había firmado tanto la tarjeta como el voucher en el lapso de un minuto. El término *falta de atención* se utiliza para referirse al estado mental que puede llevarlo a cometer errores por descuido cuando realiza rutinas automáticas. En esencia, es lo contrario a lo que entendemos por *poner atención*.

El explorar formas para reducir la falta de atención y mejorar los resultados del aprendizaje comienza con el entendimiento de la memoria funcional —el sistema de memoria a corto plazo, temporal, funcional, que le permite retener información durante el tiempo necesario para después usarla. El sistema de la memoria funcional incluye tres componentes: el *circuito fonológico*, el *canal visual-espacial* y el *ejecutivo central* que controla a los dos anteriores. Las diferencias individuales en la capacidad del circuito fonológico y del canal visual-espacial están, en gran medida, determinadas por la herencia genética. No obstante, el buen funcionamiento del ejecutivo central depende principalmente de la práctica y el esfuerzo.

El circuito fonológico es el mecanismo que le permite retener una serie de dígitos —por decir, un número telefónico— en el oído de su mente el tiempo necesario como para marcarlo. Por otra parte, el circuito fonológico también está relacionado con las habilidades con los idiomas, como aprender nuevo vocabulario y descifrar enunciados ambiguos o difíciles de analizar sintácticamente (vea el recuadro que sigue).

El canal visual-espacial es el mecanismo que retiene un grupo de números en el oído de la mente o permite la visualización de la forma cómo el engranaje de una bicicleta mueve la cadena. Por su parte, el ejecutivo central emplea estos almacenes visuales y auditivos a corto plazo para resolver un problema —multiplicar números mentalmente si no tenemos a la mano un pedazo de papel o hacer un bosquejo de cómo el engranaje alto de la bicicleta funciona para aumentar la velocidad si tenemos lápiz y papel disponibles. Todas estas habilidades de la memoria funcional requieren enfoque y esfuerzo del ejecutivo central. Cuando éste no realiza su trabajo y continúa cometiendo errores por descuido, a eso se le llama falta de atención.

La ventaja de la falta de atención

Digamos que la falta de atención no siempre es algo malo. De hecho, puede mejorar el desempeño cuando está realizando una actividad que depende de los tipos de memoria inconsciente y no declarativa, como pegarle a una pelota. Cuando un jugador de béisbol está en la caja de bateo viendo el lanzamiento como si la pelota de béisbol fuera del tamaño de una toronja y ajustándose

> ## Hacia el camino del jardín
>
> Este tipo de enunciados lo lleva hacia el camino del jardín a una interpretación incorrecta de su estructura y significado. Cuando escucha enunciados cuya estructura es ambigua, tiene que confiar en el almacén acústico a corto plazo de su circuito fonológico para ayudarlo a retroceder y reanalizar el enunciado correctamente.
>
> El perro caminó ladró a través del parque.
> El hombre que silba afina pianos.
> La ropa de algodón está hecha de crece en Texas.
> El punto clave el clavo.
> El caballo corrió pasó el establo.
> El hombre que calza patos blancos.
> La gente que come a la grasa puede ser mala.

perfectamente al movimiento de una pelota curva, está confiando en sus sistemas de memoria inconsciente. De hecho, si se pusiera a pensar mucho sobre lo que estaba haciendo al traer el juego a sus sistemas de memoria consciente, interferiría con su conocimiento de procesamiento de cómo pegarle a una pelota. En los deportes, a esto se le conoce como *chocking* o ahogamiento.

Sin embargo, en otras circunstancias, cuando el cerebro está en piloto automático está sujeto a cometer errores. Éstos pueden ser triviales como ponerse traje para ir a trabajar en un viernes informal o tan serio como estrellar un avión o hundir un superpetrolero.

Del "10" (atención) al "6" (esfuerzo)

Vale la pena recordar que el componente ejecutivo central de la memoria funcional no trabaja automáticamente: la atención enfocada requiere de esfuerzo. Por ejemplo, a la gente le cuesta trabajo recordar nombres ya que no tienen el hábito de hacer un esfuerzo en primera instancia. Dado que la memoria funcional funge como guardián de la memoria a largo plazo, no aprenderá mucho a menos que haga un esfuerzo inicial para concentrarse en lo que está haciendo. ¿Quién no ha experimentado leer varios párrafos de un libro o del artículo de un periódico sólo para darse cuenta de que no pueden recordar ni una sola parte del pasaje porque estaban pensando en otra cosa mientras leían? Una gran parte de lo que determina qué tan acertadamente asimilamos las ideas de lo que leemos es si estamos poniendo o no toda nuestra atención en lo que está frente a nuestros ojos.

Resguardo de la autopista de la información

Esto trae a colación otro punto sobre el ejecutivo central en particular y acerca de la memoria funcional en general. Aunque la memoria a largo plazo es, para todas las intenciones y los propósitos habidos y por haber, infinita, la memoria funcional tiene una estricta capacidad finita; los componentes de almacenamiento de la memoria a corto plazo de la memoria funcional en realidad son muy limitados. De hecho, se llenan con una pequeña cantidad de información: por ejemplo, dos segundos más o menos de información auditiva en el caso del circuito fonológico. Por ello, hay dos formas de asegurarse de que repruebe un examen de memoria a corto plazo: una es no poner atención; la otra es tratar de manejar demasiada información al mismo tiempo, como tratar de repetir veinte números en orden descendiente o contestar una pregunta en un examen oral mientras mentalmente planea la fiesta para celebración del fin de semestre.

Con frecuencia, el resguardo de la memoria a corto plazo y la falta de concentración pueden ser las dos caras de un solo problema. Investigaciones en cuanto al circuito fonológico han mostrado que este componente de la memoria funcional se puede ver afectado al escuchar murmullos como "música de fondo". Si le proporcionan siete dígitos para que los recuerde y los repita, su capacidad para hacerlo será mucho menor si alguien está hablando cerca de usted, incluso si lo está haciendo en una lengua extranjera. Dado que utilizamos el circuito fonológico a corto plazo para retener números, letras o palabras en la mente –aun si vemos escritos los números, letras o palabras–, al parecer lo que sucede es que la conversación o los murmullos automáticamente ganan terreno en el circuito fonológico, lo cual reduce la capacidad de espacio disponible para la información en la que estamos tratando de enfocar nuestra atención.

Los experimentos con la música de fondo muestran los mismos resultados: si la canción tiene letra, el desempeño de la memoria funcional es malo; si la música es meramente instrumental, la memoria funcional se ve muy poco afectada. Lo que dificulta la concentración cuando la gente está hablando cerca de uno o cuando la televisión o el radio están encendidos es esta naturaleza automática, preconsciente, del acceso de las palabras habladas en el almacenamiento fonológico de la memoria funcional. (Por otra parte, algunas clases de música instrumental pueden facilitar la concentración —vea *Música*).

Concentración en la toma de decisiones

La importancia de la concentración también aplica en la habilidad para la toma de decisiones. ¿Cuántos ciudadanos buenos terminan por emitir un voto falto de análisis por no haber puesto atención a los detalles que los candidatos estaban discutiendo en los debates televisivos? Los juicios intuitivos sobre la apariencia o elocuencia de los candidatos requieren mucho menos concentración mental que poner atención a la respuesta de una pregunta sobre la seguridad social.

¿Cuántas relaciones comienzan a fallar cuando una de las partes muestra flojera o displicencia para escuchar lo que la otra está diciendo? Cuando una relación es joven, su novedad, lo imprevisible que puede ser y su intensidad emocional encienden automáticamente la función de poner atención. Pero conforme va disminuyendo el encaprichamiento y la relación se torna más familiar, se requiere un esfuerzo consciente para escuchar de verdad.

Bibliografía

Baddeley, Alan (1998). Recent developments in working memory. *Current Opinion in Neurobiology*, 8/2: 234-8.

Baddeley, A., S. Gathercole y C. Papagno (1998). The phonological loop as a language learning device. *Psychological Review*, 105/1: 158-73.

ESTRÉS

Demasiado frecuente mata las células de la memoria

¿Se siente estresado; no puede pensar con claridad; su memoria ya no es la misma; se enferma con más frecuencia que antes? Si su respuesta es sí a una de estas preguntas, es muy probable que conteste que sí a las demás.

Hoy en día extensas investigaciones muestran que, para mucha gente, todas estas quejas están relacionadas por una red que une a las hormonas, con el cerebro y el sistema inmunitario. El estrés no sólo daña el cuerpo interfiriendo con el sistema inmunitario, sino que también daña las células cerebrales, retarda el crecimiento de las neuronas, bloquea la memoria y puede incluso anticipar el desarrollo de Alzheimer.

Cómo entender el conflicto que el estrés provoca en el cerebro

¿Hay algo que pueda hacer al respecto? Sí; de hecho, con saber simplemente que es posible controlar la situación puede reducir el riesgo de sufrir deterioro cerebral inducido por el estrés. A continuación verá cómo funciona.

Imagínese que se enfrenta a un hecho estresante —por decir, se topa con una víbora en el camino o con un comentario hiriente por parte de su jefe. El cerebro inmediatamente hace resaltar las glándulas suprarrenales para liberar las hormonas del estrés *cortisol* (recuerde esta palabra; en pequeñas dosis ayuda pero daña en exceso), *epinefrina* (adrenalina) y *norepinefrina*. Por el contrario, una mayor cantidad de sangre fluye con rapidez al cerebro, los músculos y el corazón. Se bombea una carga extra de gasolina en el torrente sanguíneo al tiempo que los niveles de glucosa sanguínea suben. Una estructura que advierte una amenaza de estrés en la parte primitiva del cerebro, la *amígdala*, pone en acción a los otros sistemas. Todos los sistemas cerebrales entrelazados alcanzan su máximo nivel de alerta para confrontar la posible amenaza. Los nervios marcan los músculos hasta paralizarlos, pelear duro o salir disparado; esta reacción puede salvar su vida.

Sin embargo, si el estrés es crónico, las hormonas del estrés pueden dañar seriamente el cuerpo y el cerebro. Continuos niveles elevados de cortisol pueden debilitar el sistema inmunológico y pueden desarrollar úlceras, enfermedades cardiovasculares y diabetes; asimismo, el exceso de cortisol mata las células cerebrales.

Por qué el pánico bloquea la memoria

El *hipocampo*, una estructura cerebral céntricamente involucrada con el aprendizaje y la memoria, es más sensible a los efectos dañinos del cortisol. La evolución ha diseñado al cerebro humano de tal forma que es difícil tanto para el hipocampo como para la amígdala funcionar de forma correcta al mismo tiempo. Para sobrevivir, el cerebro humano debe ser capaz de responder al instante a un atacante o morir. (Un ejemplo favorito entre los neurocientíficos es: "Si pudiera identificar el tipo de dinosaurio... olvídelo, se tardó mucho tiempo").

Cuando la amígdala percibe una amenaza real o imaginaria asume el control; provoca que los sistemas de almacenamiento de la memoria y de recuperación del hipocampo se apaguen (algunos investigadores hacen referencia a esta reacción como "bajar de velocidad"). Puede ocurrir que una persona sensibilizada previamente para una respuesta "pelea o pelea" no recuerde a la perfección todos los detalles de la crisis después de que haya sucedido. Cuando una reacción de pánico está en progreso, el cere-

¿Problemas de memoria; no puede pensar? Sólo relájese

Tatiana Cooley, de 28 años de edad y tres veces campeona del *U.S. Memoriad,*[5] tiene un consejo para aquellos que quieren salir bien en los exámenes, entrevistas y otras actividades que estresan a la memoria: *Relájese*. Cooley, citado en un artículo reciente, culpa al caos y al estrés de la vida moderna ante el miedo de tanta gente de que su memoria se esté afectando. Cooley comenta que una parte fundamental de su propia técnica para ganar la competencia anual de memoria es relajarse, respirar profundo y recordarse a sí misma que lo debe tomar con calma.

A pesar de que es evidente que tiene una excelente memoria para algunas cosas —mientras presentaba un examen en la universidad descubrió que podía acordarse de todos sus apuntes de pe a pa—, Cooley todavía tiene que apoyarse en notas que apunta en hojas de *post-it* para recordar muchos de los detalles mundanos de la vida. En algunas de las rondas de la competencia, se apoya en trucos mnemónicos que nadie sabe usar; como ella admite: "Nadie puede entrenar a su mente para memorizar cosas".

¿Piensa que usted podría ganar esta competencia? He aquí el ejemplo de algunas de las preguntas hechas en varias de las rondas de competencias recientes, junto con las puntuaciones ganadoras:

Nombres y caras:

Durante quince minutos estudie 99 fotografías de caras junto con sus nombres después escriba el primer nombre o el último con su respectiva fotografía (presentado al azar).

Puntuación ganadora: 85.

Palabras:

Estudie una lista de 500 palabras al azar en columnas con 25 palabras cada una, después escriba cuantas palabras pueda recordar.

Puntuación ganadora: 78.

---

[5] Competencia de memoria que se lleva a cabo en Estados Unidos (N. del T.)

Poesía:

Memorice lo más que pueda de un poema de 50 líneas. (Para la competencia, se registró a un poeta para que escribiera uno; si lo intenta, por lo menos debería usar un poema que no conozca). Enseguida vea las primeras tres líneas de un poema utilizado en una competencia reciente:

Un caballero en su armadura cae empujado por su estrella.
Por el canto de un gallo. Un anillo de compromiso
Sale del féretro empujado por un dedo y lo atrapa…

Puntuación ganadora: 180.

Juego de cartas:

Observe una baraja de 52 cartas barajadas al azar y recuerde el orden de las cartas lo más que pueda en cinco minutos. Entregue la baraja al juez que las reparte una por una. Usted tiene que decir el nombre de cada carta antes de que las voltee.

Puntuación ganadora: 22.

Si se le dificultó obtener estas puntuaciones, anímese; ninguno de los competidores —ni siquiera Cooley— lo hizo bien en todas las rondas, aunque haya usado sus trucos codificados especiales. Ciertamente usted podrá mejorar si aprende una última lección de ella: "Cada día —en casa o en el trabajo— hago un esfuerzo consciente para practicar algún ejercicio de memorización de algo".

bro no puede acceder el conocimiento de la memoria, puesto que el hipocampo no sólo sirve para crear recuerdos sino que también recupera el conocimiento de los bancos de memoria del cerebro. Por eso con frecuencia la gente experimenta un bloqueo cerebral cuando trata de recordar el nombre de alguien que conoce y que acaba de encontrarse. Por eso, la memoria de la gente que no está acostumbrada a hablar en público puede quedarse en blanco, y es posible que los estudiantes contesten mal un examen si pierden la confianza en ellos mismos y empiezan a sentir pánico.

Ventajas y desventajas de la función del cortisol

Una vez que los niveles altos de cortisol comienzan a dañar el hipocampo, pueden presentar el efecto de una bola de nieve el cual los científicos llaman "cascada" —el "efecto dominó" en el lenguaje de relaciones internacionales. Altos niveles de cortisol desencadenan receptores químicos en el hipocampo para reducir su producción en las glándulas suprarrenales. Cuando el periodo de estrés es corto, este mecanismo de retroalimentación funciona bien para reestablecer los niveles de cortisol a un estado normal. Su corazón y su cerebro alcanzan un estado de alerta cuando aparece una amenaza, pero se relajan una vez que ha podido escapar, pelear o darse cuenta de que la víbora que se atravesó en su camino era tan sólo un palo.

No obstante, si el estrés es crónico y el cortisol comienza a matar las neuronas y los receptores en el hipocampo que intervienen en el proceso de retroalimentación, el cerebro comienza a perder su capacidad de modular la producción de cortisol. Cuando los niveles de cortisol alcanzan su punto máximo en repetidas ocasiones, matan más células cerebrales, lo que desencadena un espiral descendiente a tal punto que la memoria y la cognición se ven afectadas.

El estrés desempeña una función en la disminución mental relacionada con la edad

Este proceso de cascada de glucocorticoides es el que más extensamente se ha estudiado como un posible factor contribuidor en la disminución cognitiva relacionada con la edad y la enfermedad de Alzheimer. Es más, muchos investigadores partidarios de la teoría de los glucocorticoides del envejecimiento creen que el simple hecho de envejecer pone al cerebro humano en mayor riesgo de llevar el espiral descendiente mediado por el cortisol a la demencia. Nuevas investigaciones han demostrado que los cerebros de ratas muy jóvenes pueden reestablecer rápidamente los glucocorticoides a sus niveles normales después de una experiencia estresante. Por desgracia, las ratas más viejas tienden a presentar niveles iniciales de glucocorticoides más elevados y están aptas para liberar más glucocorticoides como respuesta a un factor estresante leve, por lo que el reestablecimiento del balance se dificulta.

Mensaje para los estudiantes

El estrés puede hacer que una persona se enferme literalmente. Incluso el estrés agudo que se vive durante corto tiempo como respuesta a un solo evento puede estimular el sistema de respuesta al estrés con efectos que se prolongan hasta después de ocurrido el suceso estresante. Estudios recientes en Alemania con estudiantes universitarios han mostrado que los niveles de saliva de la inmunoglobulina A (sIgA) secretora bajan durante la época de estrés académico, por ejemplo, durante exámenes. La sIgA secretora es la primera línea de defensa del cuerpo contra los virus y otros microorganismos invasores. Los niveles de sIgA pueden permanecer bajos incluso durante dos o más semanas después de un examen, periodo posterior de cuando los estudiantes percibieron sentirse estresados.

Los niveles de la sIgA secretora se controlan parcialmente a través de la hormona del estrés cortisol. Por ello es razonable asumir que los niveles de cortisol también pueden permanecer elevados durante cierto tiempo después de transcurrida una experiencia estresante. Dado el efecto destructivo del cortisol en las células cerebrales, hasta dichas experiencias estresantes como exámenes universitarios pueden dañar el cerebro. (NB: Los autores no recomiendan citar este argumento para tratar de evitar un examen parcial).

Reductores del estrés bajo el control del ser humano

La rama de la medicina que estudia las interacciones entre los estados mentales (como el estrés psicológico) y los sistemas corporales físicos (como el sistema inmunológico) es relativamente nueva para la medicina occidental. Los resultados de investigaciones que están disponibles confirman que los siguientes métodos bien probados ayudan a reducir el estrés psicológico: técnicas de respiración controlada y retroalimentación biológica de visualización, así como yoga y meditación regulares. Algunos estudios también indican que hacer ejercicio con regularidad puede ayudar a disminuir el "punto para set" de hormonas del estrés del cuerpo, y contribuir para modular la reacción del cuerpo ante experiencias estresantes. Otros estudios han demostrado que el ejercicio aeróbico también puede estimular el abastecimiento de oxígeno y glucosa al cerebro, incrementar los niveles de las hormonas de crecimiento cerebrales (las cuales ayudan a mantener y proteger las células cerebrales) e incluso pueden duplicar la velocidad de la neurogénesis (el crecimiento de nuevas células cerebrales) en el hipocampo de ratas de laboratorio.

El experimento con monos "ejecutivos" bajo estrés

Además de todos estos consejos basados en el sentido común, existen pruebas de que ciertas actitudes mentales podrían ayudar a prevenirse contra el efecto destructivo del estrés. Para un experimento que mencionan muchos libros de introducción a la psicología, Joseph Brady ideó un medio cruel pero ingenioso para evaluar el impacto del *control* en el estrés y la salud. Dos monos estaban sujetados a dos sillas iguales, ubicadas una al lado de la otra. Ambas sillas estaban conectadas a la corriente eléctrica, de modo que el choque afectaría a los dos animales simultáneamente. Sólo un mono tenía el control sobre el choque: podía apagar la corriente al presionar un botón que estaba delante de él. Cuando lo hacía, apagaba el suministro de electricidad de la silla de al lado. De este modo, ambos animales recibían el choque de exactamente la misma frecuencia e intensidad, pero sólo uno tenía el poder de controlarlo. Los resultados son interesantes: sólo el mono encargado de presionar el botón y apagar la corriente de la descarga eléctrica —el mono "ejecutivo", por así decirlo— presentó úlceras, a diferencia del mono "achichincle".

La frustración que lleva a la apatía lleva a la enfermedad

En apariencia, los resultados del experimento anterior significan que el poder de tomar decisiones en situaciones estresantes puede provocar úlceras más que en el papel del subordinado. Pero hay algo más importante: los intentos posteriores de recrear los hallazgos en diferentes condiciones mostraron que el animal privado del control sobre las descargas se enfermaba con más frecuencia. Los animales enjaulados sometidos a las descargas eléctricas buscaban frenéticamente cómo apagarlo; muy pronto, frustrados por la incapacidad de eliminar la causa del dolor, se acurrucaban en el piso de la jaula y dejaban de mostrar signos de percibir el ambiente en una especie de "apatía aprendida". Con la finalidad de protegerse, el sistema nervioso del animal admite la derrota y prefiere "apagarse" para no desgarrarse en la lucha contra la frustración constante provocada por los intentos inútiles de protegerse frente a los ataques incesantes. Incluso si más tarde se daba al animal desprotegido la posibilidad de apagar la descarga oprimiendo el botón, el mono la pasaba por alto. No sólo dejaba de reaccionar ante las cosas, su sistema inmune cesaba de funcionar, dejando al animal desprotegido frente a las enfermedades.

En otras palabras, aun cuando la carga de responsabilidad de tomar decisiones y tomar medidas para protegerse de amenazas es estresante, la respuesta corporal es mucho peor cuando no existen posibilidades de controlar una situación que presenta un estrés constante, sobre todo en ocasiones cuando se puede prever la situación mas no prevenirla. La tendencia del cerebro de protegerse mediante la apatía puede diagnosticarse como un síntoma de depresión. El cerebro deprimido no desea beneficiarse de experiencias nuevas o, mejor dicho, no desea aprender.

Bibliografía

Deinzer, Renate y cols. (2000). Prolonged reduction of salivary immunoglobulin A (sIgA) after a major academic exam. *International Journal of Psychophysiology*, 37: 219-32.

Deinzer, Renate y N. Schüller (1998). Dynamics of stress-related decrease of salivary immunoglobulin A (sIgA): relationship to symptoms of the common cold and studying behavior. *Behavioral Medicine*, 23: 161-9.

O'Brien, John T. (1997). The "glucocorticoid cascade" hypothesis in man: prolonged stress may cause permanent brain damage. *British Journal of Psychiatry*, 170: 199-201.

Pedersen, Bente Klarlund y Laurie Hoffman-Goetz (2000). Exercise and the immune system: regulation, integration, and adaptation. *Physiological Reviews*, 80/3: 1055-81.

Sapolsky, Robert M. (1999). Glucocorticoids, stress, and their adverse neurological effects with relevance to aging. *Experimental Gerontology*, 34/6: 721-32.

Los tres niveles de memorización

La información más difícil de retener en la memoria a largo plazo consiste de hechos arbitrarios que existen fuera del contexto con sentido; por ejemplo, una serie de números seleccionados al azar o una ráfaga de nombres nuevos que nos encuentra el primer día de trabajo en un puesto nuevo. Existen muchas estrategias útiles para aprender y retener en la memoria información arbitraria; estas técnicas mnemónicas se basan en el siguiente principio: *si desea recordar algo, es necesario relacionarlo con algo ya conocido.* Desarrollando más este principio, obtenemos una idea clave: *entre más se sabe, más fácil será recordar datos nuevos.*

Es bien conocido que los excelentes jugadores de ajedrez tienen buena memoria. En efecto: un estudio demostró que jugadores expertos, viendo la disposición de 25 figuras de un juego real,

Distribución de datos nuevos en las carpetas con información ya conocida

Uno de los secretos para tener buena memoria es adquirir el hábito de analizar la información lo suficientemente a fondo como para ver que tiene relación con los datos ya conocidos. La memoria no es como un músculo: no hay manera de forzarla o de hacer que la nueva información se asimile sin esfuerzos, sólo por medio de la práctica. Pero la memoria mejora si la mente participa activamente en el análisis de la información ya conocida a la cual se asocia la nueva, y en encajar lo nuevo en el contexto de lo ya aprendido.

Este consejo aplica a la memoria a largo plazo y no es útil para la memoria a corto plazo, memoria conocida como funcional. Si es necesario repetir una lista de palabras inmediatamente después de escucharlas (lo cual es una evaluación de las habilidades de la memoria funcional que pertenecen al aprendizaje del idioma y a la capacidad para leer), es igual de fácil recordar y repetir tanto las palabras de la columna A como las de la B:

Columna A	Columna B
bicho	horno
gato	cacerola
árbol	olla
cacerola	fregadero
pasto	plato
pera	tazón

Sin embargo, si queremos retener las palabras en la memoria por un periodo más largo, esto es, si queremos memorizar la lista en el sentido general de la palabra, la columna B resulta más fácil debido a que las palabras no están seleccionadas al azar, sino representan partes de la

imagen visual, coherente y familiar para todos, de la cocina. Lo mismo es cierto para cualquier serie de palabras,
números y otros datos. Es mucho más fácil memorizar el
NIP que coincide con la fecha de nacimiento de su hijo
menor que uno compuesto de cuatro o cinco cifras totalmente arbitrarias.

podrían memorizar las posiciones de cada una de ellas en un
lapso de cinco segundos. Sin embargo, un principiante durante
el mismo periodo podía recordar la posición de sólo cuatro figuras en promedio. Al parecer, el argumento de que los ajedrecistas
expertos tienen mejor memoria que los principiantes
es irrebatible.

Un momentito. Cuando a los mismos ajedrecistas expertos se
les dan cinco segundos para memorizar una disposición aleatoria
de las figuras en el tablero —disposición imposible en un juego
verdadero— su memoria no sobresale de la de los jugadores principiantes. Por lo tanto, los expertos se distinguen no en el funcionamiento de cualquier tipo de memoria o en la memoria visual
de objetos en general, sino en la memoria para disposiciones con
una lógica interna.

Niveles de procesamiento

Los psicólogos a menudo dividen los diferentes enfoques de procesamiento de información nueva en diferentes *niveles de procesamiento*, dependiendo de si la persona decide dotarles de cierto
sentido (haciéndolos así fáciles de memorizar):

Procesamiento superficial: el enfoque empleado en las pruebas
dirigidas a la memoria visual o auditiva de muy corto plazo; sirve
para retener los datos durante unos segundos.

Procesamiento fonológico: este enfoque implica un análisis de
los sonidos que constituyen una palabra. Por ejemplo, si se quiere memorizar el nombre de la compañía "Digitex" (porque un
amigo le pasó información de que el precio de sus acciones están
a punto de crecer), uno puede de manera consciente tomar nota
mentalmente que el nombre empieza con una "D".

Procesamiento semántico: supone el análisis de una palabra a nivel de significado. Por ejemplo, podemos pensar en "Digitex" imaginándonos una mano tendida con una cuerda atada al índice (si recordamos que "digítus" en latín significa "dedo"). También ayuda el hecho de que si bien "digit" en el nombre claramente se refiere a la orientación computacional de los productos de la compañía, "tex" al final podría aludir a la ubicación de la sede en el estado de Texas. Después podríamos pensar en el reciente artículo en los medios acerca del surgimiento de la capital tejana —Austin— como centro de investigaciones, desarrollo y comercio en el campo de la industria tecnológica.

El procesamiento superficial en el que se especializan el circuito fonológico y el canal visual-espacial de la memoria funcional es útil para retener los datos durante sólo unos instantes, a menos de que se recurra deliberadamente a la repetición. El pro-

Por qué funcionan las mnemotécnicas visuales

Las mnemotécnicas visuales, empleadas para la codificación de palabras o nombres con el fin de su retención en la memoria, recurren a la ayuda de las regiones cerebrales separadas de los centros lingüísticos en la parte izquierda del cerebro. Recientes estudios de visualización cerebral que utilizan técnicas de tomografía de emisión de positrones (PET, por sus siglas en inglés) e imagen de resonancia magnética funcional (fMRI) muestran que las habilidades visuales empleadas por la memoria visual se albergan en diferentes regiones del cerebro incluyendo la corteza frontal y la parietal, región ubicada cerca de la frontera entre los lóbulos occipital y temporal. Muchas de las habilidades visuales específicas dependen más del hemisferio derecho que del izquierdo. La múltiple codificación de los datos en varias redes corticales conectadas (no sólo las regiones lingüísticas, sino también las visuales) permite un mayor número de enfoques para acercarse al conocimiento que se pretende acceder, lo cual mejora las posibilidades de una recuperación exitosa del recuerdo.

cesamiento fonológico es un poco mejor para la retención, aunque incluso si se llega a recordar que el nombre de la compañía empieza con una "D", existe una variedad tan grande de otras denominaciones que tienen la misma letra al principio que la posibilidad de no poder recordar el nombre correcto no es nula. El mejor es el procesamiento semántico, pues puede proporcionar muchas asociaciones e imágenes visuales que facilitan la búsqueda exitosa del vocablo olvidado. Así pues, mientras más profundo se llegue a este nivel, más posibilidades tendrá para recordar el nombre de la compañía posteriormente.

Cómo sacar ventaja del procesamiento profundo

El procesamiento profundo se aplica a distintos tipos de aprendizaje. Si queremos aprender una palabra desconocida, nos permite desglosar la palabra en diferentes partes que tienen sentido. Por ejemplo, si se quiere recordar el significado de la palabra *taciturno* ("se aplica al que, por carácter, habla poco"), podríamos pensar en una parte que la constituye, la voz *tácito* que significa "callado".

También puede ser difícil aprender la diferencia entre *libelo* y *difamación*. Si pensamos en el hecho de que *libelo* etimológicamente es afín a *libro*, podremos recordar más fácil que *libelo* significa "escrito en el que se denigra o insulta a alguien", mientras que *difamar* se refiere a hacer semejantes afirmaciones oralmente.

Lo mismo aplica para la ortografía. ¿Cuál es correcto: "esencial" o "escencial", "conección" o "conexión"? Las personas que estudian tales problemas afirman que estas dos palabras son de las que más confusión causan al momento de escribirlas. Si se recuerda a sí mismo que de esencia (sólo con "s") proviene "esencial" y que la palabra "nexo" (no la palabra "necco") es parte de "conexión", usted podrá escribirlas correctamente siempre. Así como sucede al recordar el significado de una palabra, en realidad no es de vital importancia si la desconstrucción es correcta o no. Muchas personas confunden "diabetes" con "diabetis". Si usted es una de ellas, dígase a sí mismo que "hay un *té* en la *diabetes*".

Bibliografía

Belger, A. y cols. (1998). Dissociation of mnemonic and perceptual processes during spatial and nonspatial working memory using fMRI. *Human Brain Mapping*, 6/1: 14-32.

ALIMENTOS PARA EL CEREBRO

Tipos de alimento que ayudan a mantener el máximo rendimiento a lo largo del día

Existe un refrán árabe que reza: "Come el desayuno solo, comparte el almuerzo con los amigos y la cena dásela a tu enemigo". En otras palabras, aunque la comida es importante, en el desayuno es necesario comer lo más que uno pueda.

Desde luego, esta frase parece un cliché. A todos nos han regañado las mamás por no desayunar y todos sabemos que el desayuno es la comida más importante de todo el día. ¿Qué tan cierto será?

En muchos estudios controlados que evaluaron esta tradicional sabiduría maternal, el hecho de no desayunar reflejaba peores resultados en las pruebas de memoria, atención, velocidad de procesamiento de información y tiempo de reacción. El desayuno además tiende a mejorar el estado de ánimo y la motivación pero no tiene ningún efecto perceptible en el intelecto. Dicho de otro modo, el desayuno es de suma importancia para las habilidades que deben funcionar bien para poder aprender eficazmente.

La razón por la que el desayuno es más importante que la comida para el poder mental

Para el tipo de desempeño que se requiere en la escuela y muchos trabajos, el desayuno es más importante que las dos comidas que siguen. De hecho, la comida afecta negativamente en el aprendizaje y la memoria, según los mismos estudios que muestran la relevancia del desayuno para las habilidades relacionadas con el aprendizaje. Se ha encontrado que el desempeño en las pruebas de memoria, atención, velocidad de procesamiento de información y tiempo de reacción es mejor antes de la comida que después. Asimismo, ésta tiende a provocar sueño y desmotivar a los sujetos.

¿Por qué los efectos del desayuno y la comida son tan distintos? Una comida después de despertar literalmente rompe el ayuno (de ahí el nombre) que por lo regular dura de nueve a doce horas. Por lo tanto, parece lógico que el cuerpo necesite restablecer las reservas del "combustible" y los nutrientes que el cerebro ávido de energía necesita para funcionar.

Argumento a favor de las siestas

El interno ritmo diario del cuerpo también afecta la rapidez mental. Incluso estando en una cueva sin poder determinar la hora o ver el sol, en el ritmo diario del ser humano hay dos momentos cuando la temperatura corporal baja al máximo y el sueño se manifiesta. Uno corresponde al tiempo alrededor de la mitad del periodo nocturno en la mayoría de las personas y el otro ocurre unas diez horas más tarde, esto es, a la mitad de la tarde. Por su naturaleza, el cuerpo cae en un patrón de periodo nocturno de sueño, un periodo igualmente largo de vigilia y,

Las vitaminas y el cerebro

La mayoría de las vitaminas que se consideran probablemente provechosas para la protección del cerebro son *antioxidantes*, sustancias que resguardan las células de los *radicales libres del oxígeno*, una forma altamente reactiva de las moléculas de oxígeno con un electrón impar. El cerebro quema oxígeno en cantidades grandes y además contiene muchos ácidos grasos poliinsaturados (de hecho, dos terceras partes del cerebro son grasa). Los ácidos poliinsaturados son los más propensos al daño por parte de los radicales libres del oxígeno. De este modo, las neuronas en particular están predispuestas al estrés oxidativo, por lo que es lógico que necesiten antioxidantes.

Vitamina E

La vitamina E es el antioxidante considerado como el protector más potente del cerebro contra los efectos de envejecimiento y tal vez incluso reduce el riesgo de Alzheimer. (La vitamina C es otro antioxidante que según ciertos estudios anteriores tiene una función positiva en potencia para proteger el cerebro de los radicales libres. Los estudios más recientes ponen en duda su beneficio). Si bien las investigaciones han arrojado resultados opuestos, algunos han mostrado que los individuos con una proporción elevada de vitamina E en la sangre obtienen mejores resultados en las pruebas de memoria; también se mostró que antecedentes de dietas ricas en esta vitamina guardan correlación con un mejor desempeño cognitivo en la vida; incluso se ha probado que los suplementos de vitamina E pueden ralentizar el avance de la enfermedad de Alzheimer. Una buena fuente de vitamina E son los aceites vegetales.

Una teoría diferente acerca de la función protectora de la vitamina E en el cerebro se enfoca en la capacidad de esta vitamina de prevenir las enfermedades cardiovasculares. La vitamina E puede prevenir la oxidación de la lipoproteína de baja densidad (LDL, por sus siglas en inglés) que se conoce como colesterol "malo", el cual es capaz de depositarse en las paredes arteriales y provocar un derrame.

Vitamina B

La vitamina B no es antioxidante pero varios estudios han mostrado que las personas con proporción baja de esta vitamina en la sangre o la dieta pobre en ella obtienen peores resultados en las pruebas de memoria y razonamiento abstracto. En realidad existen diferentes tipos de vitamina B, de los cuales la vitamina B_6, B_{12} y el ácido fólico son las más conocidas en relación con la preservación del cerebro. El ácido fólico se puede encontrar en las verduras con hojas, los cítricos y el grano entero.

Elevar la proporción de vitaminas B y especialmente del ácido fólico ayuda a reducir el nivel de *homocisteína*, aminoácido que puede aumentar el riesgo de padecer enfermedades cardiovasculares. Algunos estudios incluso muestran que existe un correlación entre la alta proporción de homocisteína y el Alzheimer.

Fuentes

Miller, Joshua W. (2000). Vitamin E and memory: Is it vascular protection? *Nutrition Reviews*, 58/4: 109-11.

Perkins, A.J. y cols. (1999). Association of antioxidants with memory in a multiethnic elderly sample using the Third National Health and Nutrition Examination Survey. *American Journal of Epidemiology*, 150: 37-44.'

Snowdon, David A. y cols. (1997). Brain infarction and the clinical expression of Alzheimer's disease: the Nun Study. *Journal of the American Medical Association*, 277.

después, un periodo de sueño más corto que el primero, que corresponde a la siesta. Sin tomar en cuenta la dieta, los seres humanos están más proclives al sueño alrededor de estos momentos.

Reposar después de la comida puede ser normal en las culturas que permiten siestas pero en Estados Unidos es poco probable, a menos de que uno esté jubilado, de vacaciones, trabaje por su propia cuenta o esté desempleado. Lo que hace la mayoría de la gente es tratar de mantenerse despierto; por lo tanto, no es coincidencia que la mayoría de los accidentes de trabajo ocurran durante el periodo de somnolencia después de la comida, cuando la atención y el estado de alerta son mínimos.

Checar la hora de entrada en la fábrica química del cerebro

Una de las razones por las que el cerebro responde de diferente manera al desayuno y la comida es el modo distinto de sintetizar las sustancias químicas cruciales de acuerdo con el ritmo corporal en diferentes horas del día. Por ejemplo, el consumo de carbohidratos puede elevar el nivel de *serotonina* en el cerebro (neurotransmisor que provoca tranquilidad). Aunque esto no tiene nada de malo a ciertas horas del día, durante la hora de la comida, cuando el ciclo interno del cuerpo alcanza el punto de energía más bajo no es aceptable.

A continuación se presentan algunos otros nutrientes importantes para el cerebro y la manera cómo pueden afectar el organismo en diferentes horas del día.

La *glucosa* es la fuente de energía que todas las células en el cuerpo, incluyendo las neuronas, necesitan en cantidades abundantes para poder funcionar adecuadamente. El cuerpo produce glucosa con facilidad a partir de los carbohidratos (el *almidón* que se encuentra en papas o pastas, por ejemplo, consiste en muchas moléculas de glucosa unidas). La proporción de la glucosa en la sangre por lo general guarda correlación con el desempeño en las pruebas de memoria. La concentración de la glucosa en la sangre debe mantenerse dentro de ciertos límites para que el cuerpo pueda funcionar adecuadamente. Si el nivel baja demasiado, nos sentimos mentalmente aturdidos o en los casos más extremos podemos hasta desmayarnos.

La *proteína* contiene compuestos llamados *aminoácidos*, esenciales para mantener el funcionamiento apropiado del cerebro.

Éste necesita diferentes aminoácidos para sintetizar *neurotransmisores*, sustancias químicas que las neuronas utilizan para comunicarse entre sí. El aminoácido *tirosina* es esencial para la producción de los neurotransmisores *dopamina, norepinefrina* y *epinefrina*, sustancias químicas que regulan el estado de ánimo, el de alerta y la concentración.

Un alimento que solamente contiene carbohidratos —por ejemplo, la pasta sin ningún otro ingrediente o el pan— proporciona glucosa para las neuronas y sube el nivel de la serotonina en el cerebro; sin embargo, es poco útil para otros neurotransmisores, incluyendo aquellos que son responsables del estado de alerta y el funcionamiento apropiado de memoria; de este modo, el consumo de puros carbohidratos bajaría la proporción de dichos neurotransmisores y sólo puede ser aceptable en la noche, pero no es recomendable durante el día cuando necesitamos aprender y estudiar. La regla general es que los alimentos que contienen proteína para compensar los carbohidratos son mucho mejores para el desempeño cognitivo en todo el día salvo las horas nocturnas.

Neurotransmisor para la memoria

La glucosa que se encuentra en los carbohidratos también desempeña una función importante en ayudar a la memoria, pues es imprescindible para la producción de acetilcolina, que a menudo se llama neurotransmisor de la "memoria". El cerebro elabora/produce esta sustancia por medio de la combinación del aminoácido colina con el "activador de enzimas" acetil-CoA ("acetil-coenzima A"). La colina proviene de diversas fuentes de proteína, principalmente huevos, hígado y soya, mientras que la fuente básica de acetil-CoA es la glucosa. Sin la cantidad suficiente de este carbohidrato, el nivel de acetilcolina en el cerebro se reduce demasiado para mantener el funcionamiento de la memoria. Por lo tanto, las reservas adecuadas de glucosa no sólo alimentan las neuronas, sino también aumentan el nivel de neurotransmisor específico, necesario para una memoria retentiva.

Desde luego, como diferentes personas responden de diferente manera al mismo alimento, la respuesta a los carbohidratos varía

Pescado: buen alimento para el cerebro y además ¿remedio contra la esquizofrenia?

Todos hemos escuchado que el pescado tiene la extraña característica de ser un "alimento para el cerebro". De dónde viene esta reputación sigue siendo un misterio aunque podría ser gracias a que la proteína en el pescado da los aminoácidos necesarios para la síntesis de las sustancias químicas utilizadas en la comunicación de las neuronas. Los trabajos recientes han llevado a formular teorías de que el tipo de grasa que contiene el pescado protege el cerebro y otros sistemas en el cuerpo. Algunas investigaciones establecen una relación entre baja proporción de grasas provenientes de pescado y trastornos del estado de ánimo, tales como la depresión, el trastorno bipolar (ciclos maniacodepresivos) e incluso la esquizofrenia.

Ácidos poliinsaturados (omega-3)

Aunque es bien sabido por todos que deberíamos reducir la cantidad de grasas en nuestra dieta, la realidad es un poco más complicada: el colesterol y las grasas saturadas, que se encuentran en huevos, mantequilla y carne grasosa, pueden contribuir a desarrollar enfermedades cardiacas y cardiovasculares. Pero las grasas insaturadas tales como los monoinsaturados en el aceite de oliva o los poliinsaturados en los aceites de capullo y de pescado son diferentes. Los ácidos grasos omega-3 (que pertenecen a las grasas poliinsaturadas) se utilizan en el organismo para construir membranas celulares en todo el cuerpo, incluyendo el corazón y cerebro. Los ácidos omega-3 son uno de los ácidos grasos esenciales, lo cual quiere decir que ya el cuerpo no los puede sintetizar de otros ingredientes, es necesario consumirlos con el alimento. En el caso de presentar un bajo nivel de omega-3, el cuerpo aprovecha otras grasas, menos deseables para la construcción de membranas celulares, lo cual afecta la conducción entre los nervios y las células. Ciertos estudios en particular indican que la cantidad insuficiente de omega-3 afecta el funcionamiento de *monoaminas* que abarca tales neurotransmisores como la serotonina, dopamina y norepinefrina, que desempeñan un papel importante en la regulación del estado de ánimo, entre otras cosas.

Desde luego, en ciertas culturas la proporción de los ácidos grasosos omega-3 en los alimentos es alta. De hecho, los cálculos de su contenido en el régimen alimenticio del hombre neolítico[6] indican que la dieta típica del hombre actual sólo constituye una parte de la ración de omega-3 que consumían nuestros antepasados, en relación con otros ácidos grasos. Asimismo, son tantos los estudios de naturaleza diversa que apuntan hacia la posible función de omega-3 en la reducción de riesgos relacionados con derrames cerebrales, enfermedades cardiovasculares y trastornos del estado de ánimo que muchos médicos y nutriólogos recomiendan elevar su consumo. Las investigaciones recientes han mostrado la eficacia de los suplementos de aceite de pescado para combatir los trastornos bipolares y la depresión.

El aceite de pescado, la esquizofrenia y nuestros orígenes

Inclusive existe una teoría que establece una relación entre los ácidos grasos dietéticos (por ejemplo, omega-3) y la esquizofrenia. Algunos estudios preliminares han presentado los buenos resultados en el tratamiento de esta enfermedad principalmente con el aceite de pescado.

Algunas evidencias sugieren que luego del aumento en el tamaño cerebral que el género *Homo* experimentó hace aproximadamente dos millones de años siguió un periodo prolongado de estancamiento cultural. En el lapso de cincuenta o cien mil años atrás, tuvo lugar una explosión cultural que marcó el comienzo de las artes, la música, la religión y el arte

---

[6] De la segunda parte de la Edad de Piedra (N. del T.)

de guerra. Conforme a las evidencias genéticas, todos los humanos provenimos del mismo antepasado que vivió hace aproximadamente 100,000 años, lo cual presupone que un pequeño grupo de *Homo sapiens* tenía una ventaja tan contundente que les dio a ellos y a sus descendientes la posibilidad de desplazar a otras especies homínidas de la faz de la tierra. ¿Cuál pudo haber sido esta ventaja? Algunos sugieren que fue el gen de lenguaje, otros proponen una mutación genética que cambió la bioquímica de la grasa en el cerebro. La mutación se tradujo en aumento de la creatividad, una fuerte religiosidad y las dotes de mando, pero por el otro lado trajo consigo trastornos del humor, la psicosis y la psicopatía. En pocas palabras, era un gen del genio o uno de la esquizofrenia, lo cual a final de cuentas puede ser lo mismo. Las familias con antecedentes de esquizofrenia (incluidas las de Einstein, Joyce y Jung) también generan a personas exitosas, pensadores creativos y genios en proporción más grande de lo normal. El cambio en el régimen alimenticio desde el Paleolítico[7] resultó en esta tendencia hereditaria a la esquizofrenia que en ciertas ocasiones lleva al desarrollo completo de la enfermedad.

Si bien esta teoría es bien aceptada entre algunos teóricos de la evolución, no explica la razón por la que el número de personas que padecen esquizofrenia es tan bajo (poco menos del uno por ciento), incluyendo a aquellos que tienen proporción reducida de omega-3 en la dieta. De cualquier manera, le recomendamos seguir consumiendo los pescados y mariscos.

Fuentes

Bruinsma, Kristen A. y Douglas L. Taren (2000). Dieting, essential fatty acid intake, and depression. *Nutrition Review*, 58/4: 98-108.

Horrobin, David F. (1999). Lipid metabolism, human evolution and schizophrenia. *Prostaglandins, Leukotrienes, and Essential Fatty Acids*, 60/5-6: 431-7.

[7] La primera parte de la Edad de Piedra (N. del T.)

de cuerpo en cuerpo, por lo que es recomendable controlar la respuesta corporal y cerebral al alimento con el fin de encontrar la dieta adecuada. Las personas con ansiedad, neurosis o los individuos introvertidos según las pruebas de personalidad tienden a ser menos pasivos después de la comida. De hecho, una comida abundante en la tarde puede ayudar a tranquilizarse. Sin embargo, para la mayoría la comida debe contener preferentemente alimentos fáciles de digerir y equilibrados en cuanto a proteínas y carbohidratos. Una comida abundante o grasosa es difícil de digerir y no permite que la sangre rica en sustancias nutritivas llegue al cerebro. El cerebro funciona mejor en el periodo del mediodía al final de la tarde con comer diferentes tentempiés que con una comida abundante.

Bibliografía

Benton, David y Pearl Y. Parker (1998). Breakfast, blood glucose, and cognition. *American Journal of Clinical Nutrition*, 67 suplemento: 772S-8S.

Donohoe, Rachael T. y David Benton (2000). Glucose tolerance predicts performance on .tests of memory and cognition. *Physiology & Behavior*, 71/3-4: 395-401.

CAFEÍNA

Con medida, es un medicamento beneficioso

La cafeína existe en una variedad de formas atractivas: café, té, refrescos de cola. Muchos escritores profesionales afirman que una taza de café cargado no sólo les ayuda a inspirarse para escribir, sino que también los cura del bloqueo mental. Muchos patrones laborales saben que el café sin límite para los empleados aumenta la productividad de los que deben hacer tareas aburridas y repetitivas. Las investigaciones apoyan ambas conclusiones. Así, varias pruebas que miden la fluidez del habla, la elocuencia de la escritura y las asociaciones libres muestran que la cafeína en efecto ayuda en las tareas creativas (vea el recuadro en la pág. 180). Otros estudios confirman el hecho de que la cafeína mejora el rendimiento en las tareas repetitivas y muy comunes que requieren tomar decisiones sencillas y tener reacción rápida (por ejemplo, manejo de automóvil, separación de correo o capturación de datos). Se afirma que el pequeño milagro que es la cafeína es la droga psicoactiva más utilizada en el mundo.

Considerando lo anterior, sería razonable suponer que la capacidad de la cafeína para estimular y animar también se aplicaría a las tareas de memoria y aprendizaje, afirmación que se comparte en muchos libros de texto.

Asimismo, ciertas investigaciones han mostrado que la cafeína facilita el aprendizaje de información nueva, fenómeno

La cafeína puede hacer más difícil trabajos nuevos pero facilita los rutinarios: Prueba de unión de figuras entrelazadas

En esta prueba de opción múltiple, sólo una de las imágenes en la columna derecha contiene la figura de la izquierda. Encuéntrela. En las pruebas de esta naturaleza, la cafeína puede llevar a peores resultados iniciales pero una vez que la persona sometida a prueba se familiariza con ella, su desempeño mejora. Vea la respuesta en la pág. 181.

FIGURAS   IMÁGENES
1   2

que quizá se debe a la mejora en la atención y el tiempo de reacción, así como en el estado de ánimo y la motivación. En parte, la razón por la que la cafeína mejora la motivación radica en el hecho de que interactúa con los mismos sistemas cerebrales de dopamina que son responsables del efecto placentero de la cocaína y anfetamina. Sin embargo, aunque la cafeína puede hacer aprender y trabajar más fácil, al mismo tiempo es capaz de afectar el desempeño. Su funcionamiento positivo o negativo depende de la naturaleza del trabajo.

Separación del grano de la paja

Se ha mostrado que a medida que el trabajo se hace más complejo, la cafeína no sólo no mejora sino empeora el rendimiento por la sencilla razón de que puede afectar la concentración. Además, este estimulante puede volver más difícil la tarea de separación de los datos importantes de los irrelevantes. Por lo tanto, puede afectar la habilidad de mantener constantemente un registro de datos y de aplicarlos para resolver problemas complicados. Dichas habilidades forman parte de la *memoria funcional* (vea *Utilice el oído de su memoria*), importante para los trabajos enrevesados y el aprendizaje de nuevas técnicas de resolución de problemas. A medida que la carga de la memoria funcional se hace más pesada, el efecto positivo de la cafeína cambia al negativo.

Así, en un experimento ciertos sujetos recibieron cafeína a diferencia de otros. Luego, se les pidió memorizar una secuencia de dos a cuatro letras y oprimir el botón cada vez que las vieran aparecer en la pantalla. El electroencefalograma (EEG) de la actividad cerebral mostró un patrón de activación distinto cada vez que cualquiera de los sujetos veía las letras memorizadas. Sin embargo, aquellos sujetos que ingirieron cafeína presentaron el mismo patrón de activación cuando en la pantalla aparecían otras letras. Dicho de otro modo, para su cerebro fue más difícil hacer caso omiso a los estímulos irrelevantes que lo distraían de los datos importantes.

Despabilado pero distraído

Algunos estudios confirman el hecho de que la cafeína puede bloquear la *atención voluntaria* —concentración deliberada en ciertos datos— al mismo tiempo que aumenta la *atención invo-luntaria* —distracción de la atención a los estímulos irrelevan-tes—. Este efecto puede ser especialmente dañino si nos enfrentamos a una tarea desconocida, aunque la cafeína puede ser útil en un inicio al aumentar el tiempo de reacción. Si la tarea es relativamente sencilla y su complejidad no incrementa con el tiempo, entonces el efecto positivo de la cafeína en el desempeño va a subir conforme la tarea se repita y se practique. De hecho, la cafeína impide el aburrimiento. Sin embargo, si la tarea se vuelve más complicada, el tiempo de reacción —menor gracias al efecto de la cafeína— se compensa por la pérdida de la concentración, por lo que el desempeño que mejoró en un prin-cipio va a empeorar.

He aquí otro ejemplo de la variabilidad del efecto que provoca la cafeína en el desempeño de las tareas sencillas y complicadas. La cafeína puede mejorar los resultados en la prueba "dígitos hacia delante", cuando el experimentador lee en voz alta series de números (por ejemplo, 3-8-7-9-5) y el sujeto debe repetirlas. No obstante, en las pruebas de "dígitos en reversa", en las que el examinado debe repetir los números en orden inverso, lo cual es más pesado para la memoria funcional, la cafeína tiende a em-peorar el rendimiento.

Consideremos un ejemplo de la vida real, basado en un estu-dio realizado con los gerentes que trabajan en una oficina. Cuan-do se les dio la cantidad de café que excedía su consumo diario habitual en 400 mg (el equivalente aproximado de cuatro tazas adicionales), el tiempo de reacción mejoró, lo cual facilitó llevar a cabo las tareas sencillas que precisaban de reacciones rápidas y simples. A medida que las tareas se hacían más complicadas, los gerentes mostraron peores resultados en el *aprovechamiento de oportunidad* (este un indicador mucho más importante para el trabajo adecuado de gerente) y el desempeño bajó. "Aprovecha-miento de oportunidad" se refiere a la utilización constante de los datos para tomar decisiones sopesadas y requiere el monito-reo y la organización de las actividades que suceden una a otra. Para este importante tipo de pensamiento ejecutivo, la velocidad de respuesta por sí sola no es suficiente y de hecho puede afectar

La cafeína puede ayudar con las tareas sencillas pero afecta las más complicadas

A continuación se presenta un ejemplo de cómo la cafeína puede ayudar en el desempeño o dificultarlo en función de la complejidad de la tarea. Vea la respuesta en la pág. 181.

(1) Tarea sencilla

Lea esta sopa de letras lo más rápido posible y cuente todas las "P" que encuentre durante un minuto.

(2) Tarea complicada

Tiene dos minutos. Lea las letras y cuente las letras R, W, C y N. ¿Cuál es el número total de todas las letras que encontró?

En las tareas más complicadas la cafeína dificulta la concentración sólo en los datos pertinentes.

```
S D G O M E N T P W L
D O U T A Z X C F R G
G R Q W I N G D K T R
H N B V C F E O I P H G
Y P D S W A F X Z C T R
E E G H U I O P L K H G
B V N M V C E D X Z S
W Q A D F E C F G T H Y
U J I K L O P M N B H Y
G T G V F R F C D E S W
X Z A Q W S D E F G Y H
B U I O P D M P W I A M J
```

Cafeína: ¿la droga ideal para el escritor?

Las personas que ingieren cafeína pueden terminar más rápido oraciones como las que siguen:

Si Max no hubiera pedido a Mary que se pusiera pantalones para la boda…

Cuando un perro enorme entró a toda velocidad en el baño de mujeres…

El problema con el uso de sanguijuelas para el tratamiento de epilepsia es …

La cafeína ayuda a pensar en respuestas más detalladas a preguntas como éstas:

¿Qué problemas pueden surgir si se permite votar por Internet?

¿Cuál es la razón por la que los E.U.A. y Canadá son países prósperos con altos ingresos *per cápita*, mientras que los demás países americanos son relativamente pobres?

Los individuos que ingirieron cafeína pueden encontrar las palabras o frases adecuadas más rápido para completar oraciones como éstas:

El cartero puso la carta en el _____.

Sam olvidó guardar sus llaves en su _____.

el desempeño, lo que da como resultado decisiones mal pensadas.

Respuesta de la pág. 176.
Las figuras A, C y E aparecen en la columna 1; las B y D, en la columna 2.

Respuesta de la pág. 179.
En total son 7 letras P y 23 letras R, W, C y N.

Bibliografía

Rogers, Peter J. y Claire Dernoncourt (1998). Regular caffeine consumption: a balance of adverse and beneficial effects for mood and psychomotor performance. *Pharmacology, Biochemistry, and Behavior*, 59/4: 1039-45.

Smith, Andrew P., Rachel Clark y John Gallagher (1999). Breakfast cereal and caffeinated coffee: effects on working memory, attention, mood, and cardiovascular function. *Physiology & Behavior*, 67/1: 9-17.

Streufert, Siegfried y cols. (1997). Excess coffee consumption in simulated complex work settings: detriment or facilitation of performance? *Journal of Applies Psychology*, 82/5: 774-82.

van der Stelt, Odin y Jan Snel (1993). Effects of caffeine on human information processing. En: *Caffeine, Coffee, and Health*, pp. 291-316. Raven Press: Nueva York.

Ejercicio para el cerebro: alimente su adicción al aprendizaje

En este rompecabezas se utilizan números del 1 al 9. Los ceros no se utilizan; además, cada número puede emplearse más de una vez en una combinación. Si piensa que más de una combinación es posible, busque pistas adicionales en los números que se entrelazan, al igual que en un crucigrama. El límite de tiempo es de 5 minutos. Vea la respuesta en la pág. 188.

Horizontal
1. Un cuadrado; la suma de sus dígitos equivale a su raíz.
3. El revés de 1 horizontal
4. La suma de sus dígitos equivale a 8.
6. Un número impar; la suma del primero y segundo dígitos equivale al tercero.
7. Un número par; la suma del segundo y tercero dígitos equivale al primero.
8. El cuadrado de un número primo.
9. La suma de estos dos dígitos equivale al número primo en 8 horizontal.

Vertical
2. Un número impar; los dígitos aumentan de 2 en 2.
3. Un palíndromo; los dígitos aumentan de 3 en 3, después bajan de 3 en 3.
5. Fácil como el ABC.

Consejo: Los palíndromos dan el mismo resultado si se leen en un sentido o en otro. Número primo sólo es divisible por sí mismo y uno, como 2, 3, 23.

Recompensa para el cerebro por aprender nuevas habilidades

El estado natural para el cerebro humano es aprender. De hecho, este órgano tiene mecanismos intrínsecos que lo premian por el aprendizaje de nuevas habilidades. La palabra alemana *Funktionslust*, que significa algo como "el placer de hacer", describe la sensación que perciben todos los organismos al hacer algo para lo que está predestinado, y hacerlo bien. Por ejemplo, para los gatos puede ser el acechar y captar al ratón; para las abejas, enfocarse en la vista y oler una flor con polen; para los humanos, es el aprendizaje de algo nuevo y la solución de problemas.

Pruebas a favor de que la actividad en el hemisferio izquierdo apoya una actitud optimista hacia la vida

La *corteza prefrontal* (justo la parte delantera de la superficie del cerebro saturada de neuronas) maneja muchas funciones, entre las cuales están el lenguaje, planeamiento anticipado y control de las respuestas emocionales. Quizá no es ninguna coincidencia que las regiones de la corteza prefrontal izquierda se activen en las tareas que precisan habilidades de resolución de problemas. Los ejercicios que estimulan el hemisferio izquierdo en particular incluyen rompecabezas verbales (crucigramas, *Scrabble* y otros juegos lingüísticos) y los matemáticos. Según parece, actividades semejantes, practicadas como trabajo o pasatiempo, pueden estimular o "potenciar" las regiones adyacentes o las que tienen elementos en común, asociadas al buen estado de ánimo. Por supuesto, los centros cerebrales del "buen humor" no distinguen entre las actividades profesionales y las no profesionales; es la actividad misma la que estimula el sentido de bienestar, lo cual puede explicar o no los síntomas de la conducta que se asemeja a la adicción que presentan tanto los expertos en crucigramas como los fanáticos del trabajo.

Diferentes tareas para diferentes hemisferios

Los neurocientíficos también han descubierto que los dos lados de la corteza prefrontal pueden especializarse en diferentes emociones. A lo largo de las décadas, los neurólogos han observado que sus pacientes desarrollaban distintos tipos de trastornos emocionales en función del lado de la corteza prefrontal dañado por una lesión o enfermedad. El daño en la parte izquierda se asociaba a la depresión, mientras que lesiones en la parte derecha se relacionaban con la felicidad maniaca. Basándose en semejantes observaciones, los médicos postularon que el hemisferio derecho se especializaba en la tristeza y el miedo, mientras que el derecho respondía a la felicidad y el entusiasmo ansioso.

Recientes estudios de visualización cerebral han confirmado que la actividad en la parte izquierda de la corteza prefrontal guarda una correlación con emociones positivas. Otras investigaciones, que utilizan de la tecnología moderna de escaneo cerebral, indican que en las personas con síntomas de depresión la actividad en la parte izquierda de la corteza prefrontal es menor que en otras personas.

Dopamina: sustancia química que ayuda a la comunicación entre neuronas y fomenta buen humor

Otro vínculo entre el ejercicio mental y el estado de ánimo depende de un neurotransmisor que se genera en el *sistema límbico*, una recopilación primitiva de órganos que alertan y provocan acciones y que se ubica debajo de la corteza, que se desarrolló más tarde. Los estudios en animales de laboratorio y humanos muestran que cuando el cerebro se enfrenta a una situación novedosa, el cerebro de las dos especies muestra un alza en el nivel del neurotransmisor llamado *dopamina* en la *amígdala* (uno de los subsistemas del sistema límbico encargado de alertar el cerebro al recibir información nueva).

La dopamina transmite la sensación de bienestar y, por lo tanto, constituye una especie de recompensa para el estímulo que provoca su producción. De este modo, la dopamina parece estar involucrada en las primeras etapas del aprendizaje, cuando el ambiente presenta al cerebro situaciones novedosas que merecen su atención.

Asimismo, el nivel de dopamina en la corteza prefrontal sube cuando el cerebro se concentra en las tareas de la memoria funcional que exigen que los datos se guarden el tiempo suficiente para manipularlos, o bien para evaluar la información nueva desde el punto de vista de su posible papel en la obtención de una meta preconcebida. En un estudio reciente se encontró que el nivel dopamínico elevado coincidía con la curva de aprendizaje del individuo. Un pico marcado acompaña una curva brusca y pronunciada, mientras que la elevación más prolongada de la dopamina es característica de un periodo de aprendizaje más largo y lento.

Al parecer, el alto nivel de dopamina se conserva mientras que la tarea permanece nueva y demandante —esto es, hasta que el individuo sigue aprendiendo—. Una vez que dominamos una habilidad y la hemos practicado tantas veces que ésta se vuelve rutinaria y predecible, el cerebro deja de secretar la recompensa por ejercerla. Tal vez, por eso tantas personas necesitan recurrir a tales estimulantes como la cafeína (vea *Cafeína*) para preservar la motivación y atención a la hora de realizar actividades familiares y repetitivas.

Vínculo entre las sustancias que causan la adicción y el sistema cerebral de recompensa

Es probable que cuando el cerebro no recibe los estímulos que necesita para activar su propio sistema de recompensa, empiece

Cómo la nicotina influye en el aprendizaje y la memoria

Una de las posibles maneras a la que recurren los investigadores para encontrar tratamiento contra la enfermedad de Alzheimer consiste en estudiar grupos grandes de personas a lo largo de muchos años de su vida. Estos estudios recibieron el nombre de *longitudinales* o *epidemiológicos*. Los científicos toman en consideración diferentes aspectos de la vida de los sujetos: qué comen, si consumen o no bebidas alcohólicas, qué tipo de trabajo tienen, etcétera y los relacionan con el desarrollo de la enfermedad de Alzheimer al final de la vida. Después, buscan pautas, por ejemplo, ¿presentó Alzheimer un porcentaje más alto de abstemios en relación con los que toman en moderación? Si es así, quizá el alcohol tiene cierto tipo de efecto protector. Es sólo un ejemplo posible.

Un hallazgo sorprendente que se encontró en el transcurso de estos estudios fue que al parecer los fumadores presentan Alzheimer con menos frecuencia que los que no fuman. ¿Cuál podría ser la razón? (No, no es porque se mueren más jóvenes, pues la edad es una de las variables que los investigadores vigilan. ¡Buen intento!).

Muchas investigaciones llevadas a cabo durante los últimos cinco años apuntan al beneficio específico de la nicotina para el cerebro. Las inyecciones de la nicotina mejoran el funcionamiento de la memoria funcional en las ratas de laboratorio, cuando su tarea consiste en encontrar alimento en un laberinto. Asimismo, en estos animales se observa una mejora en la memoria a largo plazo: un día después de entender algo, lo recuerdan mejor.

Los experimentos han mostrado que existen varias razones por las que la nicotina puede tener estos efectos positivos en el aprendizaje y la memoria. Primero, la nicotina sube el nivel de adrenalina que a su vez estimula la producción de glucosa y su ingreso en la sangre. La adrenalina hace el cerebro más reactivo y la glucosa proporciona "combustible" para las neuronas. Además, la nicotina reprime la salida de la insulina del páncreas, lo cual aumenta más el nivel de azúcar en la sangre. Y por supuesto, la nicotina fomenta la producción de la dopamina, la cual es una sustancia química que se produce naturalmente en el cerebro y es responsable de la sensación de placer que mejora el estado de ánimo y la motivación; las drogas como la cocaína y la heroína también elevan su producción.

Lo más importante es que la nicotina tiene un específico efecto positivo en la memoria que la distingue de otras drogas que causan adicción y la hace en potencia más útil para el combate del Alzheimer. La nicotina se une a los sitios receptores en los sistemas cerebrales que son cruciales para el aprendizaje y la memorización; en particular, a los sitios ubicados en las neuronas en el sistema *colinérgico*, mismo que interactúa con el neurotransmisor de "memoria", *acetilcolina*. (Otras investigaciones muestran que el nivel de acetilcolina tiende a ser más bajo en el cerebro de los pacientes con Alzheimer y que las neuronas del sistema colinérgico sufren daños a causa de esta enfermedad). Después, la nicotina sube el nivel de las moléculas neurotransmisoras de *glutamato*, que son críticas para el funcionamiento adecuado de la memoria.

Otra área donde el efecto de la nicotina en el cerebro parece ser relevante es la impotencia masculina. Los investigadores Tammy Tengs y Nathaniel Osgood de la Universidad de California en Urvine han ponderado la literatura científica sobre la impotencia y llegaron a la conclusión de que mientras sólo el 28 por ciento de la población masculina en Estados Unidos fumaba, de todos los impotentes el 40 por ciento fueron fumadores.

Los científicos de todos los laboratorios del mundo trabajan para crear un sustituto de la nicotina que tenga un efecto benéfico en la memoria sin afectar otras partes del cuerpo y cerebro, incluyendo las partes del cerebro propensas a formar la adicción.

a buscar conseguirla de otra manera. Por un lado, esto puede suceder cuando la privación intelectual o emocional lleva al abuso de drogas o alcohol. Los resultados de ciertos experimentos muestran que el éxito en la resolución de acertijos mentales no sólo incrementa el nivel de dopamina, sino también el de la hormona testosterona; este efecto causa una sensación agradable a nivel subjetivo. Si bien el nivel elevado de testosterona no siempre conduce a una conducta violenta, ésta última sí puede hacer que el nivel de la hormona suba. Con base en esto, sería tentador conjeturar que cuando los niños u hombres jóvenes se ponen agresivos, pueden buscar una afluencia de testosterona que no experimentan en su ambiente intelectualmente pobre.

Los tipos de sistema de recompensa que refuerzan el comportamiento necesario para sobrevivir, ya sea pacífico o violento, siempre tienen que ver con las moléculas que se producen en el cerebro. Una de las razones por las que existe la adicción a las drogas es que éstas contienen moléculas que mimetizan la estructura de aquellas que forman parte del sistema de recompensa en el cerebro. La nicotina, la cocaína, el alcohol y la heroína suben el nivel de la dopamina, al igual que la solución de acertijos —literales y metafóricos— que hacen que el cerebro maneje la información nueva y proponga soluciones inusitadas. La resolución de problemas y el aprendizaje de lo nuevo permiten sentirse bien y a la vez benefician el cerebro. Son perfectamente legales y, por lo menos por ahora, libres de impuestos.

Respuesta al ejercicio
en la pág. 182.

Bibliografía

Abbott, Alison (2001). Into the mind of a killer. *Nature*, 410: 296-8.
Barinaga, Marck (2001). How cannabinoids work in the brain. *Science*, 291: 2530-1.
Fried, Itzhak y cols. (2001). Increased dopamine release in the human amygdala during performance of cognitive tasks. *Nature Neuroscience*, 4/2: 201-6.
Levin, Edward D. y Roger W. Russell (1992). *Nicotinic-muscarinic interactions and Cognitive Functions* (ed. Por E.D. Levin y cols.), pp. 183-95. Boston: Berkhauser.
Suri, R.E. y W. Schultz (1999). A neural network model with dopamine-like reinforcement signal that learns a spatial delayed response task. *Neuroscience*, 91/3: 871-90.
Umegaki, H y cols. (2001). Involvement of dopamine D2 receptors in complex maze learning and acetylcholine release in ventral hippocampus of rats. *Neuroscience*, 103/1: 27-33.
Wilson, R.I. y R.A. Nicoll (2001). Endogenous cannabinoids mediate retrograde signalling at hippocampal synapses. *Nature*, 410/6828: 588-92.

EL SENTIDO OLVIDADO

Cómo influye el sentido del olfato en la memoria

Es proverbial el estrecho vínculo entre el sentido del olfato y la memoria. Algunos lectores se acordarán de la experiencia del escritor francés Marcel Proust con los "madeleine", galletas cubiertas de mermelada y coco rallado. Cuando el narrador de *El tiempo recobrado* remoja una galleta de *madeleine* en una taza de té de limón en el comienzo de esta obra monumental, el perfume lo absorbe completa e inmensamente, llevándolo a la niñez y después conduciéndolo a una larga cadena de recuerdos que forman parte de esta historia de 3,300 páginas. Pero no es necesario ser escritor para saber que los olores pueden traer recuerdos del pasado; todos quizá hemos sentido esta experiencia, cuando un aroma nos traía un recuerdo tan vívido que pareciera que reviviéramos las experiencias del pasado lejano.

Nuestro sentido del olfato no es solamente un lujo estético. Los investigadores han descubierto que los olores son importantes no sólo para los animales, sino también para los humanos. El centro del olfato en el cerebro, conocido como el *bulbo olfativo*, es prácticamente la única región en el cerebro cuyas células se regeneran a lo largo de toda la vida, fenómeno que se ha probado. En otras palabras, nuestro centro del olfato en el cerebro parece tener una función particular en comparación con la mayoría de otros órganos cerebrales, pues las neuronas que lo constituyen se regeneran incluso en la edad avanzada, parecido a la manera cómo en el tiburón crecen dientes nuevos al perderlos. Así, sería razonable suponer que hay algo importante en nuestra habilidad de detectar olores.

Este sentido que se desarrolló en todos los animales en las primeras etapas de la evolución es importante para muchas habilidades relacionadas con la sobrevivencia: localización del alimento, percepción de la amenaza e identificación de un macho o hembra listo para la copulación. En efecto, las personas que padecen *anosmia* —incapacidad para olfatear— corren un riesgo más alto de lesiones, enfermedades o muerte porque su centro olfativo en el cerebro no los puede prevenir del peligro, como el olor a gas, fuego o a alimento podrido.

Nuestro sistema olfativo cerebral tiene una relación más estrecha con la memoria y emoción que cualquier otro sentido. El centro emocional —la amígdala— y el centro de la memoria —el hipocampo— forman parte del sistema límbico, evolutivamente antiguo. Las conexiones mutuas y estrechas entre estas regiones del cerebro explican la relación cercana entre el sentido del olfato, la memoria y las emociones.

Describa este olor

En cambio, la unión entre el sistema olfativo y los centros de lenguaje es indirecta y sutil. Intente describir cómo es el olor del café recién molido o el fuerte aroma de un queso pasado. Sin referirnos a otros olores parecidos ("calcetines sucios", "olor a pescado") o términos que pertenecen a otros sentidos ("fuerte", "dulce") es sumamente difícil.

El hecho de que nuestro vocabulario olfativo sea tan pobre no significa que no es importante. Más bien, el olor es un sentido puro e inmediato, difícil de analizar y expresar pero todavía dominante y poderoso a pesar de todo. Una manera de asegurar que una experiencia o información se quede en la memoria a largo plazo es enlazarla con la emoción (vea *Aprenda de manera fácil*). Esto sucede, por ejemplo, con los que a veces se llaman *flashazos*, el recuerdo de una experiencia teñida de emoción, como las noticias del asesinato de un político o la muerte de un amigo. En estos casos, el componente emocional hace que el cerebro pase por encima de la práctica y repetición necesarias para guardar un recuerdo en la memoria a largo plazo.

Algunas técnicas mnemónicas hacen uso de esta dimensión emocional. Entre los vendedores es común recordar los nombres al pensar en un objeto que puede servir de recordatorio (por ejemplo, pensar en la silueta de una montaña para memorizar un apellido como Montes), y después relacionar esta imagen con un rasgo saliente en su rostro (por ejemplo, frente abultada). Si se agrega un componente emocional (un alud de piedras), la

Pruebas de la existencia del sexto sentido: las feromonas y el órgano vomeronasal

Una de las maneras cómo los animales se comunican es a través de las *feromonas*, sustancias transportadas por el aire que un animal secreta y el otro, que pertenece a la misma especie, puede detectar. Las feromonas influyen en el comportamiento sexual, paternal o social del animal que las percibe. Por ejemplo, la androsterona, hormona producida por los jabalíes que se emana en su aliento, hace automáticamente que la hembra asuma la postura de copulación. Es evidente que a los fabricantes de perfumes y colonias les habría encantado identificar compuestos que causaran reacciones similares en los humanos. Sin embargo, muchos investigadores afirman que nuestra especie ha perdido los receptores necesarios para que el cerebro pueda percibir de los sentidos los mensajes transportados por feromonas.

En los animales existe un órgano que parece especializarse en la detección de las feromonas. En los humanos este órgano, llamado órgano vomeronasal (OVN), está conectado al pasaje nasal a través de un orificio pequeño unos dos centímetros más arriba de las fosas nasales. Se destaca tan poco que no fue descubierto sino hasta el siglo XVIII, y aun así durante mucho tiempo se pensaba que se trataba de un rudimento que perdió su función durante la evolución. De este modo, parecía sensato que las feromonas no tuvieran ningún papel en la conducta humana.

Las pruebas más recientes muestran que el OVN está intacto y funciona en los humanos y que probablemente sí sirve para enviar al cerebro las señales que transmiten las feromonas. Resulta que estas sustancias pueden estar detrás del hecho de que con frecuencia el ciclo menstrual se sincroniza en las mujeres que viven juntas. Una feromona se produce antes de la ovulación y reduce el ciclo menstrual de la mujer que la percibe; la otra se produce durante la ovulación y prolonga el ciclo. En un experimento que recibió mucha publicidad, los investigadores tomaban pequeñas cantidades de sudor de las axilas de mujeres (donde se liberan las feromonas) y las frotaban debajo de la nariz de otras mujeres. Dentro de tres meses, éstas últimas menstruaban al mismo tiempo que las "donadoras" de sudor.

Asimismo, existen evidencias de que las mujeres responden de manera diferente a las feromonas masculinas si están en la etapa fértil del ciclo menstrual. Para las mujeres, la feromona masculina androsterona (sí, los hombres también secretan la feromona del jabalí) tiene el olor más atractivo durante la ovulación, cuando están fértiles, que al principio o al final del ciclo. Además, la androsterona puede influir en el comportamiento de las mujeres sin que ellas se den cuenta. En un experimento, se pulverizó la feromona en un asiento en la sala de espera de un dentista; se observó que un número mucho más grande de mujeres escogían este lugar en comparación con los hombres.

Algunas evidencias más fascinantes de la influencia que tiene el olor en el comportamiento sexual de los humanos provienen de otros experimentos con las preferencias olfativas de las mujeres. Las mujeres prefieren el olor de los hombres cuyo perfil genético complemente el de ellas, de tal modo que la progenie sea sana. Otro estudio reciente concuerda con esto al ofrecer evidencias de que las mujeres prefieren hombres que tienen caras o cuerpos "simétricos". Se especula que la desproporción corporal puede ser un indicio de defectos más importantes que pueden afectar la longevidad del hombre, así como su fertilidad y salud. Lo crea o no, pero parece que las mujeres son capaces de identificar la simetría del hombre únicamente a través de su olor. En el estudio en cuestión, cuando a las mujeres se les pedía oler las playeras de hombres, aquellas mujeres que estaban en el punto más fértil del ciclo preferían el olor de las playeras usadas por hombres simétricos. Durante otras fases del ciclo o si estaban tomando anticonceptivos, no tenían preferencia alguna.

imagen naturalmente tiende a consolidarse en la memoria, lo cual hace la técnica aun más eficaz.

Lo que olemos puede afectar la conducta

Entonces, la emoción se puede usar para mejorar la memoria. ¿Y el olor?

Algunos experimentos sugieren maneras de cómo el olor puede emplearse intencionalmente para manipular la memoria e influir en el aprendizaje. En un estudio, un grupo de niños que estaban tratando de resolver un rompecabezas en vano (pues no tenía solución posible) fue expuesto a un olor específico. Cuando más tarde los mismos niños fueron expuestos al mismo olor durante otra tarea, salieron peor que los niños que desconocían el olor. Éste provocó la expectativa de fracaso, una expectativa que se hizo realidad independientemente de que las regiones responsables de la resolución consciente de problemas en el cerebro de los niños fuera capaz en encontrar la respuesta.

Otros estudios han examinado el uso de olores para atraer recuerdos, como en la corriente de memorias que indujo el olor de *madeleine* para Proust. En un experimento, a los sujetos se les mostraron imágenes que provocaban emociones, acompañadas de olores diferentes para cada imagen. Los olores ayudaron a recuperar el recuerdo de la imagen, al igual que los estímulos visuales, verbales, táctiles y musicales que también acompañaron la primera presentación de las imágenes. Sin embargo, el estímulo olfativo fue más fuerte que los demás en la capacidad para inducir la sensación de las emociones evocadas originalmente por las imágenes.

Nuestro cerebro reacciona a los olores que no percibimos

Los experimentos de este tipo mostraron que el olor tiene influencia en nuestro cerebro y nuestra conducta aunque nosotros no estemos conscientes de ello. De hecho, existen pruebas documentales de que las sustancias químicas transportadas en el aire afectan nuestra conducta, mientras que nosotros no percibimos ningún olor (vea el recuadro en la pág. 193). Recientemente, los investigadores recibieron imágenes de visualización cerebral que muestran que ciertos órganos, incluyendo la amígdala, el hipocampo y el tálamo, se activan al sentir un compuesto, disuelto en el aire en una concentración tan baja que los experimentados ni siquiera se daban cuenta de él.

Asimismo, existen indicios de que los olores a menudo existen en un mundo que está al borde de nuestra conciencia, o incluso fuera de ella. Por un lado, no sólo no es posible describir los olores, sino que también es difícil explicarlos con palabras en otros aspectos. Frecuentemente experimentamos la sensación de reconocer un olor que nos es familiar pero no podemos identificar el objeto con el que éste se relaciona. Por el otro, si observamos el objeto, identificarlo y catalogarlo no representa ninguna dificultad. Es probable que el fenómeno de un aroma conocido que escapa a nuestros intentos por identificarlo muestre que existen diferentes sistemas cerebrales responsables de reconocer el olor como familiar (o peligroso, etcétera) y catalogarlo de una manera más explícita, verbal, consciente, asociándolo con objetos que pueden ser su fuente. De hecho, los estudiosos han determinado que la identificación consciente de olores se desarrolla lentamente en la infancia, llega a su punto máximo a principios de la adultez y se deteriora en la edad avanzada, independientemente de la capacidad para identificar un olor como familiar o la habilidad de distinguir entre olores.

La enfermedad de Alzheimer y el sentido del olfato

Así pues, es normal que los niños y personas de edad, a diferencia de los jóvenes, tengan dificultades para nombrar un olor. Algunas investigaciones recientes muestran que en las personas mayores se producen otros cambios no tan normales, que de hecho pueden ser indicios de la enfermedad de Alzheimer. En las pruebas de "rasguña y huele",[8] las personas mayores que muestran mayor pérdida de la agudeza olfativa, corren mayor riesgo de desarrollar Alzheimer, que es aún mayor cuando la persona no está consciente del deterioro del sentido del olfato.

---

[8] Pruebas cada vez más usadas por los médicos, en los que el sujeto debe rasguñar un area cubierta en una tarjeta que entonces libera algún olor común, como el chocolate, pizza o uva. Luego, la persona que está siendo estudiada debe determinar el olor que experimentó. (N. del T.)

Existen muchas otras explicaciones posibles del deterioro o incluso la pérdida total de este sentido. Sin embargo, la relación entre las personas mayores con Alzheimer y los problemas olfativos puede tener una explicación sencilla. Además del bulbo olfativo, otro órgano cerebral que según las investigaciones recientes también regenera las neuronas es el hipocampo, un centro de memoria que tiene estrecha relación con el centro olfativo y a menudo está lesionado en los pacientes con Alzheimer. Así, es posible que tanto esta enfermedad como el deterioro inusitado del sentido del olfato sean la consecuencia de la pérdida de la capacidad de regenerar neuronas en el cerebro.

Bibliografía

Burns, Alistair (2000). Might olfactory dysfunction be a marker of early Alzheimer's disease? *Lancet*, 355: 84-5.

Cutler, Winnifred B., Erika Friedmann y Norma L. McCoy (1998). Pheromonal influences on sociosexual behavior in men. *Archives of Sexual Behavior*, 27/1: 1-13.

Devanand, D.P. y cols. (2000). Olfactory deficits in patients with mild cognitive impairment predict Alzheimer's disease at follow-up. *American Journal of Psychiatry*, 157/9: 1399-1405.

Eichenbaum, Howard (1998). Using olfaction to study memory. *Annals of the New York Academy of Sciences*, 855: 657-69.

Gangenstadt, Steven W. y Randy Thornhill (1998). Menstrual cycle variation in women's preferences for the scent symmetrical men. *Proceedings of the Royal Society of London (B)*, 265: 927-33.

Gheusi, Gilles (2000). Importante of newly generated neurons in the adult olfactory bulb for odor discrimination. *Proceedings of the National Academy of Sciences USA*, 97/4: 1823-8.

Herz, Rachel S. (2000). Verbal coding in olfactory versus nonolfactory cognition. *Memory and Cognition*, 28/6: 957-64.

Herz, Rachel S. (1998). Are odors the best cues to memory? *Annals of the New York Academy of Sciences*, 855: 670-4.

Koening, Olivier, Ghislaine Bourron y Jean-Pierre Royet (2000). Evidence for separate perceptive and semantic memories for odours: a priming experiment. *Chemical Senses*, 25: 703-8.

Lehrner, Johann P. y cols. (1999). Different forms of human odor memory: a developmental study. *Neuroscience Letters*, 272: 17-20.

McClintock, Martha K (1998). On the nature of mammalian and human pheromones. *Annals of the New York Academy of Sciences*, 855: 390-2.

Monti-Block, Louis, Clive Jennings-White y David L. Berliner (1998). The human vomeronasal system. *Annals of the New York Academy of Sciences*, 855: 373-89.

Qureshy, Ahmad y cols. (2000). Functional mapping of human brain in olfactory processing: a PET study. *Journal Physiology*, 84/3: 1656-66.

Sobel, Noam y cols (1999). Blind smell: brain activation induced by an undetected air-borne chemical. *Brain*, 122: 209-17.

Sueños en el trabajo

La función imprescindible del sueño para el aprendizaje

Los humanos pasamos una tercera parte de nuestra vida dormidos, si es que nos damos este lujo. Muchos piensan que el sueño es una pérdida de tiempo y que podríamos ser más productivos si durmiéramos menos y trabajáramos más. Para algunos universitarios y profesionistas jóvenes que viven en la ciudad, admitir que uno duerme ocho horas es casi vergonzoso, pues equivale al admitir que uno es débil, flojo o se permite excesos.

No obstante, lo que en realidad es perjudicial para la productividad es la falta de sueño. Un número cada vez mayor de investigaciones coinciden en que el sueño normal es un requisito esencial para adquirir nuevos conocimientos y aprender nuevas habilidades.

Y, de acuerdo con las investigaciones más recientes, no se trata sólo de un poco de sueño para transferir de manera óptima las nuevas experiencias en la memoria a largo plazo, sino de ocho horas completas de descanso. Los científicos que estudian el sueño encontraron pruebas que especifican qué etapas de sueño son importantes para qué aspectos del aprendizaje. Los estudios además proporcionan ciertas teorías interesantes sobre las razones por las que soñamos.

El sueño, los sueños y el aprendizaje de nuevas habilidades

Una de las primeras pruebas que mostraban la función del sueño en el aprendizaje de nuevas habilidades apareció en los años setenta en el laboratorio de Vincent Bloch en la Universidad de París. Bloch observó que cuando las ratas fueron entrenadas para correr en un laberinto, la duración de la fase REM aumentaba. REM, que proviene de las siglas inglesas "rapid eyes movement" (movimiento rápido de los ojos), es la fase del sueño que nos permite ver la mayor parte de los sueños. Otros investigadores han mostrado que el privar a los individuos de esta fase (por ejemplo, despertándolos cada vez que su electroencefalograma muestre que su cerebro está entrando en la fase REM donde predominan las ondas theta) hacía más difícil para ellos recordar los sucesos del día anterior.

Un experimento muy reciente, en el que se empleó la tecnología avanzada, que no estaba al alcance de los científicos en los primeros experimentos, demostró que durante la fase REM las neuronas se activaban siguiendo la misma pauta que durante las tareas de aprendizaje en el día. Por lo que al parecer el sueño puede implicar una especie de recreación de las experiencias diurnas para que se graben mejor en el repertorio de conocimientos; la interrupción de este proceso puede impedir el almacenaje de nuevos conocimientos en el cerebro.

Los experimentos con el laberinto, que según Bloch provocaban un aumento de la fase REM en ratas, implican un tipo de aprendizaje que se llama *declarativo* y que incluye los conocimientos y recuerdos de los que tenemos conciencia. En el caso

Sueño, envejecimiento y deterioro cognitivo

Las investigaciones aquí presentadas muestran que el aprendizaje no es eficaz si uno no duerme bien después de adquirir nuevos conocimientos. ¿Cuál, entonces, sería el efecto de no dormir una noche antes de empezar a aprender?

La falta de sueño afecta de la manera más evidente las habilidades de pensamiento "superiores" tales como la solución de problemas que se procesa en la memoria funcional (MF). Son las mismas habilidades ubicadas en el lóbulo frontal que tienden a deteriorarse con la edad. En un estudio reciente, el rendimiento de adultos jóvenes con falta de sueño en las tareas de la MF fue prácticamente el mismo que el de individuos de 60 años que durmieron bien.

Todos sabemos que dormir bien en la noche se hace más difícil con la edad. ¿Podría explicar este hecho el deterioro de las habilidades de MF, ubicadas en el lóbulo frontal, en las personas de edad?

Algunos investigadores están de acuerdo. Eve Van Cauter, especialista en el sueño que colabora en la Universidad de Chicago, llegó a la conclusión de que en los hombres el sueño de ondas lentas (OL) llega a su punto máximo en la adolescencia y después se deteriora a un ritmo constante hasta la edad de 50 años, cuando el sueño de OL en hombres alcanza su punto mínimo. Asimismo, Van Cauter determinó que es durante el sueño de OL cuando el cerebro secreta la hormona humana de crecimiento (HHC) que ayuda a preservar las neuronas. En la madurez, la producción de esta importante hormona protectora se reduce. Al mismo tiempo, parece que con la edad se produce un alza en el nivel de hormonas de estrés, las cuales, junto con el nivel reducido de la HHC, pueden llevar a deterioro mental. Parece que en las mujeres el patrón del sueño de OL permanece constante hasta la menopausia, aunque su nivel de HHC no parece depender tanto de esta parte del ciclo del sueño.

Lo que buscan los especialistas es desarrollar somníferos que fomenten el sueño de OL, lo cual quizá haría más lento el envejecimiento cerebral.

En seguida se presentan ejemplos de las tareas que se vuelven más complicadas con la falta de sueño o con la edad.

Prueba de pensamiento en el lóbulo frontal No. 1

Para cada sustantivo que aparece en la lista, trate de encontrar el mayor número de verbos que pueda. Por ejemplo: MANZANA: *morder, comer, masticar, alimentarse, lavar*. El límite de tiempo para cada palabra es un minuto.

CUCHILLO
ZAPATO
TAZA
JUEGO
CINE

Normas

Adultos jóvenes (de 19 a 27 años): 30 verbos.
Adultos de edad media (de 55 a 64 años): 22 verbos.
Adultos de edad avanzada (de 66 a 85 años): 16 verbos.
Adultos jóvenes con falta de sueño: 22 verbos.

(Basado en Harrison, Horne y Rothwell, 2000)

Prueba de pensamiento en el lóbulo frontal No. 2

Para cada oración incompleta, hay una palabra final evidente. Por ejemplo, si la oración incompleta es así: "Se envió la carta sin el____", la respuesta evidente es "timbre". En este caso, tendría que completar la oración con otra palabra, por ejemplo, "sobre" o "destinatario".

El Capitán Bligh quería quedarse en el —. (*barco*)

Llegaron lo más lejos que —. (*pudieron*)

La casa vieja será —. (*destruida*)

La mayoría de los gatos ven muy bien en —. (*la noche*)

Es difícil admitir que uno está —. (*equivocado*)

Marylin estaba feliz de que el asunto —. (*terminara*)

Su trabajo era fácil la mayoría del —. (*tiempo*)

Cuando te vayas a dormir, apaga la —. (*luz*)

El juego se canceló cuando empezó a —. (*llover*)

La disputa fue arreglada por una tercera —. (*parte*)

(*Basado en Bloom y Fischler, 1980*)

de las habilidades que tienen las ratas para no perderse en el laberinto, se trata de un tipo específico de aprendizaje llamado *episódico* (el recuerdo de haber estado en un lugar determinado y en una hora determinada, haciendo algo específico). Otra clase de memoria declarativa se denomina *semántica* y se usa para guardar hechos y conocimientos conscientes, como el nombre del primer ministro de la Gran Bretaña o la fecha del final de la primera guerra mundial.

Las diferentes fases del sueño son importantes para los diferentes tipos de aprendizaje

En el artículo publicado en 1994 en la revista *Science*, dos investigadores de la Universidad de Arizona presentaron pruebas del papel que desempeña otra fase del sueño en el aprendizaje. Poco tiempo después de quedarnos dormidos, nuestro cerebro normalmente entra en la fase de sueño de "ondas lentas" (OL), marcada por ciertos ritmos de baja frecuencia conocidas como ondas delta. Es durante el sueño de OL que se activa el hipocampo —una estructura del cerebro que participa en la creación de recuerdos declarativos— y repite las memorias de lo ocurrido en el día. Esta fase del sueño de OL además se caracteriza por impulsos que van desde el hipocampo hasta la corteza. Al parecer, lo que sucede es que el hipocampo envía la información a la corteza para que los recuerdos se guarden o "se consoliden" en la corteza de forma permanente. Dicho de otro modo, es durante esta fase cuando sucede la comunicación entre el hipocampo y la corteza, lo que da como resultado la formación de los recuerdos estables a largo plazo. Así pues, aunque la fase REM puede ser necesaria para fortalecer el conocimiento transferido a la corteza, el sueño de OL es necesario para transportar la información del hipocampo en primer lugar.

En otro artículo publicado en el mismo número de *Science*, un grupo de investigadores israelitas mostró que la interrupción del sueño REM además afecta el aprendizaje de diferentes habilidades. Las habilidades que se estudiaron en su experimento operaban con conocimientos que los psicólogos llaman *de procedimiento*, las habilidades que se vuelven automáticas con la práctica, como andar en bicicleta o pegarle a una pelota de tenis. Muchos piensan que para establecer este tipo de habilidades en la memoria sólo basta la práctica. Lo que demostraron los investigadores de Israel es que las habilidades de procedimiento mejoran un día después de practicarlas, pero únicamente si el individuo alcanza la fase REM.

Otro estudio muy reciente demostró que el aprendizaje de nuevas habilidades y conocimientos no sólo mejora después de una noche, sino que continúa mejorando durante varios días, siempre y cuando la persona duerma lo suficiente todas las noches. La falta de sueño en la primera de noche significa que el individuo nunca podrá recuperar por completo el sueño perdido, pues incluso si uno logra dormir bien las noches siguientes, este sueño de "recuperación" no se podrá utilizar para la consolidación de la memoria que debió haber comenzado la primera noche.

¿Cuánto debo dormir?

La conclusión final es que tanto el sueño de OL como la fase REM son necesarios para el aprendizaje. Durante el primer tipo de sueño que ocurre poco después de dormirse, el hipocampo reproduce ciertas experiencias del día anterior y las transfiere por medio de impulsos a la corteza. Esta fase de sueño parece tener especial importancia para la adquisición de los conocimientos declarativos, como los hechos o acontecimientos.

Durante la fase REM, la corteza reconstruye estas experiencias, fortaleciendo las conexiones entre las neuronas en diferentes lugares de la corteza que codifican la memoria. Puesto que la etapa más importante y más intensa del REM ocurre unas seis horas después de quedarse dormido, si limitamos nuestro sueño a sólo seis horas, perderemos el periodo del REM que ayuda al aprendizaje. Según parece, la fase REM es importante tanto para el aprendizaje declarativo como para el no declarativo, como la adquisición de nuevas habilidades de procedimiento. Muchos tipos de aprendizaje emplean componentes tanto declarativos como no declarativos, por lo que el sueño de OL lo mismo que la fase REM son importantes si queremos aprender a realizar nuevas tareas.

La fase REM es crucial no sólo para las habilidades de procedimiento y el almacenaje permanente de la información consciente sobre los hechos y sucesos, sino también para otros tipos de conocimientos no declarativos, que incluyen la mayor parte de los datos que se procesan a nivel subconsciente e influyen en nuestra conducta continuamente sin importar si nos damos cuenta de ellos o no (vea *Aprender sin darse cuenta*). Quizá ésta es la razón por la que los sueños a menudo nos parecen extraños cuando los analizamos despiertos. En los sueños, revisamos y repasamos no sólo los recuerdos, conocimientos y habilidades que podemos analizar conscientemente, sino también los recuerdos almacenados en las regiones cerebrales que por lo general están fuera del alcance de nuestra conciencia.

Bibliografía

Bloom, Paul A. e Ira Fischler (1980). Completion norms for 329 sentence contexts. *Memory and Cognition*, 8/6: 631-42.

Harrison, Ivonne, James A. Horne y Anna Rothwell (2000). Prefrontal neuropsychological effects of sleep deprivation in young adults – a model for healthy aging? *Sleep*, 23/8: 1067-73.

Karni, Avi y cols. (1994). Dependence on REM sleep of overnight improvement of a perceptual skill. *Science*, 265: 679-82.

Louie, Henway y Matthew A. Wilson (2001). Temporally structured replay of awake hippocampal ensemble activity during Rapid Eye Movement sleep. *Neuron*, 29: 145-56.

Plihal, Werner y Jan Born (1999). Effects of early and late nocturnal sleep on priming and spatial memory. *Psychophysiology*, 36: 571-82.

Sejnowski, Terrence J. y Alain Destexhe (2000). Why do we sleep? *Brain Research*, 886: 208-23.

Stickgold, Robert y cols. (2000). Visual discrimination task improvement: a multi-step process occurring during sleep. *Journal of Cognitive Neuroscience*, 12/2: 246-54.

Stickgold, Robert, LaTanya James y J. Allan Hobson (2000). Visual discrimination learning requires sleep after training. *Nature Neuroscience*, 3/12: 1237-8.

Van Cauter, Eve (2000). Slow wave sleep and release of growth hormone. *Journal of the American Medical Association*, 284/21: 2717-8.

Wilson, Matthew A. y Bruce L. McNaughton (1994). Reactivation of hippocampal ensemble memories during sleep. *Science*, 265: 676-9.

FALSO TESTIMONIO

La memoria de sucesos es fácil de influir

S i alguna vez preguntara a una pareja que celebra sus bodas de oro sobre un acontecimiento que ocurrió durante su ya lejano noviazgo, encontraría lo mucho que pueden varias los recuerdos de dos personas diferentes en cuanto a una experiencia que compartieron. Si escuchara a dos hermanas ya grandes analizar una escena que ambas presenciaron en la infancia, comprendería que la fuerza de convicción no siempre es significado de un recuerdo exacto. Si bien los psicólogos desde hace mucho saben que no hay nada más lejano de la descripción textual del pasado que la memoria, aún es difícil comprender cómo las narraciones sobre el mismo acontecimiento hechas por dos testigos diferentes pueden ser tan distintas. Al fin y al cabo, se trata de presenciar algo con nuestros propios ojos.

Una explicación consiste en que personas diferentes tienden a ver la misma escena de manera diferente. Al observar algo, dos personas pueden tener expectativas diferentes; en otras palabras, a menudo vemos lo que queremos ver. Por ejemplo, vea las palabras en la parte superior del recuadro arriba. ¿Cuántas "a" apare-

> ## ¡Vamos a tomar una taza de eafé!
>
> ## No hay nada como una comidaa gratis.

cen ahí? ¿Cuántas "c"? ¿Y en la parte inferior? ¿Está seguro de eso? Cuente de nuevo. Nuestro cerebro automáticamente llena la información que falta o altera los detalles para que nuestras expectativas coincidan con la realidad sin que nosotros nos demos cuenta.

Por qué los recuerdos y libros de historia revisionistas tienen mucho en común

Vamos a imaginarnos que es posible que dos personas tengan las mismas expectativas de un suceso que presencian juntos. ¿Conservaran recuerdos parecidos unos cuantos días, meses o años después?

La respuesta es no, pues sus memorias no sólo están bajo la influencia de las expectativas, sino también de lo que sucede después. Los recuerdos suelen cambiar con el paso del tiempo, cuando las nuevas experiencias se entretejen en la materia original hasta que finalmente es imposible distinguir el hecho original de los adornos posteriores.

Elizabeth Loftus de la Universidad de Washington es una de las investigadoras más reconocidas que estudian la maleabilidad de la memoria. Durante muchos años ha recopilado pruebas de que los recuerdos humanos están en un estado constante de cambio, cuando las experiencias nuevas alteran o incluso sustituyen las antiguas de manera permanente. El trabajo de la científica muestra lo fácil que es para que los testigos de un crimen sin darse cuenta obtengan información errónea, que alteraría su recuerdo de los detalles relevantes. Entre otras cosas, su testimonio de experta se ha utilizado en juicios penales concernientes a padres o educadores acusados de abuso de menores. Los niños chiquitos son aun más propensos a recuerdos falsos que los adultos, puesto que los lóbulos frontales de su cerebro todavía no terminan de desarrollarse. En esta área se procesan los pronombres como "quién", "qué", "cuándo" y "dónde" en relación a los sucesos pasados (esto recibió el nombre de razonamientos de la "memoria fuente"). Ya que los niños son muy abiertos a los deseos de los adultos con buenas intenciones, las imágenes y los pensamientos que se les ocurren a la hora de hablar con los trabajadores sociales o policías pueden fácilmente confundirse con los recuerdos originales.

Los estudios de Loftus necesitaron imponer restricciones en las interrogaciones de los testigos de un delito por parte de los detectives, sobre todo cuando se trata de la identificación de las personas involucradas. Lógicamente, un investigador policiaco preferirá una identificación hecha con confianza; si el testigo inconscientemente se da cuenta de esta preferencia, puede en vez de decir "Puede que sea éste pero no estoy seguro" declarar algo como "Sí, oficial, estoy seguro. ¡Es él!" La relación positiva entre el policía y el testigo puede mejorar y hacerlos sentir mejor, y dar paso a un caso más fácil de ganar para la parte acusadora, pero no necesariamente ayudará a condenar al verdadero malhechor.

¿Dos recuerdos en vez de uno?

Ningún psicólogo cuestionaría el hecho de que los recuerdos tienden a ser corregidos y alterados por las experiencias posteriores. Lo que sí causa controversias es si el recuerdo original, prístino, por así decirlo, puede seguir existiendo en algún recoveco del cerebro. Si es así, tal vez todavía sería posible restablecerlo aplicando alguna técnica. Algunos investigadores opinan que dos versiones de un recuerdo, la original y la modificada, pueden coexistir en el cerebro y "luchar" por el predominio durante el proceso de recuperación de los recuerdos.

Loftus tiene una opinión diferente. En una ocasión la investigadora ideó un experimento sencillo, en el cual se pedía a los sujetos ver una escena. En ésta, una persona estaba leyendo un libro amarillo. Si se les preguntaba más tarde a los sujetos: "¿Vio a una persona leyendo un libro azul?", su recuerdo original solía alterarse en respuesta a la pregunta, así que respondían positivamente. Si el recuerdo original y correcto siguiera coexistiendo junto con su versión alterada, decía la investigadora, saltaría a primera plana al preguntarle al testigo con insistencia qué otro color pudo haber sido. En realidad, el triple de los testigos que participaron en el experimento adivinó el color verde —color que sigue después del azul en el espectro de colores— que el amarillo. La interpretación más sencilla de este resultado es que en la considerable mayoría de los sujetos, el recuerdo original

---

RECUERDOS FALSOS
El cerebro recuerda lo que espera encontrar

Lea la lista de palabras que aparece a continuación, cúbrala y escriba todas las palabras que recuerde:

cama, reposo, sueño, somnoliento, almohada, cansado, siesta, bostezo, dormitar, roncar

¿Escribió la palabra "dormir"? Esta palabra no aparece en la lista, pero la mayoría de las personas creen que la recuerdan. Daniel Schacter, especialista en sueños que trabaja en la Universidad de Harvard, ha descubierto que si esta lista se lee en voz alta, la visualización PET muestra una diferencia entre el recuerdo verídico y el falso: la corteza auditiva se ilumina cuando el sujeto recuerda una palabra que sí escuchó, mas esto no sucede cuando cree equivocadamente acordarse de la palabra "dormir".

Nótese que en este caso el recuerdo falso no se sobrepone al original, sino lo aumenta. Otros estudios de visualización cerebral no encontraron diferencia cerebral alguna entre los recuerdos correctos y los falsos, alterados.

fue sustituido por la versión modificada como reacción a las preguntas del experimentador.

Medicamento que puede borrar la memoria

Algunas investigaciones recientes apoyan el punto de vista de Loftus. Dos científicos de la Universidad de Nueva York encontraron pruebas que cada vez pensamos conscientemente en un recuerdo, el cerebro lo desarma y después produce

Lo que ve depende de lo que espera ver

¿Un hombre o una rata? Depende...
(Basado en Bugelski y Alampay, 1961)

nuevas proteínas para reconstruirlo en la memoria a largo plazo. Este hallazgo parece indicar que el simple acto de acceder la memoria deja vulnerables los recuerdos, pues durante este periodo éstos no sólo se reconstruyen, sino probablemente se reorganizan para incluir información nueva. El acto de recordar conscientemente incluso puede dejar la memoria indefensa ante la desaparición si en este momento de vulnerabilidad se administra un medicamento que inhibe la producción de proteínas y, por lo tanto, bloquea el reensamblaje de la memoria misma.

Dichos investigadores en realidad hicieron esto: inyectaron un antibiótico que bloquea la creación de nuevas proteínas en el cerebro de ratones. Cuando el medicamento se inyectaba unas horas después de que las ratas hubieran accedido la memoria, la perdían por completo; en este experimento, era el recuerdo pavloviano, condicionado por el miedo que asociaba un sonido con la descarga eléctrica.

En la vida real, estos nuevos hallazgos podrían emplearse en el tratamiento de los recuerdos traumáticos (la versión humana de los traumas en las ratas producidos por una descarga eléctrica). Si se le administraran los inhibidores de producción de proteína a un paciente traumatizado inmediatamente después de acceder el recuerdo en cuestión, éste no podría reconstruirse y en efecto desaparecería de la mente del paciente. Éste, a su vez, desarrollaría una especia de amnesia, que le podría ayudar con los recuerdos traumáticos.

El siguiente paso para los investigadores consiste en determinar si el cerebro humano elimina y reconstruye los recuerdos autobiográficos conscientes de la misma manera que lo hace con las memorias condicionadas por el miedo; además, queda por investigar si los recuerdos almacenados en el cerebro durante un periodo largo también se reconstruyen cada vez que se obtiene acceso a ellos.

Bibliografía

Dudai, Yadin (2000). The shaky trace. *Nature*, 406: 686-7.

Loftus, Elizabeth (1979). *Eyewitness Testimony*. Cambridge: Harvard University Press.

Loftus, Elizabeth y J.E. Pickrell (1995). The formation of false memories. *Psychiatric Annals*, 25: 720-5.

Nader, Karim, Glenn E. Schafe y Joseph E. LeDoux (2000). Fear memories require protein synthesis in the amygdale for reconsolidation after retrieval. *Nature*, 406: 722-6.

Práctica mental

La visualización de una habilidad motriz mejora el desempeño

Antes de acercarse a la caja de bateo, el bateador que tiene muchos jonrones Mark McGwire visualiza cómo pegaría cada pelota que le va a arrojar el pitcher. ¿Será eso el uso del poder de pensamiento positivista? Quizá. Pero, según los últimos estudios de visualización cerebral, hay algo más que eso. Al ensayar mentalmente lo que va a hacer en la caja del bateador, McGwire hace uso de los mismos circuitos cerebrales que se activan cuando el deportista da el verdadero golpe contra la pelota. De este modo, no sólo prepara dichos circuitos para actuar, sino también los pone en práctica "teórica" que puede mejorar el resultado en el cuadrangular.

Las habilidades motrices tan impresionantes como lo es pegarle a una pelota que vuela con la velocidad de 150 kilómetros por hora o tan triviales como lo es comer usando tenedor y cuchillo son ejemplos de lo que los psicólogos llaman *habilidades de procedimiento*. Si bien en un principio pueden ser de utilidad si se comunican con las instrucciones orales ("Pon la mano derecha adelante y el pie izquierdo hacia atrás"), estas habilidades sólo llegan a la perfección después de haber practicado lo suficiente como para que se queden en la "memoria muscular". Así, empiezan a formar parte del repertorio de habilidades automáticas que parecen funcionar autónomamente, sin la necesidad de un esfuerzo mental o un análisis consciente. Es más, deliberar demasiado sobre lo que uno va a hacer puede incluso afectar las habilidades relacionadas con la memoria muscular. Por ejemplo, es menos probable que los deportistas profesionales se bloqueen durante un momento decisivo del juego que los aficionados.

Desde luego, la memoria muscular no reside en los músculos, al igual que nuestro conocimiento de las reglas del juego. Cualquier tipo de memoria, ya sea consciente o no, físicamente se alberga en el cerebro. La mayor parte de los recuerdos a largo plazo se forman cuando una experiencia causa cambios estructurales en el cerebro por medio de la repetición y el ensayo. Estas estructuras nuevas fortalecen las conexiones y los pasajes que unen las neuronas que se activaron durante la experiencia original. Cuando la red nerviosa se vuelve a activar, ocurre el acto de recordar.

Todo lo anterior suena lógico si se trata de la memoria "intelectual" para hechos (¿Hasta cuánto se tiene que contar para llegar a un número que contiene la letra "m") o sucesos (Cuando el coche pasó el cruce, ¿el semáforo estaba en rojo, amarillo o verde?). ¿Pero qué sucede con la memoria "muscular" para las habilidades motrices? Al fin y al cabo, seguramente no es lo mismo visualizar mentalmente un jonrón que hacerlo…

Las habilidades motrices se "practican" incluso cuando soñamos que las realizamos

Los estudios de la función de los sueños en el aprendizaje y la memoria nos pueden proporcionar una pista. De acuerdo con la opinión difundida, la fase REM (siglas inglesas que significan "movimiento rápido de los ojos") del sueño, cuando estamos soñando, es importante para el aprendizaje *declarativo* de hechos y sucesos lo mismo que de habilidades de *procedimiento*, como es pegarle a una pelota de béisbol (vea *Sueños en el trabajo*). Generalmente, soñamos en la noche con las actividades cotidianas realizadas el día anterior, como, por ejemplo, capturar datos o pintar un clóset.

Según los datos obtenidos en los escaneos cerebrales, la visualización de las habilidades de procedimiento ya sea en un sueño o en el estado de vigilia en efecto activa no sólo las partes visuales de la corteza, sino también las motrices. Cuando McGwire imagina el golpe contra la pelota, utiliza todos y cada uno de los circuitos cerebrales involucrados en este proceso, desde la corteza visual primaria, pasando por los centros de visualización en la corteza parietal, hasta la primaria y la secundaria áreas motrices del cerebro; todas estas áreas se emplean hasta que el cerebro da la orden de pegar. (Si McGwire soñara con hacer un jonrón, en realidad haría los movimientos necesarios si la bioquímica natural del sueño no paralizara todo su cuerpo).

La pregunta es: ¿es verdad que la visualización realmente ayuda en las actividades cotidianas? De acuerdo con muchos estudios, la respuesta es sí. El ensayo mental en efecto fortalece los circuitos cerebrales responsables de las habilidades de procedimiento, al igual que lo hace el ejercicio físico. Esto no quiere decir que no sea necesario practicar la habilidad físicamente para perfeccionarla; las técnicas de visualización en combinación con la práctica pueden ayudar a alcanzar mejores resultados, comparado con la mera práctica. De este modo, uno puede mejorar la memoria muscular incluso sin emplear los músculos mismos.

Bibliografía
Kosslyn, S.M. y cols. (1995). Topographical representations of mental images in primary visual cortex. *Nature*, 378: 496-8.
Roth, Muriel y cols. (1996). Possible involvement of primary motor cortex in mentally simulated movement: a functional magnetic resonance imaging study. *Neuroreport*, 7/7: 1280-4.
Yaguez, L. y cols. (1998). A mental route to motor learning: improving trajectorial kinematics through imagery training. *Behavioural Brain Research*, 90: 95-106.

Autoevaluación: potenciación

Observe cuidadosamente cada una de las siguientes palabras durante cinco segundos. Luego, continúe con las actividades que había estado haciendo (por ejemplo, siga leyendo este libro) durante una hora y después consulte el recuadro en la pág. 222.

asesino
pulpo
aguacate
misterio
policía
clima

Aprender sin darse cuenta

Por qué un poco de plagio es inevitable

El que alguien nos robe alguna idea y después como si nada le quite el mérito de ella puede ser totalmente exasperante. Sin embargo, no hay motivo para enojarse: todos y cada uno de nosotros somos culpables de haber hecho alguna vez en la vida este tipo de piratería intelectual. Es más: la autoría de muchas de nuestras ideas geniales más originales (según nosotros) no nos pertenece, sino que proviene de alguna fuente que tan cómodamente no recordamos.

¿Tal vez, esta mala memoria sea un tipo de mecanismo psicológico egoísta que hace que no nos preocupemos al robar las ideas ajenas? No exactamente. El plagio "honesto" ocurre a consecuencia de la manera como funcionan por casualidad dos características de la memoria humana.

Sistemas de memoria conscientes e inconscientes

Más que nada, el sistema de memoria *semántica* que comprende el conocimiento consciente de los hechos (el apellido de soltera de nuestra madre o la capital de Suiza) está hecho para retener la información esencial sin los detalles que indican cuándo, dónde y bajo qué circunstancias nos enteramos del hecho. Esto explica en parte nuestra falta de memoria. En segundo lugar está un hecho más interesante: en ocasiones, el plagio es posible gracias a que en el cerebro tenemos sistemas de memoria separados e independientes, unos conscientes y otros subconscientes. En otras palabras, cuando sin querer robamos una idea ajena, puede ser que en efecto estemos recordando algo sin darnos cuenta de que es un recuerdo y no nuestra idea.

Esta explicación de tener mala memoria resulta fácil de comprender, pues la mayor parte de lo que sabemos del mundo (o creemos que sabemos) proviene de las fuentes que no recordamos. ¿Cuándo aprendió el significado de la expresión "no obstante"? ¿Quién fue que le contó del lugar de su nacimiento? ¿Cómo sabe que en los restaurantes se debe pagar por los alimentos que se consumen? No importa tanto cómo esta información llegó a su memoria semántica, sino que está ahí. Así pues, el fenómeno de olvidar las circunstancias que rodean la adquisición de datos puede ser simplemente un mecanismo eficaz para retener la información relevante sin atascar el cerebro con datos secundarios.

No obstante, la segunda característica de la mala memoria que puede llevar al plagio inconsciente no es tan evidente como la primera, por lo que los investigadores se tardaron más en formularla. Contrariamente a la opinión de que la memoria es un sistema íntegro con varias expresiones (memoria de lugares, movimientos, hábitos y rutinas inconscientes), hoy en día los investigadores plantean la existencia de sistemas de memoria separados, inconscientes e implícitos que reflejan nuestros recuerdos y conocimientos conscientes. Asimismo, se ha podido probar que estos sistemas diferentes dependen de redes nerviosas distintas que operan en partes del cerebro no relacionadas.

Cómo funciona la "potenciación"...

Un tipo de memoria implícita bien estudiado se denomina *potenciación*. Este nombre proviene de la noción de que los datos que nos habíamos encontrado previamente pueden "potenciar" al cerebro para recordar correctamente el haber experimentado la tarea antes. Esto sucede incluso cuando los datos se almacenaron a nivel subconsciente. Como un ejemplo de potenciación consciente, en el ejercicio en la pág. 216 se le pide examinar la lista de palabras y después de un tiempo consultar otra lista, donde las palabras aparecen incompletas y sólo contienen algunas de las letras. El fenómeno de potenciación ayuda a llenar los espacios en blanco con el fin de restablecer las palabras de la lista anterior. Esto funciona independientemente si explícitamente recuerda las palabras originales. De acuerdo con un experimento llevado a cabo por los investigadores de la memoria, el efecto de potenciación sigue funcionando bien después de una semana al igual que después de una hora, aun cuando el recuerdo explícito de la lista de palabras haya desaparecido de la memoria.

Por lo tanto, la potenciación es un tipo de memoria que posibilita reconocer las cosas que no recordamos haber visto. Pero eso no es todo. Imagínese la siguiente escena: un paciente con amnesia profunda se presenta con el médico; éste sale de la habitación y diez minutos después al paciente se le muestran las fotografías de varias personas, entre ellas la del médico que acaba de conocer. Se le pregunta si alguna vez se ha topado con alguna de estas personas, a lo cual el paciente responde negativamente. Pero si se le pregunta con insistencia qué cara podría serle conocida, el paciente apunta a la fotografía del médico que conoció diez minutos antes. (El ejercicio que consiste en llenar las letras que faltan en la pág. 222 también funcionaría con los pacientes con amnesia).

Es muy probable que tales mecanismos de la memoria implícita como la potenciación puedan influir continuamente en nuestra conducta sin que no nos demos cuenta. Si al paciente amnésico descrito arriba se le pregunta qué cara le parece más agradable, lo más probable es que escoja la cara del médico. De este modo, tan sólo con presenciar algo puede causar nuestra simpatía hacia esto sin que lo recordemos conscientemente, hecho del que desde hace mucho se aprovechan las compañías de publicidad. Sin embargo, si el médico se hubiera comportado desagradable con el paciente, éste va a escoger su cara como antipática. De igual manera, una experiencia que nos deja mal sabor de boca puede causar una reacción temerosa mucho tiempo después de haberla vivido, de lo cual son testigos los que padecen alguna fobia.

... incluso cuando soñamos

Los estudiosos del cerebro inclusive han aprendido a identificar la diferencia entre la memoria explícita y la implícita de potenciación. Lo hacen al consultar los registros de potenciales cerebrales relacionados con eventos (ERPs, por sus siglas en inglés), señales que representan la actividad eléctrica detectada con electrodos sujetados al cuero cabelludo. En una investigación reciente publicada en la revista *Nature*, los científicos de Inglaterra y Austria mostraron que los patrones de la actividad cerebral son distintos en la memoria explícita y en la implícita, y emplean redes nerviosas ubicadas en diferentes partes del cerebro (vea el

Diferencias entre las bases nerviosas
de la memoria explícita y de la potenciación

Los investigadores han identificado diferentes patrones de actividad cerebral para la memoria explícita y la implícita de potenciación. En el experimento que se realizó, los sujetos recibieron una lista de varias docenas de palabras, la mitad de las cuales tenían que unir en una oración. Por ejemplo, si "hamaca" fue una de las palabras, podría formar parte de la siguiente oración: "El asaltabancos se quedó dormido en la hamaca después de huir del lugar de los hechos". Con la otra mitad de las palabras, los sujetos tenían que decidir si la primera y la última letras de la palabra estaban en orden alfabético (en el caso de "hamaca" no lo están). La primera tarea, llamada tarea de *procesamiento profundo*, hace posible que el sujeto recuerde la palabra al paso de unos minutos. Por lo general, es más fácil recordar un dato si pasamos unos instantes pensando en su significado. La otra tarea, la de *procesamiento superficial*, no se ocupa del significado de la palabra y por lo tanto no facilita su memorización consciente.

recuadro más arriba). El reconocimiento consciente se basa más en el lóbulo frontal, mientras que la memoria inconsciente relacionada con la potenciación depende en mayor medida de los lóbulos parietales en la parte trasera del cerebro.

No es casual que el fenómeno llamado *memoria fuente* (recordar cuándo, dónde o cómo uno aprendió algo) también dependa en gran medida de los lóbulos frontales. Este tipo de memoria aún no funciona bien en los niños, puesto que sus lóbulos fronta-

Después de esta parte del experimento, los sujetos vieron las palabras una por una durante cinco segundos, mezcladas con otras voces que no aparecían en la lista. Para cada palabra, los experimentados debían decidir si la habían visto antes; recordaron mucho mejor las palabras que se procesaron "profundamente" en comparación con las "superficiales". Además, muchos tendieron a categorizar tanto las palabras "superficiales" como las nuevas como palabras que no habían visto antes.

Para todas las palabras que los sujetos recordaron haber visto explícitamente, una región en la corteza frontal mostró ondas positivas. Sin embargo, para todas las palabras sin excepción que habían visto (sin importar si el sujeto recordaba haberlas visto en la primera lista), otra región del cerebro, la corteza parietal, mostró ondas positivas. Resulta que la región del cerebro mostraba los indicios de recordar algo que el sujeto no recordaba de manera consciente.

les se desarrollan lentamente (vea *El cerebro engañoso*). Cuando los recién nacidos muestran que reconocen algo, como lo es la voz de la mamá, su cerebro funciona igual que el de un paciente amnésico que tiene memoria implícita mas no explícita. Aun después de que la memoria consciente explícita empiece a desarrollarse en la segunda mitad del primer año de vida, nuestro sistema de memoria implícita sigue funcionando y afecta nuestro comportamiento a lo largo de toda la vida sin que estemos conscientes de ello.

Conclusión de la prueba de potenciación (PÁG. 216)

¿Ha esperado una hora? Ahora vea las palabras con letras faltantes que aparecen enseguida. Si puede, llene los espacios que faltan, de tal modo que forme palabras en español correctas. Después voltee el libro y lea el comentario.

a__d__ll__
p__l__o
__a__zan__
__l__ma

He aquí las palabras que pueden salir al llenar los blancos: *ardilla, pulpo, manzana, clima.* ¿Se acordó de "pulpo" y "clima"? pero no pudo completar las otras dos? Estas palabras aparecieron en la lista que estudió hace una hora. Si este fue el caso, lo que sucedió fue que el ver las palabras en la lista original potenció su habilidad para recordarlas, así que nada más tuvo que llenar los espacios.

LA
MENTE
EXPERIMENTADA

*Cómo mantener las calidades
valoradas de la vida*

Envejecimiento saludable

¿Cómo burlar la pérdida de memoria relacionada con la edad? Los profesores aconsejan

C on los años, incluso una persona sana se topa con cierta reducción de rapidez y agudeza mental. La lentitud de recuperación de la memoria de nombres, números y hechos es normal y no indica el comienzo de la demencia. Al revés, si usted tiene un nombre conocido "en la punta de la lengua", lo más probable es que no tiene la enfermedad de Alzheimer; es sólo un indicio de envejecimiento normal. Sin embargo, algunas personas de edad avanzada pueden ser más agudos mentalmente que otros, igualmente sanos. Los estudios recientes de estas diferencias muestran de forma cada vez más convincente que una vida mentalmente activa puede ayudar a mantener las habilidades cognitivas e incluso prevenir la demencia. La pérdida de la memoria no siempre es inevitable como la muerte o el pago de impuestos.

¿Qué se entiende por pérdida normal de la memoria relacionada con el envejecimiento?

Al igual que lo que sucede con el cuerpo, el incremento del tiempo de reacción en el caso del cerebro es normal e inevitable. Las personas mayores son menos ágiles que los jóvenes bajo la presión del tiempo. Además, les es más difícil coordinar dos tareas simultáneas. Por ejemplo, a un chofer mayor de edad le cuesta más trabajo sostener una conversación por un teléfono celular y al mismo tiempo concentrarse en el camino; de igual manera, su reacción en el caso de un accidente automovilístico será más lenta. (Por otro lado, un conductor más grande generalmente es más inteligente como para evitar una situación peligrosa).

El tiempo más prolongado para procesar información, junto con la dificultad de coordinar dos tareas a la vez, puede explicar por qué las personas mayores sanas con trabajo recuerdan los detalles de una historia o un artículo periodístico. Leer un texto implica la recolección de lo ya leído junto con el procesamiento del siguiente fragmento de texto. Puesto que el procesamiento de información toma más tiempo, los recuerdos del fragmento anterior pueden empezar a desvanecerse antes de que el fragmento que sigue se procese por completo.

Ralentización de las habilidades de la memoria funcional

Muchas habilidades mentales que tienden a deteriorarse con la edad entran en la categoría de *memoria funcional*. Las tareas de este tipo de memoria a menudo exigen coordinar dos procesos simultáneos o separar los datos pertinentes de los poco importantes. El funcionamiento de dichas habilidades depende de los lóbulos frontales del cerebro, la eficacia de las cuales suele sufrir cierta reducción después de los primeros años de adultez.

Evaluación de la capacidad de la memoria funcional

He aquí una prueba que evalúa dos componentes de la memoria funcional: el procesamiento operativo y el almacenaje en la memoria a corto plazo. Lo ideal sería que alguien le leyera las oraciones que aparecen a continuación en voz alta, despacio y con claridad. Es necesario que para cada oración determine si tiene sentido. (Algunas de ellas son sensatas, otras no). Al mismo tiempo, tendrá que memorizar la palabra que viene al final de cada una de las oraciones y sirve de resumen muy breve del tema de la frase.

- Las novelas son las versiones de la realidad que vive un personaje, incluso si dicha realidad sólo existe en un mundo fantástico. HISTORIA
- El terrateniente es como un dictador de su propia tierra: él dice a las madres lo que tienen que hacer y a ellas no les queda más que obedecer. RENTA
- De joven, cada noviembre veía cómo mi tía colocaba los focos en su bolsillo. JARDÍN
- Se supone que en la universidad uno aprende nuevas habilidades, salvo la habilidad de aprender. ESTUDIO

- La mayoría de los jóvenes de hoy nunca aprenden la importancia del sacrificio que tienen que hacer nuestras pelotas de *softball*. DEBER
- Un viaje a la zona despoblada de Australia puede ser divertido siempre y cuando uno se mantenga en la sombra, no tome demasiada cerveza y se cuide de los golpes de canguros. AUSTRALIA
- Lo incómodo de las "caguamas" es que son demasiado grandes para una persona pero insuficientes para dos. CERVEZA
- La esposa de Churchill le puso un apodo que muchos biógrafos prefirieron omitir. BULLDOG

¿No se le ha olvidado ninguna palabra? Para salir bien en esta prueba, es necesario coordinar dos habilidades cognitivas: el análisis del significado de cada frase prestando atención a las incongruencias semánticas y el mantenimiento en la memoria de una lista cada vez más larga de palabras. En las pruebas como ésta, las personas de edad avanzada suelen salir peor que las más jóvenes.

Para entender mejor el tema, piense en lo difícil que es concentrarse en lo que dice alguien en un restaurante ruidoso y lleno de gente. Es necesario separar todo el ruido que lo rodea en los sonidos de primer y segundo planos y prestar atención a una sola voz. El nivel de concentración para semejante tarea necesita cierto esfuerzo pero no es imposible. Ahora vamos a complicar más el asunto: imaginemos que en vez de una voz es necesario prestar atención a dos personas simultáneamente. Los psicólogos intentan evaluar este tipo de problemas reales en el laboratorio en forma de pruebas de *desempeño en tarea dobles* o *tareas de atención dividida*. Por ejemplo, la persona sometida a prueba puede llevar una diadema (audífonos con micrófono); del audífono izquierda escucha una serie de números y del derecho, otra. El sujeto debe reproducir las dos series sin mezclar los elementos de una con los de la otra. Es difícil para cualquier persona, sobre todo si la edad sobrepasa los 30 años, y se vuelve cada vez más compleja con un decenio adicional (vea el recuadro en la pág. 229).

El envejecimiento normal no necesariamente implica demencia

Si bien la pérdida de destreza mental en cierto grado es normal para las personas de edad avanzada, el riesgo que se corre de padecer demencia varía. En parte, las diferencias del impacto cognitivo por envejecimiento están codificadas en nuestros genes, pero los estudios de grupos grandes de personas que llevan vidas diferentes muestran que existe una relación entre el nivel de educación y ocupación y el riesgo de demencia en la etapa tardía en la vida del individuo. Así, un acreditado estudio llevado a cabo en Francia demostró que el riesgo de demencia entre obreros no especializados de la ciudad de Bordeux es de dos a tres veces más alto que entre los profesionistas. El nivel de educación también guarda una correlación inversa con la probabilidad del desarrollo de la enfermedad de Alzheimer en muchos estudios. Aunque estos hallazgos pueden explicar las diferencias entre los grupos, no son tan útiles para ayudar a disminuir el riesgo de demencia en la edad avanzada.

La importancia del modo de vida

Las investigaciones muestran que una vida moderada y factores ambientales pueden ser sumamente importantes en el mantenimiento de las habilidades cognitivas e incluso en la prevención de la demencia. En una serie de experimentos que comenzó en los años sesenta en los laboratorios de la Universidad de California en Berkeley, los científicos demostraron que las ratas que crecieron en un ambiente "enriquecido" —esto es, con muchos juguetes, compañeros y objetos nuevos para aprender— tenían un cerebro más grande y además eran más inteligentes que las ratas que crecieron en las celdas vacías. El tamaño y desempeño de las neuronas de las ratas que crecieron en el ambiente "enriquecido" eran superiores a las de las ratas privadas de la posibilidad de aprender. Las dendritas de las primeras eran más grandes,

Recordar bien depende de lo ya conocido

Si no intervienen otros factores, entre más sabe uno, más fácil le es recordar cosas nuevas que pueden integrarse en el sistema de conocimientos existente. Así pues, si un investigador comparara cómo se conservan en la memoria los detalles de un fragmento del texto que se presenta enseguida en el caso de un jardinero de 80 años y un joven de 20 años con cualquiera otra profesión, es probable que el jardinero salga mejor.

A mi madre siempre le gustó la jardinería y el invierno era para ella la época de una depresión profunda. Cada primavera su espíritu revivía, cuando mi madre fertilizaba el suelo con el abono y plantaba los vegetales nuevos en el arriate. El alisum blanco y la lobelia azul siempre querían atravesar el borde delantero, marcándolo con un diminuto seto liliputiense hecho de ráfagas vistosas de colores de nubes y cielo. Detrás de la orilla, plantaba vegetales de altura mediana, como dalias, ranúnculos o bocas de dragón, que en mis ojos de niño, que veían el jardín las mañanas de primavera a través de la ventana de mi recámara, parecían abigarrados y alegres confetis de cumpleaños. Cuando mi madre cavaba la franja central del arriate, tenía mucho cuidado para no incomodar los bulbos de tulipanes y narcisos que había plantado el otoño anterior y que apenas asomaban con cautela sus narices verdes pálidas de la tierra que se descongelaba. Detrás de ellos, estaban como gigantes las plantas más altas que formaban un telón de fondo casi impenetrable que cubría la pared de estuco que separaba nuestro jardín de los de los vecinos. La digital, el lirio con aristas y la malvarrosa, majestuosos y arrogantes, se erguían ahí, tan vulgarmente estrafalarios en su suntuosidad que uno los percibía como visitantes extranjeros del Oriente o quizás de Marte.

Continuará

Ahora, sin regresar a la página anterior, intente contestar a las siguientes preguntas:

1. Mencione una flor que está cerca de la orilla delantera del *arriate*, una que está en la franja central y una alta que se encuentra en la parte trasera; mencione las plantas en este orden.
2. ¿De qué color era la lobelia?
3. De acuerdo con el fragmento, ¿pensaría que los tulipanes eran muy bajos, medianos o altos?
4. Si la madre del narrador quisiera plantar estátice —planta de altura mediana—, ¿junto con qué otra planta lo pondría: la lobelia, el lirio o el ranúnculo?
5. De las tres plantas, ¿cuál percibió el narrador como la más vulgar: la digital, el ranúnculo o la boca de dragón?

Respuestas

1. En el frente: alissum o lobelia. En el centro: boca de dragón, ranúnculo o dalia (también quedan tulipán o narciso). Atrás: digital, malvarrosa o lirio con aristas.
2. Azul.
3. Medianos.
4. Ranúnculo.
5. Digital.

Clave

De 0 a 1 respuestas correctas: Recuérdeme no encargarle mis plantas de casa mientras estoy de vacaciones.

De 2 a 3 respuestas correctas: Parece que sabe distinguir la glicinia de una mala hierba.

De 4 a 5 respuestas correctas: O es jardinero o tiene memoria fotográfica.

con las ramas más desarrolladas; tenían mayor número de sinapsis (puntos de contacto entre las neuronas), aprendían mejor y eran más inteligentes.

Quizá, estos resultados parecen obvios, pero algunos experimentos también mostraron que cuando se trasportó a las ratas que crecieron en un ambiente "empobrecido" al "enriquecido" en una época posterior de su vida, los animales desarrollaron cerebros más grandes y mostraron mayor nivel de inteligencia. Incluso a una edad avanzada, el cerebro de estos roedores era lo suficientemente flexible como para adaptarse de manera sorprendente a la nueva vida y al ambiente diferente.

¿Será esto cierto para los humanos? Es difícil responder afirmativamente a esta pregunta, puesto que los investigadores no pueden cambiar el ambiente de las personas en aras del experimento científico, como lo hacen con las ratas.

Aun así, algunos estudios mostraron que en la edad adulta, la frecuencia y diversidad de las actividades intelectuales y físicas no relacionadas con el trabajo parece tener un efecto de protección contra la demencia en humanos. En la mayoría de los estudios recientes, se encontró que las actividades intelectuales son el factor más importante en la prevención; la diversidad y la frecuencia de las actividades como el estudio de un idioma extranjero o los juegos intelectuales como el *bridge* reducen las posibilidades de desarrollar la enfermedad de Alzheimer. Entre la gente relativamente pasiva física e intelectualmente, se encontró en contraste que el riesgo de padecer demencia fue 250 por ciento mayor.

La relevancia de la actividad intelectual

¿Por qué la estimulación y el dinamismo intelectuales son importantes? Una de las probables explicaciones consiste en que en las personas que llevan una vida mentalmente activa se construye un excedente de neuronas que en un futuro pueden utilizarse como reserva si surge la necesidad. De esto modo, incluso si la edad avanzada trae consigo cierto deterioro estructural en el cerebro, se cuenta con un fondo de neuronas y conexiones nerviosas adicionales para compensar las que dejan de funcionar. También es probable que variadas y estimulantes actividades intelectuales ayuden a mantener las neuronas o incluso a desarrollar las nuevas. Los experimentos muy recientes, realizados en ratas adultas, han mostrado que algunos factores de ambiente "enriquecido", es decir, la estimulación mental y física, pueden duplicar el grado de *neurogénesis* —producción de nuevas neuronas— en el *hipocampo*, órgano cerebral que tiene la función central en el aprendizaje y la memoria (vea *Regeneración de las neuronas*). Existen pruebas convincentes de que en el caso de los humanos lo mismo que de las ratas, la estimulación mental hace que el cerebro se ocupe de su propio mantenimiento por medio de mecanismos de autorregeneración, parcialmente al incrementar el nivel de hormonas de crecimiento y nutrientes de neuronas.

Argumentos adicionales a favor del hecho de que a veces el deterioro por la edad que consideramos normal no es inevitable provienen de otro estudio llevado a cabo en Berkeley, en el que se comparan las habilidades mentales de profesores de edad avanzada con las de los profesores más jóvenes, así como las de otras personas de diferentes edades que no eran profesores. Las habilidades mentales que se pusieron a prueba fueron el tiempo de reacción, el aprendizaje de objetos con asociación (esto es, dos cosas arbitrarias, como un nombre y un rostro correspondiente), la memoria funcional y la memorización de textos. Entre un grupo de los que no eran profesores, los sujetos más jóvenes mostraron resultados un tanto mejores en todas las áreas mencionadas en comparación con las personas más maduras, lo cual va de acuerdo con el patrón general esperado.

Entre los profesores, la edad no siempre guardaba relación con los resultados. Las habilidades en que los académicos mostraron la agilidad de una mente joven implicaban capacidades de conceptualización compleja e integración de información nueva con conocimientos previos. No obstante, en las pruebas que medían la velocidad o memorización arbitraria, el desempeño de los profesores con más años fue más bajo, típico para la edad avanzada.

Existe la probabilidad de que los profesores hayan preservado ciertas habilidades de aprendizaje y memoria a nivel de los jóve-

Pruebas de memoria funcional
para la vida cotidiana

Muchos investigadores que estudian la memoria funcional critican muchas de las pruebas de memoria, argumentando que éstas son demasiado artificiales. ¿Acaso en la vida cotidiana —cuestionan— tenemos que memorizar y reproducir una lista de palabras no relacionadas entre sí y seleccionadas al azar? El defecto de semejantes pruebas radica en que lo que se pone a prueba puede ser solamente la habilidad del examinado de salir bien en las pruebas artificiales. Así, algunos psicólogos empezaron a buscar pruebas que llamaron "ecológicamente válidas", esto es, aquellas que incluían las tareas prácticas que se hacen en la vida real.

Si la memoria funcional es algo que usamos en el lenguaje cotidiano, entonces las pruebas de la comprensión del habla cotidiana deben ser una de las maneras para evaluar la capacidad de este tipo de memoria. Por ejemplo, las pruebas de *razonamiento por inferencia* miden la habilidad de utilizar el discurso de otros para llenar las lagunas en el texto y restablecer la información que falta; asimismo, pueden evaluar la memoria funcional, suponiendo que es esta memoria la que ayuda a procesar la información entrante y a utilizarla para solucionar el problema —por así decirlo— de inferir la información implícita. Por ejemplo, si en la historia se menciona que "a un campista se le olvidó apagar la fogata al salir del campo en la mañana" y después se indica que "su muerte en el incendio forestal fue un castigo justo", lo lógico sería inferir que la fogata desatendida provocó el fuego.

Los resultados de las pruebas de lenguaje natural comprueban que con la edad la memoria funcional se deteriora. He aquí un ejemplo de otro tipo de esta prueba:

Razonamiento lógico
Las pruebas de lógica basadas en el lenguaje natural parecen más bien tests de razonamiento que de memoria. Para solu-

cionar este tipo de problemas, se necesita retener y manipular mentalmente la información para llegar a una conclusión. Esto es aun más difícil con la información hablada que con la escrita, especialmente para las personas mayores.

En las frases que siguen, determine si la conclusión es falsa o verdadera, suponiendo que la premisa es verdadera. Vea las respuestas en la pág. 236:

1. *Premisa*: Si George MacDonald mentía cuando dijo que estaba en el hipódromo todo el sábado, entonces pudo haber sido el asesino. Cuando la policía verificó su coartada, resultó que en realidad nunca estuvo en el hipódromo.
   Conclusión: George MacDonald pudo haber sido el asesino.

2. *Premisa*: Si a Jesse le fuera mal en el partido final, tendría que abandonar el equipo. Después del partido, el entrenador le dijo que podía quedarse.
   Conclusión: A Jesse no le fue mal en el partido.

3. *Premisa*: Llevar a la familia a Europa de vacaciones es costoso. Leonardo llevó a su esposa e hijos por dos semanas a Italia, lo cual le costó un dineral. Las vacaciones familiares de Harry también fueron costosas.
   Conclusión: Harry ha de haber llevado su familia a Europa de vacaciones.

4. *Premisa*: Los que saben jugar bien polo se aburren con el cróquet. El hermano de April intentó enseñarle polo a su hermana pero ella nunca aprendió el juego.
   Conclusión: April no se ha de aburrir con el cróquet.

5. *Premisa*: La memoria de Meg es peor que la de Sara, y la memoria de Joe no es mejor que la de Meg.
   Conclusión: La memoria de Joe es mejor que la de Sara.

nes debido a que siguen trabajando con los materiales conceptualmente complicados, mientras que en el caso de la información intrínsecamente caótica (como lo es el recordar un rostro acompañado de un nombre) no tuvieron ventaja alguna. Más bien, recurrieron a las mismas tácticas mnemónicas que la mayoría de la gente de su edad (vea *Formar recuerdos*).

Este estudio concuerda con otros que mostraron, por ejemplo, que los adultos de edad avanzada que salieron mejor en las pruebas de vocabulario y habilidades verbales tuvieron iguales resultados que los jóvenes en las pruebas de memorización de textos, incluso cuando los jóvenes con los que se les comparó también tuvieron buenos resultados en las pruebas de vocabulario. Sin embargo, cuando a las personas de edad avanzada con resultados inadecuados de las pruebas de vocabulario se les comparó con los jóvenes que salieron igual de mal, en las pruebas de memorización de textos los jóvenes mostraron mejor desempeño. Así pues, habilidades verbales bien desarrolladas pueden proteger la memoria o compensar por el deterioro relacionado con la edad con el aumento de velocidad de procesamiento. Pero en las tareas cotidianas tales como la lectura o conversación no basta con tener solamente una buena memoria (vea el recuadro en la pág. 233).

Lo que uno sabe y hace puede ayudar a envejecer sanamente

Por un lado, incluso las personas mayores intelectualmente activas salen peor que los jóvenes en las pruebas que no evalúan más que la velocidad mental y asociaciones; por el otro, los estudios como los mencionados en este capítulo atestiguan cada vez más convincentemente que el hecho de participar durante la vida en las actividades que estimulan el intelecto tiene un efecto positivo en las habilidades cognitivas complejas en la edad avanzada y, además, puede reducir el riesgo de padecer demencia. Juegos intelectuales, servicio voluntario a la comunidad, pasatiempos, participación en un grupo de lectura: todo esto ayuda a mantener el cerebro y la mente sanos y saludables a pesar de los años.

Respuestas a las preguntas en la pág. 234.

1. Verdadero 2. Verdadero 3. Falso 4. Falso 5. Falso

Bibliografía

Brébion, G., M.-F. Ehrlich y H. Tardieu (1995). Working memory in older subjects: dealing with ongoing and stored information in language comprehension. *Psychological Research*, 58: 225-32.

Dargtigues, J.F. y cols. (1992). Occupation during life and memory performance in nondemented French elderly community residents. *Neurology*, 42: 1697-1701.

Friedland, Robert P. y cols. (2001). Patients with Alzheimer's disease have reduced activities in midlife compared with healthy control-group members. *Proceedings of the National Academy of Sciences USA*, 98/6: 3440-5.

Gould, Elizabeth y cols. (1999). Learning enhances adult neurogenesis in the hippocampal formation. *Nature Neuroscience*, 2/3: 260-5.

Hartley, Joellen T. (1986). Reader and text variables as determinants of discourse memory in adulthood. *Psychology and Aging*, 1/2: 150-58.

Luszcz, M.A. y J. Bryan (1999). Toward understanding age-related memory loss in late adulthood. *Gerontology*, 45: 2-9.

Rosenzweig, Mark R. y Edward L. Bennett (1996). Psychology of plasticity: effects of training and experience on brain and behavior. *Behavioural Brain Research*, 78: 57-65.

Salthouse, T.A. (1996). The processing-speech theory of adult age differences in cognition. *Psychological Review*, 10: 403-28.

Shimamura, Arthur P. y cols. (1995). Memory and cognitive abilities in university professors: evidence for successful aging. *Psychological Science*, 6/5: 271-7.

Stern, Yaakov y cols. (1994). Influence of education and occupation on Alzheimer's disease. *Journal of the American Medical Association*, 217/13: 1004-10.

Truco para recordar nombres

"Está bien; yo tampoco me acuerdo de cómo te llamas"

"¿Cómo se llamaba este actor en la película de los mafiosos en Los Ángeles? ¿Dónde hay como muchas viñetas que forman una historia, como en la película Nashville, *que puede que el director sea el mismo y el actor salió en* Fiebre el sábado por la noche?*"*

¿Qué tienen los nombres que les hace tan difíciles de aprender? He aquí algunas pistas. El nombre de la película *Nashville* es fácil de recordar porque la acción se desarrolla en esta ciudad y gran parte de la película se trata de ella. *Fiebre el sábado por la noche* es fácil de recordar porque, una vez más, el título tiene una relación evidente con el tema del filme. Por si

fuera poco, es difícil no relacionar la película con la pista sono-
ra, sobre todo el tema musical del mismo nombre. Ahora,
¿cómo se llamaba la película de los mafiosos? Ah, sí: *Tiempos
violentos*. Mucho más difícil de aprender porque la relación
con la trama no es tan obvia.

El actor que sale en *Fiebre el sábado por la noche* es John
Travolta y el director de *Nashville* se llama Robert Altman; uno
puede saber o ignorar estos hechos pues ninguno de los dos
nombres contiene algo que permite asociarlos a una cierta
película o profesión de la persona. Los títulos de las produccio-
nes cinematográficas generalmente guardan una relación con
el contenido de la película, mas los nombres propios no describen a la persona de ninguna manera.

Los nombres son arbitrarios y desde esta perspectiva no tienen ningún sentido. Es la razón por la cual es tan difícil apren-
derlos, pues cualquier hombre puede llevar el nombre de John
o Robert. A causa de la falta de relaciones intrínsecas entre el
nombre de una persona y la información que la describe (rostro, trabajo, ciudad natal), no tenemos pistas para encontrar el
nombre en la memoria, pero el contexto y el significado facilitan su funcionamiento. La consecuencia lógica de esto es que
los datos que esencialmente son aleatorios, arbitrarios o no
tienen significado son más difíciles de retener en la memoria.

Si bien recordar los nombres no es tarea fácil a cualquier
edad, se vuelve más difícil a medida que envejecemos. Quién
de los que tienen más de cincuenta años al olvidarse de un
nombre familiar nunca ha pensado: "¡Tengo Alzheimer!" No
hay razón para preocuparse; simple y sencillamente es el efecto
de envejecer.

Aun así, muchas personas de diferentes edades recuerdan los
nombres mejor que otras. Además, las técnicas que emplean
para relacionarlos están al alcance de todos; aprovechan dos
importantes propiedades de la memoria: para recordar algo,
es necesario *repetir algo* y *dotarlo de sentido*.

Por ejemplo, según parece, los políticos se acuerdan de los
nombres de todas las personas que hayan conocido. ¿Tendrán
una excelente memoria para los nombres? No. Simplemente se

¿Por qué es más fácil recordar
rostros que nombres?

Todos hemos pasado alguna vez en la vida la vergüenza de no recordar el nombre de alguien que nos saluda, dirigiéndose a nosotros por nuestro nombre. "No se ofenda —decimos— conozco su cara pero soy pésimo para recordar nombres".

En la realidad, casi todos recuerdan mejor las caras que los nombres. Aun cuando relacionar un nombre con una cara es una habilidad singular, empleamos partes opuestas de nuestro cerebro para dos diferentes partes de la tarea. El hemisferio derecho está encargado de reconocer las caras, mientras que el izquierdo es responsable de relacionar los nombres con las caras. Las personas con daños en el hemisferio derecho a veces no reconocen caras familiares o incluso confunden dos fotografías diferentes, pensando que es la misma persona. Los daños en el hemisferio izquierdo pueden provocar la inhabilidad para asociar un nombre con la cara, incluso cuando el rostro les es perfectamente familiar.

Al igual que muchas otras habilidades del hemisferio izquierdo, recordar nombres implica un esfuerzo consciente; tal como sucede con muchas otras habilidades del hemisferio derecho, el reconocimiento de las caras parece ser natural. Es un don que implica tan poco esfuerzo y que funciona tan bien que los adultos a menudo lo toman por hecho. Sin embargo, es una habilidad que se desarrolla gradualmente durante la infancia. Los niños menores de siete años utilizan principalmente la estrategia poco sistemática del procesamiento de rasgos específicos para recordar y reconocer un rostro. Por eso es tan fácil engañarlos. Algo tan sencillo como un par de anteojos puede hacer que una cara familiar les parezca extraña o viceversa, en caso de que sepan que alguien más usa el mismo tipo de lentes. Al llegar a la edad de diez años, los niños empiezan a emplear la *estrategia configuracio-*

nal, que incluye el análisis de las relaciones espaciales de los rasgos en vez de analizar cada rasgo por separado. Cuando el niño de seis años ve sólo ojos, nariz, boca y ojos, uno de diez ve la composición entera del rostro.

Al igual que muchas habilidades que damos por hecho, más vale que apreciemos esta capacidad antes de perderla. Aquí no se trata de daños cerebrales. Muchas personas se sorprenden al saber que su habilidad adulta de reconocer y analizar un rostro como algo entero sólo funciona en la orientación normal (parte derecha arriba). Es mucho más difícil reconocer rostros familiares si volteamos la imagen. Es más: en una fotografía volteada, una cara extrañamente distorsionada puede parecer completamente normal. ¿Por qué sucede eso? Cuando observamos un rostro en una orientación extraña, no la vemos como un todo; de hecho, regresamos a la estrategia de un niño de cinco años, concentrándonos en los rasgos específicos.

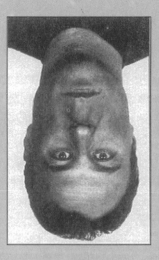 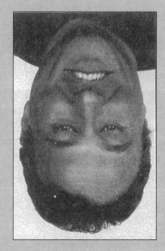

esfuerzan mucho para aprender y recordar los nombres, ya que de esto a menudo depende su trabajo. Observe cómo un candidato recorre cierto lugar. Trata de mirar a los ojos de todos los posibles votantes, repite su nombre cuando éste se presenta, hace un comentario acerca de él ("¿Katzenellenbogen? Qué nombre tan interesante. ¿Sabía que en alemán significa 'codo de gato'? Una vez conocí a un Katzenellenbogen en Des Moines. ¿No será su familiar?"); después, en la conversación que sigue, repiten el nombre las veces que sea posible sin que suene artificial, preguntando sobre los pasatiempos e hijos de su interlocutor. Esta técnica, además de hacer que todos los votantes se sientan bien en compañía del que la emplea, le ayuda a recordar sus nombres para saludarlos personalmente en el próximo encuentro. (En el mejor de los casos, los votantes también se acordarán del nombre del candidato, pues esta memoria es la clave de la elección).

Incluso para aquellos de nosotros que no piensan postularse para un cargo gubernamental, recordar rostros puede ser una cualidad importante. Muchas sienten que si uno no se acuerda de su nombre, es porque nos olvidamos de esa persona, como si su nombre e identidad formaran una pareja inseparable. Se lo toman personal y en consecuencia nos sentimos apenados. Por el otro lado, el recordar su nombre los halaga, mejorando su disposición hacia nosotros. Así es la naturaleza humana.

El primer paso en recordar un nombre es prestar atención a él y tratar de dotarlo de sentido. Cuando se le introduce a alguien, fíjese en el nombre del nuevo conocido, pronúncielo en voz alta las veces que pueda sin parecer ridículo, piense en otros conocidos con el mismo nombre. Todo esto es parte del proceso para registrar el nombre en la memoria, lo cual es el primer paso para convertir un dato arbitrario en uno que tiene sentido.

El truco de enfocarse en otra persona y no en usted mismo tiende además a reducir el egoísmo y nerviosismo, cualidades que podrían interferir con el proceso de memorización (vea *Estrés*). Además, es bueno acordarse del nombre de una persona cuyo nombre sabemos que conocemos. Puesto que la ansiedad afecta la memoria, relájese y el nombre reaparecerá en la mente.

Para hacer que un nombre tenga sentido y sea memorable, escrute la cara de su nuevo conocido, buscando rasgos interesantes o poco comunes. Pueden ser las entradas, lóbulos alargados o dientes blancos y sanos. El siguiente paso —y uno más difícil— es hacer la conexión entre el nombre y este rasgo. Si el primer nombre que quiere recordar es Mario, y él tiene entradas, relacione su nombre con "mar" e imagine que su frente es la playa y su cabello son las olas que se van. No importa qué método funcione; lo importante es que el rasgo que escoja sea lo suficientemente notable como para recordar esta pista la próxima vez que se encuentra con la persona. Nada más procure no hacer sentir incómodo a Pablo al mirar fijamente sus entradas y no lo vaya a llamar Mar por error.

También es útil cualquier contenido emocional que pueda aportar a la estrategia, puesto que las emociones ayudan a recordar las cosas (vea *Aprenda de manera fácil*). Si John Travolta no llamó su atención en su papel en *Fiebre de sábado por la noche* o *Vaselina*, puede transformar su nombre en *travesti* para recordarlo (perdón, John). A veces esto se hace de manera inconsciente, cosa que bien sabía Freud. Como dice el chiste: "El problema de la teoría de Freud acerca de la función que tiene el subconsciente en las *lapsus linguae* es que no es posible testicularla... perdón, testificarla".

Otra estrategia más sencilla y menos peligrosa consiste en pensar en otras personas que llevan el mismo nombre, como lo hizo el político de nuestro ejemplo, recordando a otro Katzenellenbogen que conoció en Des Moines. Si el nombre que quiere memorizar es Pablo, piense en otro Pablo que conoce personalmente o en uno que vio en las noticias, película o libro. Si le gusta la trova, tal vez puede pensar en Pablo Milanés. Una vez que haya creado esta asociación después de conocer a alguien, se sorprenderá al ver lo rápido que aparecerá el nombre en la mente.

Desde luego, si encuentra muy frecuente a la persona, no va a necesitar recurrir a la estrategia mnemónica para recordar su nombre. Tarde o temprano, éste a la vez se convertirá en un punto de referencia en los encuentros con otras personas con el mismo nombre. Con el tiempo es probable que diga viendo a alguien con entradas: "Qué raro, no se parece nada a Pablo".

Bibliografía

Gorno Tempini, M.L. y cols (1998). The neural systems sustaining face and proper-name processing. *Brain*, 121: 2103-18.

Reinkemeier, Mechthild y cols. (1997). Differential impairments in recalling people's names: a case study in search of neuroanatomical correlatos. *Neuropsychologia*, 35/5: 677-84.

FORMAR RECUERDOS

Técnicas para vencer a la memoria imperfecta

L l poder de recordar disminuye con la edad y los ejercicios mentales no pueden prevenir o invertir este proceso. Las pruebas de memoria objetivas vez con vez acreditan la disminución en la velocidad de procesamiento, coordinación y recuperación de los datos en los adultos de edad avanzada que por lo demás están sanos. Esto no quiere decir que con la edad estamos condenados a olvidarnos de los nombres, perder los lentes y no recordar citas importantes. Sencillas técnicas de organización pueden compensar la pérdida del poder mental.

Los ejercicios mentales ayudan pero tienen ciertos límites

El aprendizaje de nuevas habilidades y la adquisición de nuevos conocimientos pueden ayudar a relacionar las neuronas regeneradas y mantener en el estado funcional el *hipocampo*, la parte del cerebro que tiene un papel crucial en el aprendizaje y la memoria (vea *Regeneración de las neuronas*). Si práctica una habilidad, la fijará en la parte del cerebro a la que corresponde. La concentración y repetición de un dato específico lo arraigan en la memoria a largo plazo (vea *Enfóquese en el enfoque*). Con todo y eso, no importa qué tanto tratemos de memorizar una serie de números seleccionados al azar, el límite de éstos es probable que sea siete. Con la práctica, la capacidad de recordar información arbitraria como ésta no aumenta.

Las técnicas mnemónicas o mnemotécnicas se usan para dotar los hechos y detalles arbitrarios del significado (vea *Tener sentido es la clave*) y son mucho más eficaces para mejorar la memoria que tratar de fortalecerla como si fuera un músculo. De alguna manera, es lo mismo que usar una plataforma rodante para transportar un piano en vez de levantarlo y moverlo sólo con la fuerza bruta.

Para estar en forma, aprenda del ejemplo de los jóvenes que están en forma

Una variedad de técnicas puede mejorar la memoria práctica a cualquier edad, pero sobre todo cuando la potencia de ésta se ha disminuido a consecuencia del envejecimiento. Varios estudios han mostrado que las personas de diferentes edades que admiten emplear las mnemotécnicas para memorizar información como los números telefónicos, en efecto, tienen mejor habilidad para recordarlos. Sin embargo, de acuerdo con los resultados de autoevaluaciones, las personas de edad avanzada tienden a recurrir menos a los trucos mnemónicos que los estudiantes universitarios.

¿De qué estrategias estamos hablando? Las más fáciles incluyen apuntar citas en agendas, escribir notas para acordarse de algo, preparar listas de cosas que se tienen que hacer, planear el siguiente día con anticipación y ser consistente en guardar las cosas en un lugar notable para no perderlas.

Hacer planes implica concentrarse en la actividad que se planea hacer, y organizar los detalles es una manera de dotarlos de sentido. La mayoría de los hábitos de un buen estudiante (incluyendo tomar apuntes, determinar temas importantes en el material didáctico, etcétera) tienen que ver con la planeación. Estas técnicas de planeación y organización ayudan a disminuir la carga sobre una memoria que está lejos de ser perfecta. Si volvemos dichas técnicas automáticas y habituales, se traducirán en una mejor memoria en sentido práctico.

Intente emplear la técnica de colores, útil para las personas de edad avanzada

La mayoría de las técnicas mnemónicas, incluso tales estrategias aprendidas conscientemente como la traducción de números en palabras fáciles de recordar, tienen un componente de organización de los datos de modo que los vuelve fácil de retener en la memoria. Algunas técnicas pueden ser de especial utilidad para las necesidades de las personas mayores. Así, el truco que aparece más abajo, aprovecha el hecho de que la percepción de pistas visualmente diferentes no disminuye con la edad. La región cerebral responsable de detectar y procesar los estímulos visuales

¿Cómo los actores memorizan tanto texto tan rápido?

Muchos de nosotros no hemos tenido que recordar textos de dos horas de duración desde la actuación en la obra de fin de año de la preparatoria. Sin embargo, existen ciertas personas que deben llevar a cabo semejante hazaña de memorización regularmente durante toda su vida adulta. Por lo general, tienen de dos a tres semanas para recordar más de dos horas de diálogo, y lo deben hacer muy bien para no hacer el ridículo delante del público. ¿Cómo le hacen?

Los actores profesionales no sólo recuerdan el texto de una obra de memoria. Lo que hacen es leer y volver a leer el texto para entrar en el mundo interior de los personajes, deduciendo su actitud, emociones y motivaciones que se ocultan detrás de las palabras. Este tipo de contacto activo con el material que lo dota de significado, conocido como la *elaboración*, hace cualquier información más fácil de aprender. Una vez que repiten el guión varias veces dotándolo de sentido lo más que pueden, desaparece la necesidad de memorizarlo línea por línea.

permanece igual de potente a la edad de ochenta que cincuenta años antes.

Todos conocemos y utilizamos en los días de campo los platos de plástico con divisiones para diferentes porciones. Son económicos, se venden en la mayoría de las tiendas de autoservicio y supermercados y existen en una variedad de colores brillantes. Escoja el color más chillón y feo que pueda encontrar, uno que desentone con la decoración de su casa. Póngalo en un lugar visible en la cocina o el comedor donde come todos los días. Ponga los objetos que constantemente pierde —llaves, lentes, recibos o medicamentos— en el plato. Cada vez que haga una cita o se comprometa a hacer algo, como por ejemplo comer con un amigo o darle de comer al gato de su hija mientras ella está de vacaciones, apúntelo en un post-it amarillo y péguelo en la orilla del plato.

En un experimento que evalúa la eficacia de esta técnica, el número de momentos de olvido entre los grupos de personas mayores disminuyó drásticamente, de un promedio de ocho por semana a menos de tres. La técnica del plato es mucho más eficaz que una agenda de bolsillo que se usa para recordar las citas y ubicaciones de los objetos que se pierden con facilidad. Además de la ventaja mnemónica de organizar las actividades y colocar consistentemente los objetos en el mismo lugar, este truco se basa en el hecho de que, aunque ciertos tipos de memoria se debilitan con la edad, no sucede así con la percepción de las pistas visualmente sobresalientes. Dado que el plato fue fácil de notar, sirvió para recordar de manera constante la ubicación de los objetos, así como de la hora, lugar y naturaleza de los quehaceres.

Bibliografía

Gabrieli, John D.E. (1996). Memory systems analyses of mnemonic disorders in aging and age-related diseases. *Proceedings of the National Academy of Sciences USA*, 93: 13534-40.

Hill, R.D. y cols. (1997). Effectiveness of the number-consonant mnemonic for retention of numeric material in community-dwelling older adults. *Experimental Aging Research*, 23: 275-86.

Sharps, Matthew J. y Jana L. Price-Sharps (1996). Visual memory support: an effective mnemonic device for older adults. *The Gerontologist*, 36/5: 706-8.

*Cómo el estado de ánimo influye
en su salud mental y corporal*

Durante su desarrollo histórico, la medicina occidental ha avanzado mediante el estudio aislado de una parte "cortada" del cuerpo. Incluso la palabra *science* ("ciencia" en inglés) tiene la misma raíz que *scissors* ("tijeras" en el mismo idioma), compartiendo con ella el significado de recortar algo en partes. Hoy en día, la investigación de punta se está enfocando en la interacción entre varias partes. Por ejemplo, el estado de ánimo y el sistema inmunológico, hasta hace poco tiempo vistos como entidades completamente separadas, hoy se consideran como partes de un sistema que las engloba y dentro del cual interactúan; después de reconocer este hecho, surgió una rama nueva de medicina llamada *psiconeuroinmunología*. Además, se están aclarando los vínculos entre el estado de ánimo y las facultades intelectuales como la memoria.

Cómo el estado de ánimo influye en la inmunidad

Desde hace mucho tiempo, el personal médico reconoce que una actitud optimista facilita que los pacientes se recuperen de una enfermedad. Las investigaciones recientes confirman este hecho. Así, los estudios de varones seropositivos ponen en claro la relación entre optimismo y la aparición tardía de los síntomas, así como mayor tiempo de vida.

¿Cómo se puede explicar esta relación entre la propensión de esperar lo mejor y la resistencia a las enfermedades? A un nivel práctico, los optimistas pueden sobrellevar mejor las enfermedades siguiendo, por ejemplo, con más exactitud las órdenes del médico. Sin embargo, parece que la relación del estado de ánimo con el sistema inmunológico es más estrecha. En varios estudios llevados a cabo, el humor optimista corresponde a un mayor número de glóbulos blancos que son responsables de la respuesta inmune —linfocitos—, tales como las células T asesinas[9] (*killer*) y auxiliadoras (*helper*), producidas naturalmente en el organismo. En contraposición al optimismo, la depresión se asocia con el nivel reducido de estas células, lo cual baja las defensas corporales contra infecciones y enfermedades.

El estrés es otro estado psicológico que afecta al sistema inmunológico. En nuestra sociedad sumamente estresada, el vínculo entre el estrés y la vulnerabilidad ante las infecciones virales —por ejemplo, los resfriados— es reconocido por todos. Así pues, en la época de exámenes los resfriados y las gripas se hacen más frecuentes entre los estudiantes. ¿Por qué? La respuesta está en la sangre. Se ha mostrado que en estudiantes de medicina el nivel de linfocitos baja durante la época de exámenes en comparación con los tiempos más tranquilos. Es necesario observar que no todos los estudiantes se ven afectados de igual manera; los estudiantes de derecho del primer año que muestran resultados altos en las pruebas de optimismo mantienen niveles más altos de linfocitos.

Una postura optimista puede ayudar a las personas mayores a sobrellevar el debilitamiento del sistema inmunológico relacionado con la edad. Se encontró que aquellas personas que tienen un fuerte *sentido de coherencia* (SDC), es decir, si confían en que

---

[9] Células que reconocen las células huésped infectadas y las matan de manera rápida (N. del T.)

se puede manejar, controlar y comprender el significado del ambiente, cuentan con mejor salud y muestran mayor actividad de las células asesinas que otras personas de la misma edad. En un estudio reciente, se midió el SDC en 30 personas de edad avanzada que estaban cambiándose de casa. La mudanza puede ser agobiante para cualquiera, pero las personas con el SDC alto presentaron la reducción más baja de células del sistema inmunológico.

La depresión y el estrés afectan el aprendizaje y la memoria

Los síntomas de depresión pueden asemejar los de la enfermedad de Alzheimer y otras demencias: desatención, desorientación, mala memoria y letargo mental. Por esta razón, lo primero que tiene que considerar el médico al abordar un posible caso de Alzheimer es determinar si los síntomas son provocados por la depresión, en cuyo caso el daño cognitivo puede tratarse con medicamentos o cambios de modo de vida.

Pero el vínculo entre la depresión y demencia es más estrecho de lo que parece. Algunos estudios basados en el escaneo cerebral han revelado que los pacientes que padecen depresión clínica o trastornos de estrés —como el estrés postraumático— tienen el *hipocampo* reducido (el hipocampo es una parte del sistema límbico del cerebro que tiene una función importante en la memoria). Hay investigaciones que permiten concluir que la depresión lleva a la atrofia parcial de la *corteza prefrontal*, la cual es el centro principal del cerebro que ayuda a resolver los problemas y además está relacionado con los centros emocionales. En otras palabras, parece que una de las consecuencias del estrés, la depresión y la enfermedad de Alzheimer es la reducción de ciertos órganos cerebrales involucrados en el aprendizaje y la memoria, producida mediante la destrucción de las dendritas y, probablemente, la eliminación de las neuronas mismas. Hace muy poco tiempo, los investigadores descubrieron que tanto la depresión como el estrés pueden obstaculizar el proceso de *neurogénesis*, mediante el cual se reintegran las neuronas en el hipocampo (vea *Regeneración de las neuronas*).

Cómo el estrés ataca el cuerpo y cerebro

El principal responsable de la destrucción que sufren la inmunidad y cognición es la clase de hormonas del estrés conocida como *glucocorticoides* (vea *Estrés*). En cantidades pequeñas y por periodos cortos dichas hormonas no siempre son dañinas, pues durante las actividades físicas, trabajan en conjunto con las *catecolaminas* (una clase de neurotransmisores que incluye la epinefrina, mejor conocida como la adrenalina) para movilizar y reabastecer los almacenamientos de energía en el cuerpo y cerebro. Además, actúan juntos para ayudar al cerebro a formar los recuerdos instantáneos de los eventos no esperados que desencadena una respuesta al estrés; asimismo, contribuyen al proceso de transferencia de las células a las partes del cuerpo donde se les necesita para combatir la infección. Todo esto es útil en la vida salvaje, pues de este modo se da un incremento de energía en caso de encontrarse con un depredador, grabando el recuerdo de amenaza para no olvidar guardar su distancia durante el próximo encuentro y proporcionando ayuda para curar una herida.

Como muchas otras, las hormonas del estrés son provechosas sólo con medida, ya que a la larga los niveles elevados de glucorticoides perjudican el cuerpo lo mismo que el cerebro. El estrés crónico, con el concomitante nivel elevado de hormonas del estrés, puede producir alteraciones en el cerebro y sistema inmunológico del niño, similares a las que se presentan con la edad avanzada.

Cómo disminuir el estrés y la depresión relacionados con la edad

A medida de que las personas envejecen, el nivel de hormonas del estrés tiende a crecer, de tal suerte que los cuerpos de dichas personas se vuelven más lentos y menos eficaces para controlar la respuesta al estrés. Así, la importancia de controlar el nivel de estrés aumenta con la edad.

El estrés se puede controlar mediante una vida sana, que incluye ejercicio físico, el cual por su propia cuenta ayuda en la neurogénesis. Para las personas *reactivas*, que muestran ansiedad elevada ante situaciones sociales y a menudo padecen de autoestima baja, se mostró la eficacia de la terapia cognitiva y de los antidepresivos. Asimismo, según algunas investigaciones, los fármacos que combaten la depresión fomentan el crecimiento de nuevas neuronas en el hipocampo (vea *Regeneración de las neuronas*). La hormona llamada estrógeno también desempeña una posible función en la protección contra la atrofia del hipocampo causada por el estrés. Es una razón más para que las mujeres,

Lo que las mujeres saben para reaccionar adecuadamente frente al estrés

L a fisiología básica de la respuesta humana al estrés es igual para hombres y mujeres (vea *Estrés*). El estrés hace que el sistema nervioso simpático libere hormonas del estrés *cortisol* y *adrenalina*. Una cantidad extra de sangre fluye al cerebro, músculos y corazón, al mismo tiempo que el nivel de glucosa en la sangre sube rápidamente. El cerebro se pone en estado de alerta ante una posible amenaza y el cuerpo se prepara para luchar rudo o correr con rapidez.

Sin embargo, hombres y mujeres hasta cierto grado responden de manera diferente a amenazas y entidades que causan estrés. Según un grupo de investigadores de la Universidad de California en Los Ángeles, la respuesta masculina se caracteriza por el modo llamado *lucha o corre*, mientras que las mujeres responden con una actitud de *cuida y haz amigos*. Mientras que los hombres prefieren alejarse de los demás, las mujeres se inclinan por recurrir a la ayuda de familiares o amigas (otras mujeres, por encima de todo) y son más hábiles para conseguir apoyo social en tiempos difíciles. Al buscar ayuda con otras personas, las mujeres aumentan las probabilidades de solventar el apuro que provocó el estrés. El tipo de respuesta femenino puede incluso contribuir a que las mujeres tengan una expectativa de vida más larga.

Esta respuesta femenina se observa en varias culturas del mundo e incluso en las hembras de algunas especies animales. Puede ser una forma de adaptación a una posición social baja y las dificultades de educar a la progenie.

Cuando una amenaza anuncia su presencia, se secretan hormonas del estrés como el cortisol, la adrenalina o la oxitocina; ésta última reduce los niveles de cortisol, disminuye la respuesta tipo *lucha o corre* y fomenta el relajamiento. Además, se mostró que la oxitocina estimula el comportamiento *afiliativo* que incluye el cuidado de la madre del hijo o la relación entre los dos.

La oxitocina se produce tanto en hombres como en mujeres a consecuencia del estrés, aunque en otras especies las mujeres secretan esta hormona de manera más activa. La producción de oxitocina se regula mediante la hormona femenina —el estrógeno— y se inhibe mediante las hormonas masculinas, tales como la testosterona. Así pues, es probable que en los humanos las mujeres produzcan más oxitocina que los hombres.

Los investigadores que estudian las diferencias biológicas entre sexos a menudo indican que al mismo tiempo que la biología influye en la conducta, la conducta también influye en la biología. Si bien las diferencias biológicas pueden ser la base de las diferencias entre sexos en cuanto a su respuesta al estrés, el condicionamiento social las mantiene y quizás enfatiza.

Es de suponer que las diferencias entre hombres y mujeres respecto a una amenaza son el resultado de la selección natural y por lo tanto deben de representar una ventaja para los dos sexos; a pesar de ello, las circunstancias han cambiado desde que la evolución empujó la respuesta automatizada de hombres y mujeres en diferentes direcciones. El nivel de la oxitocina en mujeres simplemente no es lo suficientemente alto, lo cual resulta en el comportamiento *cuidar y hacer amigos*; el contacto físico, a la vez, sube el nivel de la oxitocina y baja el del cortisol, cosa que reduce el estrés aún más. Se ha mostrado que el contacto físico afectuoso también baja el estrés entre los hombres, mientras que el aislamiento social contribuye a la depresión en ambos sexos, lo que dificulta la solución de problemas que causan el estrés.

En esta época cuando el estrés mismo puede ser una amenaza para la vida al debilitar las defensas del cuerpo y disminuir la capacidad cerebral de aprender y resolver problemas, aprender a responder al estrés como lo hacen naturalmente las mujeres puede ser provechoso para los hombres.

Fuentes

Taylor, Shelley E. y cols. (2000). Biobehavioral responses to stress in females: tend-and-befriend, not fight-or-flight. *Psychological Review*, 107/3: 411-29.

Uvnas-Moberg, K. (1999). Physiological and endocrine effects of social contact. En C.S. Carter, I.I. Lederhendler y B. Kirkpatrick (eds.), *The Integrative Neurobiology of Affiliation*, pp. 245-62, Cambridge, MA: ed. MIT Press.

sobre todo aquellas con temperamento reactivo, contemplen la posibilidad de recurrir a terapia de estrógenos de reemplazo tras la menopausia.

Bibliografía

Gould, Elizabeth y cols. (2000). Regulation of hippocampal neurogenesis in adulthood. *Biological Psychiatry*, 48/8: 715-20.

Lutgendorf, Susan K. y cols. (1999). Sense of coherence moderates the relationship between life stress and natural killer cell activity in healthy older adults. *Psychology and Aging*, 14/4: 552-62.

Malberg, Jessica E. y cols. (2000). Chronic antidepressant treatment increases neurogenesis in adult rat hippocampus. *The Journal of Neuroscience*, 20/24: 9104-10.

McEwen, Bruce S. (2000). The neurobiology of stress: from serendipity to clinical relevance. *Brain Research*, 886: 172-89.

Segerstrom, Suzanne C. y cols. (1998). Optimism is associated with mood, coping, and immune change in response to stress. *Journal of Personality and Social Psychology*, 74/6: 1646-55.

TERAPIA DEL HUMOR

Cuando la risa se convierte en algo serio

Una risa sincera y alegre se siente bien, puesto que ayuda a relajarse, reduce el estrés y neutraliza la depresión. Para los médicos la risa es un asunto tan serio que incluso crearon una nueva rama de la medicina llamada *gelotología*. El humor y la risa tienen un efecto terapéutico en muchas áreas, probablemente incluyendo aquellas que ni los mismos gelotólogos saben. Y uno no necesita la receta médica para sentir su impacto benéfico.

La risa ayuda al cuerpo a sacar el aire viciado de los pulmones e incrementa el nivel de oxígeno en la sangre. Además, favorece el movimiento de las células inmunes por todo el cuerpo y aumenta la producción de los neurotransmisores cerebrales *dopamina*, *epinefrina* y *norepinefrina* que ayudan a la memoria y al estado de alerta. El humor tiene un efecto que alivia el estrés, que además puede mejorar el aprendizaje y la memoria al contrarrestar el impacto adverso que tiene el estrés en la capacidad de regeneración de las neuronas en el *hipocampo*, importante centro de memoria en el cerebro (vea *Regeneración de la neuronas*).

Perder el sentido del humor no es gracioso

Tener problemas con el sentido del humor puede ser una señal de daño cerebral. Las personas con lesiones en el hemisferio derecho a menudo no comprenden un chiste verbal, aunque sí entienden el humor más sencillo y primitivo. Parece ser que la razón consiste en que diferentes tipos de humor implican diferentes tipos de procesamiento cognitivo que se llevan a cabo en diferentes regiones del cerebro, una de las cuales puede estar dañada, mientras que las demás permanecen intactas.

Para poder apreciar la sutileza del humor verbal, las regiones específicas de la corteza prefrontal y el hemisferio derecho deben funcionar apropiadamente. De lo contrario, cosas que se les hacen graciosas a otras personas parecen una incongruencia absurda, una conclusión ilógica, una historia que no tiene ni sentido ni interés o incluso una mentira abierta.

"¿Entendiste el chiste?"

El humor depende de varios subprocesos cognitivos que se localizan en diferentes partes del cerebro. Las personas con daños en el hemisferio derecho pueden tener problemas a la hora de seleccionar el fin del siguiente chiste entre cuatro opciones presentadas al final de este recuadro. Alguien con daños en la corteza prefrontal puede identificar la opción correcta sin que ésta le dé risa.

Una persona que suele pedir prestado en todo el barrio se acerca al Sr. Smith una tarde de domingo y pregunta: "Dígame, Sr. Smith, ¿va a utilizar hoy su podadora?"

"Sí" —contesta el Sr. Smith con cautela—.
Su vecino dijo:

(a) "El pasto del vecino está más verde".
(b) "¿Me la podría prestar cuando termine?"
(c) "Perfecto. En ese caso no va a usar sus palos de golf. ¿Me los presta?"
(d) "Si sólo tuviera dinero, me compraría la mía".

Considere el ejemplo de este chiste de Groucho Marx. Groucho se sube a un trasatlántico y el camarero lo ayuda con las maletas. Groucho pregunta: "Disculpe, buen hombre, ¿de casualidad tendrá cambio de este billete de cien dólares?" El camarero responde afirmativamente, entusiasmado. Entonces Groucho dice: "Bien, en ese caso no va a necesitar esta moneda que le iba a dar de propina".

Si este chiste no le parece gracioso, no necesariamente tiene lesión cerebral. Podemos imaginarnos qué pensaría una persona con los centros del "humor" dañados. En apariencia, la conversación entre Groucho y el camarero es un simple intercambio de palabras, y las réplicas de Groucho tienen su lógica. Al fin y al cabo, es natural que si el camarero tenía casi cien dólares en cambio, no se habría interesado por una propina pequeña. Lo humorístico radica en la disparidad entre las expectativas del camarero y los planes de Groucho. Las personas que estudian semejantes situaciones (pues sí existen expertos en humor e incluso se publica una seria revista académica dedicada a este tema) dicen que el humor a menudo se basa en algún tipo de disparidad o incongruencia.

¿Por qué los pacientes con el hemisferio derecho dañado no ven lo gracioso del chiste pero se ríen del humor más primitivo como las bufonadas? Algunos aspectos de la competencia conversacional se ubican en el lóbulo temporal derecho que está exactamente enfrente de los centros lingüísticos en el hemisferio izquierdo. El hemisferio derecho parece sobresalir en el pensamiento que implica el procesamiento de cosas paralelas y el pensamiento abstracto, mientras que el izquierdo se especializa en el procesamiento serial y una lógica más lineal.

Dichas diferencias del estilo del procesamiento de información pueden explicar los problemas con el humor en los pacientes con daños en el hemisferio derecho. Es probable que carezcan de la habilidad de retener simultáneamente diferentes significados o interpretaciones en la mente, incluyendo las yuxtaposiciones de significados que constituyen el lado humorístico del chiste de Groucho y son esenciales para reconocer los juegos de palabras (intencionados o casuales) y disfrutar de ellos.

La habilidad de retener en la mente interpretaciones múltiples se atribuye a la memoria funcional, el tipo de memoria a corto plazo que se emplea para muchas tareas cotidianas. La memoria funcional permite procesar y encontrar sentido en las frases sintácticamente ambiguas, como la siguiente oración: "El caballo corrió pasó el establo". Entender una frase como ésta implica volver a analizar su sintaxis siguiendo la interpretación que no se esperaba durante la primera lectura (vea *Falta de atención*). Entender los chistes también implica revisar la interpretación inicial después de escuchar o comprender el remate. (Considere este ejemplo: "Llega un pollito a la Casa Blanca y pregunta:
"¿Está el Mr. President?" "No, está en Ohio" "¿Conmigo?")

Ciertos sistemas cerebrales en los que se basa la memoria funcional al mismo tiempo funcionan de manera diferente en el cerebro de los autistas. Estas personas se caracterizan por lo que a veces se llama teoría de la mente deficiente (vea *Los ojos lo dicen todo*), condición que reduce su capacidad de juzgar las intenciones o anticipar las necesidades de otros. En efecto, les cuesta trabajo ponerse en los zapatos de otro y ver las cosas desde su perspectiva. Los autistas no saben mentir porque para poder engañar a alguien es necesario comprender lo que la otra persona sabe. Tampoco son buenos para comprender los chistes. A menudo, lo que para otros parece un final gracioso, para los autistas es una mentira pues no saben si su interlocutor los quiere divertir o engañar. Los niños que tienen menos de seis años, cuando la teoría de la mente no ha madurado lo necesario, muy frecuentemente tienen el mismo problema y pueden ofenderse con un chiste.

Mantener el sentido del humor tiene mucho sentido

Por fortuna, el daño cerebral es una condición bastante rara, así que muchos de nosotros llegamos a la vejez con el sentido del humor intacto. Vista desde este ángulo, la risa no sólo nos ayuda a sobrellevar las debilidades que trae consigo la edad; combatir la depresión y reducir el estrés nos permite proteger

el cerebro y el cuerpo de los saqueos de la vejez y las enfermedades. Así que es recomendable entrenar el sentido del humor
con los juegos de palabras, bufonadas, chistes de cómicos o
revistas humorísticas —sea el medio que sea para despertar su
ingenio— y compartir los chistes con los amigos de todas las
edades. Para utilizar el sentido del humor, no necesita la receta médica; además, reportará muchos beneficios a lo largo de
toda la vida.

¿Dónde se encuentra el sentido del humor?

El hecho de comprender que un enunciado o una historia representan un chiste (esto es, ver la yuxtaposición
y entender su intención humorística) no es lo mismo que
reírse de ellos. Un reciente estudio basado en la visualización cerebral ha facilitado identificar que la parte del cerebro responsable de la *respuesta afectiva*, la percepción de un
chiste como algo gracioso, así como de la sensación subjeti-
va que se expresa en la risa alegre, se encuentra en la parte
derecha de la corteza prefrontal. Otro estudio determinó
que el sitio exacto se ubicaba más a la izquierda, en el centro
de la corteza prefrontal; esto parece sensato considerando
que ésta no sólo es responsable de las tareas de la memoria
funcional, sino también se asocia con el sistema límbico, lo
cual permite llegar a la conclusión de que la corteza prefrontal es un centro cerebral importante en el procesamiento
de las emociones.

Entender un chiste involucra la participación de muchas
regiones cerebrales, incluyendo algunas del hemisferio derecho. Pero como la risa es una compensación importante
después del chiste, es probable que la corteza prefrontal sea
el área cerebral más importante en todo el proceso.

Bibliografía

Brownell, Hiram H. y cols. (1983). Surprise but not coherence: sensitivity to verbal humor in right-hemisphere patients. *Brain and Language*, 18: 20-27.

Fry, William F., Jr. (1992). The physiologic effects of humor, mirth, and laughter. *Journal of the American Medical Association*, 267/13: 1857-8.

Goel, Vinod y Raymond J. Dolan (2001). The functional anatomy of humor: segregating cognitive and affective components. *Nature Neuroscience*, 4/3: 237-8.

Shammi, P. y D.T. Stuss (1999). Humour appreciation: a role of the right frontal lobe. *Brain*, 122: 657-66.

Interpretación de música

*Pasatiempo para preservar la inteligencia
en las personas de edad avanzada*

La música y el lenguaje acompañan al ser humano durante
por lo menos decenas de miles de años. Se han encontrado
flautas hechas de huesos de oso en la era del hombre de Neander-
tal; estos instrumentos tienen 53 mil años de edad y datan de los
tiempos que preceden la época cuando el *Homo sapiens* fuera el
único homínido en la faz de la Tierra. Incluso hay la probabilidad de que la música sea anterior al habla.

La capacidad de guardar melodías en la memoria es algo natural para los humanos. Al fin y al cabo, las canciones de cuna no
son chícharos, por ejemplo, pues el infante las disfruta sin que lo
fuercen a hacerlo. A veces los bebés aprenden a reconocer melodías mucho antes de que empiecen a hablar; por increíble que
parezca, también se dan cuenta de una nota discordante.

¿Hay alguna región cerebral responsable del talento musical?

Como cualquiera de sus nietos le puede explicar, la música tiene
el poder de activar muchos sistemas diferentes en el cuerpo. Puede influir en las pulsaciones, la presión sanguínea, el estado de

ánimo e incluso en los resultados obtenidos en las pruebas de IQ (vea *Música*). Se sabe que en el cerebro no hay un centro único responsable de la música; lo que aún se desconoce es si existen algunas estructuras cerebrales que se especializan sólo en la música. Las investigaciones en curso revelan que todas las regiones que hasta la fecha se han identificado como pertenecientes a la música también tienen una función en el procesamiento de la información sensorial y analítica.

Por ejemplo, las regiones de la *corteza auditiva* (el área donde se procesa el sonido, ubicada cerca de los oídos) en el hemisferio derecho se utiliza para el análisis del tono, melodía, armonía y ritmo. Estas regiones también se emplean cuando oímos y respondemos a ritmos y entonaciones del habla. Los pacientes que padecieron derrame cerebral en la parte derecha del cerebro pueden perder no sólo la habilidad musical, sino también la capacidad para modular el tono y ritmo de su voz.

Existen informes de que entre más sofisticado sean la preparación musical y los respectivos conocimientos, mayor es la parte del hemisferio izquierdo que se utiliza en cooperación con el derecho. El *planum temporale*, un área en la superficie del cerebro arriba de los oídos, parece tener especial importancia. Ubicada en la parte izquierda del cerebro, esta área es la más grande sin excepción en los cerebros de músicos profesionales (y alcanza dimensiones más grandes en los cerebros de los músicos con el oído absoluto), pero incluso ella tiene una función en los sistemas no relacionados con la música, como, por ejemplo, el procesamiento del lenguaje.

Lo espontáneo, tanto en el habla como en la música, pone en alerta a la misma parte del cerebro para comprender lo que está escuchando

Ciertos experimentos recientes con la visualización cerebral llevados a cabo por neurocientíficos alemanes han mostrado que incluso en las personas sin ninguna preparación musical las áreas lingüísticas de la parte izquierda del cerebro se emplean en el análisis de las secuencias de acordes. Los investigadores reprodujeron diferentes acordes a las personas que nunca habían interpretado música ni leído notas. Una secuencia constaba de acordes convencionales en do mayor y la otra de una serie de sonidos revueltos que cualquiera percibiría como discordantes. En el primer caso, la parte del cerebro que procesa todos los sonidos estaba activa, cosa que sucede con los sonidos del habla que escuchamos. En caso de las secuencias desentonadas, el centro lingüístico ubicado en el hemisferio izquierdo y conocido como el área de Broca estaba activo, junto con la región correspondiente en el hemisferio derecho. Estas mismas regiones (pero sobre todo la del hemisferio izquierdo) participan en el análisis de contradicciones o errores del habla. Por lo consiguiente, son las mismas regiones (que tienen ciertas responsabilidades en común) las que seleccionan patrones complejos tanto en el habla como en la música. Sólo podemos adivinar cuál de las dos se desarrolló primero y cuál le siguió.

¿Tan sólo el hecho de escuchar música puede ser bueno para el cerebro?

Todos saben que la música puede ayudar en el aprendizaje. ¿Qué niño no se aprendió el alfabeto en forma de canción? La memoria para almacenar melodías junto con sus letras puede ser muy duradera. Nadie se sorprende al reconocer canciones de la infancia y adolescencia décadas después. De hecho, a veces es difícil olvidarse de ellas. Sin embargo, para los adultos no es práctico entretejer información en una melodía con el fin de aprender, especialmente si el adulto mismo tiene que crear la canción.

Se ha mostrado que algunos tipos de música cambian el cerebro al estado receptivo de aprendizaje, lo cual es lo mismo que el estado que se usa para el pensamiento. Es este uso que llamó tanta atención con el "efecto Mozart" —la habilidad de ciertos tipos de música de aumentar un tipo específico de la inteligencia espacial, aunque sólo un poco y por unos instantes—. Un hallazgo más general consiste en que los diferentes tipos de música provocan diferentes cambios en el estado de ánimo, el cerebro y la habilidad de aprendizaje. Ningún tipo de música puede mejorar el aprendizaje en todas las condiciones.

¿Qué tipos de música aumentan el aprendizaje en la adultez?

La música clásica como en el ejemplo de la sonata de Mozart mejora un tipo específico de razonamiento llamado "espacial-temporal", que se utiliza en la visualización en el espacio de series de patrones que cambian. Es el mismo funcionamiento que hace el cerebro cuando prevé los futuros efectos de las posibles jugadas en ajedrez o bien cuando predice la forma final de varios pasos de doblar o recortar un pedazo de papel. En otros tipos de inteligencia espacial, tal como el que ayuda a visualizar un objeto tridimensional desde otra perspectiva, no se observan mejoras.

Cómo el efecto calmante de algunos tipos de música ayuda a la memoria

El impacto de Mozart en el cerebro no se debe meramente a su efecto tranquilizante. En un grupo comparativo, estudiado por los investigadores del efecto Mozart, el escuchar pasivamente un casete de relajación durante diez minutos no provocó ningún aumento en la inteligencia visual-espacial. Sin embargo, para otros tipos de pensamiento, parte del efecto benéfico de la música puede consistir en que ayuda a que nos relajemos. He aquí el ejemplo de una situación común: usted se da cuenta de que no recuerda el nombre de un conocido. La ansiedad que provoca este dilema no permite que el cerebro se enfoque en el problema pues está demasiado ocupado procesando la situación socialmente embarazosa. El cerebro necesita relajarse para abrir la puerta de la memoria y encontrar alguna asociación (como son el nombre de la esposa del conocido o el lugar donde se vieron la última ocasión) que a la vez hará resurgir el nombre que usted sabe que sabe.

La función de la música de reducir la ansiedad impide que esta emoción que lo distrae inhiba el pensamiento práctico que empleamos diariamente y que disminuye con el paso del tiempo. Este tipo de pensamiento se conoce como *memoria funcional*, la memoria a corto plazo que accede, retiene y manipula datos necesarios para llevar a cabo muchas tareas cotidianas.

La música clásica puede calmar los ataques epilépticos

Los estudios de los patrones en ondas cerebrales que surgen en respuesta a la música se llevaron a cabo utilizando la sonata de Mozart para dos pianos en re mayor, K448. Se encontró que el hecho de escuchar este tipo de música estimula las regiones temporales y frontales del cerebro haciendo que emitan los patrones beta, que es un tipo de onda cerebral que corresponde al estado de alerta y vigilia. Las grabaciones de electroencefalograma de la actividad de la frecuencia eléctrica (a veces llamada "ondas cerebrales") en el cerebro de las personas que padecen epilepsia revelaron "picos", que frecuentemente se originan en el lóbulo temporal; propagándose por el cerebro, causan que el resto de éste entre en ataque. ¿Sería posible alterar el cerebro de los epilépticos con música para reducir las probabilidades de un ataque?

En una adaptación creativa de los hallazgos del "efecto Mozart", los estudiosos encontraron que la sonata de Mozart para piano reduce la actividad cerebral epiléptica en la mayoría de los sujetos. Incluso en dos pacientes que estaban en coma dicha actividad se redujo del 50 por ciento a dos terceras partes.

Aunque los cambios eran sólo temporales, parece que una sesión más intensa podría tener un efecto más duradero. Una niña de ocho años con el síndrome de *Lennox-Gastaut*, una forma de epilepsia infantil resistente al tratamiento, escuchó la sonata cada diez minutos durante la vigilia. Al final del día, los ataques disminuyeron de nueve durante las primeras cuatro horas a sólo uno durante las cuatro últimas horas. Al día siguiente, la terapia de Mozart al parecer continuó su efecto benéfico, pues la niña sólo tuvo dos ataques en poco menos de ocho horas.

Fuentes

Hughes, J.R. y cols. (1998). The Mozart effect on epileptiform activity. *Clinical Electroencefalography*, 29: 109-19.

Jenkins, J.S. (2001). The Mozart effect, *Journal of the Royal Society of Medicine*, 94: 170-72.

Para que esta memoria funcione bien, es esencial concentrarnos y pasar por alto los estímulos que nos distraen.

El estado de ánimo y los antecedentes culturales son esenciales

Uno no tiene que ser neurocientífico para saber que la música puede ayudar a relajarnos o que no todos los tipos de música son igual de eficaces en esto. Es muy probable que diferentes personas en diferentes culturas se beneficien de diferentes tipos de música. Un estudio llevado a cabo recientemente en Turquía mostró que para los turcos la música interpretada en un *ney* —un tipo de flauta de lengüeta usada para interpretar la música del país otomano— tiene el efecto de poner su mente en un estado tranquilo competente, parecido al que se experimenta en el estado de atención concentrada. Para los mismos sujetos turcos, la música occidental interpretada en un violín no causó efecto semejante.

El estado de ánimo en el que ya se encuentra uno puede tener una función en la interacción entre el estado de tranquilidad producido por la música y el estado de aprendizaje. En una investigación reciente, las técnicas de relajamiento ayudaron en el funcionamiento de la memoria funcional en la mañana, mas no en la tarde, cuando el sujeto se encontraba cansado. En otras palabras, la relajación no siempre es necesaria. Otro estudio, realizado en Escocia, demostró que la música de Britney Spears reproducida en el salón de clases durante una prueba, mejoró los resultados de los niños. Parece que la música pop alegre tuvo mejor efecto que el maestro para sacar a los niños del estado de aburrimiento, les dieron ganas de trabajar y por lo tanto ayudó en su atención y motivación.

Sin embargo, en general y sobre todo para las personas de edad avanzada, la reproducción de música de fondo con letra afecta la concentración e impide el aprendizaje. Los sonidos de fondo, más que nada palabras, son fácilmente ignorados por los cerebros de los jóvenes pero no encuentran obstáculo alguno para entrar en la memoria funcional a corto plazo de las personas de edad avanzada.

La música como terapia para los pacientes con Alzheimer

Los investigadores médicos y las personas que trabajan con pacientes con Alzheimer están interesados en explorar el potencial terapéutico de la música. Según un estudio realizado también por uno de los investigadores del "efecto Mozart", el tipo específico de la inteligencia espacial que se vio mejorada en niños también presentó aumentos en los pacientes con la enfermedad de Alzheimer. Otro estudio, presentado hace poco en una conferencia de la Sociedad Psicológica Británica en Londres probó que la música puede mejorar la memoria a largo plazo en las personas que padecen demencia de leve a moderada. Otros estudios descubrieron que la música ayuda en la comunicación de los pacientes con demencia. La explicación de estas mejoras puede radicar en el hecho de que la música "despierta" muchas partes del cerebro y estimula las habilidades lingüísticas y de memoria que tienden a disminuir, ligeramente con la llegada de la vejez y seriamente en el caso de Alzheimer.

Dos maneras en que la música puede contrarrestar el efecto del envejecimiento

Las personas que interpretan música o cantan estimulan su cerebro de manera que ayuda a reconstruir las habilidades mentales. Las explicaciones de este hecho son diversas. Participar en un grupo de apoyo mutuo como seguramente es la música es una especie de interacción social que tiende a mejorar también el estado de ánimo. El evidente aumento de la capacidad es un incentivo igualmente importante en las actividades como la lectura o interpretación de música que mantienen el cerebro ocupado y estimulan las neuronas. Todo esto aumenta la confianza, lo cual combate la depresión y motiva a las personas de edad avanzada a aventurarse a salir de la rutina confortable pero mentalmente tediosa.

Es interesante que ciertas destrezas musicales sobrevivan la devastadora pérdida de la memoria y las habilidades mentales durante la transición de la demencia a la enfermedad de Alzheimer. Por ejemplo, un músico de 82 años diagnosticado con esta enfermedad conservó su excelente habilidad de interpretar las composiciones para piano que había aprendido antes, pero debido al deterioro mental no era capaz de identificar el nombre del compositor o de la pieza. Quizá, esto se debe a que la capacidad para interpretar las composiciones se albergaba en su memoria de procedimiento —la memoria "muscular" que controla las habilidades como el manejo de la bicicleta— y no en las memorias más afectadas por el Alzheimer.

La respuesta entusiasta del público de la prometedora capacidad de la música de Mozart para proveer una solución eficaz alientan las investigaciones del potencial que tiene la música para mejorar la receptividad del cerebro para aprender, así como para fortalecer y proteger otras habilidades cognitivas. Son tantas las regiones cerebrales diferentes que se activan con la música, sin mencionar la interpretación o el canto, que puede resultar que ciertos tipos de música mejoran otras habilidades que el razonamiento espacial-temporal.

Es muy difícil sobreestimar la importancia de la música para los que desean estimular y preservar las habilidades cognitivas por medio de la interpretación de música o el canto. Estas actividades mantienen ocupadas otras partes del cerebro y, sobre todo en caso de los cerebros adultos, pueden demorar la llegada de la decadencia natural de las habilidades de la memoria y el aprendizaje. Asimismo, el apoyo social y el orgullo que son el producto de participar en la interpretación de obras musicales pueden tener un efecto benéfico en la autoestima. Esto, a la vez, ayuda a que el cerebro participe más activamente en las tareas diarias y previene la depresión de la que con tanta frecuencia adolecen las personas de edad.

Bibliografía

Arikan, M. Kemal y cols. (1999). Music effects of event-related potentials of humans on the basis of cultural environment. *Neuroscience Letters*, 268: 21-4.

Brotons, M. y S.M. Koper (2000). The impacts of music therapy on language functioning in dementia. *Journal of Music Therapy*, 37/3: 183-95.

Chan, Agnes S. y cols. (1998). Music training improves verbal memory. *Nature*, 396: 128.

Cristal, Howard A., Ellen Grober y David Masur (1989). Preservation of musical memory in Alzheimer's disease. *Journal of Neurology, Neurosurgery, and Psychiatry*, 52: 1415-16.

Elbert, Thomas y cols. (1995). Increased cortical representation of the fingers of the left hand in string players. *Science*, 270: 305-7.

Gray, Patricia y cols. (2001). The music of nature and the nature of music. *Science*, 291: 52-4.

Hudetz, Judith A. y cols. (2000). Relationship between relaxation by guided imagery and performance of working memory. *Psychological Reports*, 86: 15-20.

Koelsch, Stefan y cols (2000). Brain indices of musical processing: "nonmusicians" are musical. *Journal of Cognitive Neuroscience*, 12/3: 520-41.

Koper, S.M. y M. Brotons (1999). Is music therapy an effective intervention for dementia? A meta-analytic review of literature. *Journal of Music Therapy*, 36/1: 2-15.

Larking, Marilynn (2001). Music tunes up memory in dementia patients. *The Lancet*, 357: 47.

Lindsay, W.R. y F.M. Morrison (1996). The effects of behavioral relaxation on cognitive adults with severe intellectual disabilities. *Journal of Intellectual Disability Research*, 40: 285-90.

Maess, Burkhard y cols. (2001). Musical syntax is processed in Broca's area: an MEG study. *Nature Neuroscience*, 4/5: 540-45.

Oohashi, Tsutomu y cols. (2000). Inaudible high-frequency sounds affect brain activity: hypersonic effect. *Journal of Neurophysiology*, 83/6: 3548-58.

Peretz, Isabelle y Sylvie Hébert (2000). Toward a biological account of music experience. *Brain and Cognition*, 42: 131-4.

Petsche, H. y cols. (1997). The possible meaning of the upper and lower alpha frequency ranges for cognitive and creative tasks. *International Journal of Psychophysiology*, 26: 77-97.

Saffran, Jenny R. y cols. (2000). Infant memory for musical experiences. *Cognition*, 77: B15-B23.

Tervaniemi, M. y cols. (1997). The musical brain: brain waves reveal the neurophysiological basis of musicality in human subjects. *Neuroscience Letters*, 226: 1-4.

Tramo, Mark Jude (2001). Music of the hemispheres. *Science*, 291: 54-6.

Watson, Donna (2001). Pop music boosts the brain. *The Scotsman*, 22 de enero de 2001, p. 7.

Zentner, M.R. y J. Kagan (1996). Perception of music by infants. *Nature*, 383: 29.

EL MEJOR EJERCICIO PARA EL CEREBRO

Por qué contestar preguntas por escrito
es mejor que la opción múltiple

La memoria no es la representación de las experiencias pasadas, almacenadas cuidadosamente en una caja en algún sitio de la corteza cerebral. Por el contrario, todos y cada uno de los recuerdos son el producto de la operación casi instantánea de recuperar distintas partes de la experiencia que se guardan en los rincones dispersos del cerebro.

El hecho de leer una lista de vinos en el restaurante en búsqueda de una bebida apropiada para la cena puede evocar el recuerdo de que ciertos vinos de Borgoña son vinos blancos hechos de las uvas Chardonnay; esta evocación puede traer el recuerdo del sabor del vino de Borgoña y junto con él, el recuerdo de una tarde con un amigo en la ciudad de Dijon catando un vino blanco de Borgoña; esto puede traer el recuerdo de las palabras del amigo, quien decía que el vino estaba hecho de uvas Chardonnay aunque esto no estaba mencionado en la etiqueta; por consiguiente, uno puede pensar en el aspecto de la etiqueta.

En general, entre más grande sea la cantidad de informaciones diferentes que constituyen un dato (como el tipo de uva de la cual se produce el vino blanco de Borgoña), es más difícil de olvidar. Lo inconveniente es que no existe garantía alguna de que el recuerdo "ensamblado" de nuevo sea igual que la experiencia original. Puede que uno recuerde estar sentado en algún lugar de Francia (¿cómo se llamaba esa ciudad?) con una copa de vino (¿qué vino era?), platicando con un amigo sobre algo que tenía que ver con el vino que estaban tomando. O puede recordar (o creer que recuerda) que la borgoña blanca se hace de uvas Chardonnay, pero no se acuerda quién se lo dijo o dónde. También puede acordarse de estar con un amigo tomando vino y recuerda que conoce Dijon pero no puede reunir los dos hechos. Puede recordar que estaba con su amigo en un café al aire libre en Dijon, pero intercala en este recuerdo la imagen de haber tomado excelente champaña, cosa que no hizo sino hasta una semana más tarde en la ciudad de Reims.

Cuando uno se acuerda de algo con muchos matices y detalles vívidos, es tentador pensar que todos los recuerdos se almacenan enteros y listos, nada más esperando nuestra orden para reaparecer. Incluso cuando un recuerdo regresa fragmentariamente y es fácil ver que los fragmentos no se guardan en el mismo lugar, no nos importa. Nos parece que si al fin y al cabo podemos acordarnos de las partes esenciales, sí sabemos los hechos y creemos que no es importante recordar las circunstancias donde nos enteramos de ellos —cuándo, dónde y quién nos lo dijo—. Pero a veces este conocimiento es vital.

La función de los lóbulos frontales

¿Se acuerda de haber tomado su medicamento esta mañana? Puede guardar la imagen mental de hacerlo, pero no está seguro si ésta sea el recuerdo de tomar las pastillas en realidad o simplemente la memoria de una imagen que vino a su mente cuando se estaba diciendo a sí mismo que no olvidara tomarlas. Otro ejemplo: le parece que se acuerda haber escuchado que una amiga tiene problemas matrimoniales pero no recuerda si fue ella o alguien más quien se lo dijo; si se lo contó otra persona, tampoco está seguro de que le dio el permiso de divulgar la información o era entre ustedes dos.

Los lóbulos frontales son una región del cerebro sumamente importante para el proceso de ensamblaje de los recuerdos. Esta parte del cerebro funciona a pleno rendimiento cuando hacemos el esfuerzo consciente de acceder la memoria o un conocimiento memorizado que se necesita para responder a una pregunta o resolver un problema. Si los lóbulos frontales no funcionan de manera eficaz, se hace más difícil acceder los recuerdos explícitos de tales acontecimientos y hechos como dónde estuvo ayer a las tres de la tarde o el nombre actual de Alto Volta (en el caso poco probable de que un millón de dólares lo estén esperando por una respuesta correcta, el nombre del país africano que no tiene salidas al mar y cuyo capital es Ouagadougou es Burkina Faso).

La importancia de saber la fuente

Existen otros tipos de problemas de recuperación de recuerdos que surgen cuando los lóbulos frontales no funcionan adecuadamente. El problema típico consiste en recordar el hecho de haber visto u oído algo sin poder recordar la fuente de la información. En líneas generales, la fuente de información siempre es el dato más difícil de recordar, ya que el diseño del cerebro humano sólo le permite retener la esencia de los datos y olvidarse de los detalles casuales, como es el contexto donde se obtuvieron. De este modo, si los lóbulos frontales no funcionan completamente bien, la fuente de la información será lo primero que se descartará cuando los fragmentos de la memoria se ensamblen en un todo polifacético.

La importancia de los lóbulos frontales no se limita a acceder y ensamblar diferentes aspectos de un recuerdo; además, controlan el proceso de crear algunos de estos aspectos. Entre más aspectos tenga un recuerdo, más fácil sería accederlo gracias a la variedad de "puntos de entrada" que pueden llevar a otros y establecer un vínculo con ellos.

Muchas técnicas mnemónicas, es decir, estrategias conscientes que permiten codificar un dato, se aprovechan del
hecho de que la información se queda mejor en la memoria y
sería más fácil de recuperar si está relacionada con una serie
de otros datos. Es lo que sucede esencialmente en el proceso
de *elaboración* cuando nosotros dotamos las cosas de sentido
para poder recordarlas mejor (vea el recuadro en la pág. 229).
Los hechos arbitrarios son difíciles de aprender por su naturaleza. La diferencia entre una persona con buena memoria y
un olvidadizo a veces radica en el grado de automaticidad con
la que sus lóbulos frontales "elaboran" los datos que por lo
demás son arbitrarios.

Los efectos de la edad en los lóbulos frontales

Una razón por la que las personas de edad avanzada tienen
más dificultades para codificar y recuperar los recuerdos es
que los lóbulos frontales tienden a atrofiarse un poco con el
paso del tiempo, por lo que a veces no participan automáticamente en los procesos anteriores. El estudioso de la memoria
Daniel Schacter que colabora en Harvard, encontró en el curso de sus investigaciones de las imágenes cerebrales que el
lóbulo frontal anterior muestra mayor actividad en los jóvenes que en los adultos cuando se enfrenta a la tarea de recordar la lista de palabras recién aprendidas de la memoria. La
diferencia de edades también se manifiesta en la etapa de
codificación. El cerebro de los jóvenes participa de manera
más automática y haciendo un menor esfuerzo en el proceso
de codificación elaborada que hace que los recuerdos sean
más fáciles de recordar.

Es interesante que la diferencia de edad no sea notable
cuando en los jóvenes y la gente de edad avanzada se pone a
prueba no el recordar sucesos pasados, sino la memoria de
reconocimiento. Para la mayoría, reconocer es más fácil que
recordar. Si se le pide hacer una lista de diferentes frutas en
un minuto, ésta será menor que cuando se le pide seleccionar
los nombres de frutas de una lista de palabras diferentes durante el mismo periodo. Si se le pide nombrar la capital de

CONFUSIÓN DE LA FUENTE DE UN RECUERDO

Lea la lista de palabras que aparece a continuación, cúbrala y trate de enumerar las palabras de memoria:

delicioso chocolate bombón azúcar miel azúcar glas postre helado cerezas crema batida jarabe

¿Cómo le fue con la lista? Generalmente, las personas de edad son menos hábiles en recordar semejantes listas pero al igual que los jóvenes pueden recordar algo que no estaba en la lista, como las palabras "dulce" o "helado". Es difícil no pensar en estas palabras cuando se está leyendo la lista. ¿De verdad estaban en la lista o simplemente se le ocurrieron mientras la estaba leyendo? Esto se llama confusión de la fuente de un recuerdo.

Tanzania, es muy probable que se equivoque pero es casi seguro que acierte si la pregunta se le formula de este modo: "¿Cuál es la capital de Tanzania? ¿Berlín, Dar es Salaam o Cairo?"

El reconocimiento depende en menor medida de los lóbulos frontales que del recuerdo, pero el hecho de que esta región cerebral es menos automática en las personas de edad avanzada en una tarea de memorización o recuperación de lo memorizado no quiere decir que las personas mayores no pueden hacer uso de sus lóbulos frontales de manera eficaz para el aprendizaje y la memorización. Simplemente tienen que esforzarse más para hacerlo. Es por eso que armar un rompecabezas nunca antes visto o contestar preguntas (que no sean de opción múltiple) constituye un mejor ejercicio para esta parte del cerebro que sin duda necesita más práctica con la edad.

Bibliografía

Macklis, Jeffrey D. (2001). New memories from new neurons. *Nature*, 410: 314-16.

Schacter, Daniel L. (1996). *Searching for Memory: The Brain, the Mind, and the Past*. Nueva York, ed. Basic Books.

ENSEÑAR PARA SOBREVIVIR

Escuchar bien alimenta las neuronas

En los experimentos que mostraron que un ambiente "enriquecido" ayuda a que los cerebros de ratas sean más grandes e inteligentes (vea *Envejecimiento saludable*), dos de las tres partes fundamentales de este proceso son ejercicios mentales y estimulación social. Además del ejercicio físico, estos dos factores relacionados con el modo de vida tienen una función importante en la preservación de la salud mental. En efecto, diversos estudios han probado que el mayor número de actividades intelectuales y sociales fuera del trabajo o durante la jubilación disminuyen el riesgo de padecer la enfermedad de Alzheimer.

Normalmente para mantener la mente en estado activo es a través de lecturas, participación en cursos y de una u otra manera nunca dejar de aprender. También puede ser estimulante tanto en lo social como en lo mental compartir los conocimientos adquiridos con otras personas, actividad que puede ser más exigente de lo que podría pensarse en lo que al intelecto se refiere.

Comprensión de los fundamentos

Entre los investigadores académicos existe un dicho que
reza: Si puede explicar una teoría a su madre durante el desayuno de modo que ella entienda, entonces usted mismo
no la entiende o la entiende completamente mal. Lo que se
quiere decir aquí es que para poder explicar algo a alguien
debe parafrasearlo y el parafrasear por definición significa
expresar la misma idea con otras palabras.

Para hacerlo bien, se necesita comprender completamente la idea al revés y al derecho. No es práctico ni tampoco
inteligente esconderse tras una corriente de palabras rebus-
cadas, esperando que los receptores no hagan preguntas. En
efecto, lo único que hacen los ornamentos innecesarios es
enturbiar las aguas y crear un bosque de manos en movimiento; es decir, enredarlo todo. Claro está, explicar la palabra "fócido" como "de la misma construcción que la expresión *perteneciente a las focas* pero que se manifiesta bajo otro
alias léxico" puede impresionar; "*fócido* significa *perteneciente
a las focas*" puede ser menos ostentoso pero más práctico.

Comprender lo que creemos que sabemos

Una de las ventajas de tener niños es que no se satisfacen
con las explicaciones comunes. Sus dudas tienen la cualidad
incómoda de querer llegar al meollo del asunto, como cuando preguntan: "¿Qué significa eso?" o "¿Cuál es la diferencia?" Vale la pena contestarlas extensamente, pues explicar
cómo funcionan las cosas o por qué son como son puede
ayudar a desarrollar en el niño las habilidades del pensamiento crítico y el interés de entender el mecanismo de las
cosas por su propia cuenta. Además, nos enseña a pensar en
lo que según nosotros ya sabíamos pero de pronto nos halla-
mos ante la imposibilidad de explicar. ¿De dónde viene la
arena? ¿Por qué el año se divide en doce meses? Si la fuerza
de gravitación de la luna causa la marea y estamos en la playa cuando las olas vienen hacia nosotros, ¿cómo puede la
luna estar en el horizonte, en la dirección opuesta a la que
vienen las olas?

Lenguas extranjeras: el mejor ejercicio para el cerebro

Aprender un idioma extranjero puede entrenar la mente de la misma manera que expresar las ideas conocidas con las palabras nuevas. Asimismo, puede ser una experiencia humillante: si estudiamos japonés o incluso italiano, tiene que pasar un tiempo antes de que dejemos de sonar como niños chiquitos y además que no hablan bien.

Lo mismo sucede cuando los papeles cambian y tratamos de enseñar a un extranjero nuestro propio idioma. Ofrecer sus servicios de maestro puede dar una sensación agradable de ser el experto en la materia pero para poder enseñar su idioma es necesario comprender conscientemente sus reglas y estructuras fundamentales antes de explicarlas. En este proceso se reúnen el ejercicio mental y la sensación de realización.

En uno de sus discursos más famosos, el presidente estadounidense John Kennedy dijo "Ich bin ein Berliner" ante la audiencia apasionada cerca del muro de Berlín. Lo que sin duda quería decir era algo como "Estoy con ustedes, comprendo su situación y no los defraudaré". Lo que no sabía fue que al traducir literalmente la expresión "Soy berlinés" ("I am a Berliner") resultó una frase alemana que significa "Soy una dona de mermelada". En alemán, al igual que en español, el artículo indefinido ("ein" o "uno") no se utiliza cuando se habla de las profesiones o gentilicios. Se dice, por ejemplo, "soy programador" o "soy neoyorquino", cosa que no sucede en inglés donde se tiene que agregar un artículo ("soy UN programador"). Sin embargo, el artículo sí se usa cuando se dice, por ejemplo, "es un pastelito". Puesto que uno de los significados de "Berliner" se refiere a un tipo de donas de mermelada, fue eso lo que Kennedy dijo de sí mismo.

¿Por qué en el alemán no se emplean los artículos indefinidos igual que en el inglés? Es más fácil contestar a esta pregunta si nos cuestionamos por qué en el inglés el uso de éstos difiere del alemán. ¿Cuáles son las reglas del inglés o del español que rigen el uso de los artículos? El hablante nativo sabe cuál es el uso correcto pero es totalmente diferente cuando se

282 La mente experimentada

lo quiere explicar a un extranjero. No es tan fácil como parece.
Muchos lingüistas muy prometedores se han topado con esta
cuestión. Aun así, es un excelente ejercicio mental, siempre y
cuando no tenga que exponer la respuesta correcta ante sus
sinodales.

Bibliografía

Hultsch, David F. y cols. (1999). Use it or lose it: engaged lifestyle
as a buffer of cognitive decline in aging? *Psychology and Aging*,
14/2: 245-63.

Hultsch, David F., Mark Hammer y Brent J. Small (1993). Age differences in cognitive performance in later life: relationships to
self-reported health and activity life style. *Journal of Gerontology:
Psychological Sciences*, 48/1: P1-P11.

Ocupación total para la mente

Cómo hacer un árbol genealógico pone en práctica todas las áreas que los expertos recomiendan ejercer

Tres fundamentos de un ambiente enriquecido se han mencionado varias veces a lo largo del libro, pero son tan relevantes en nuestra vida que vale la pena repetirlos una y otra vez.

Una amplia gama de estudios ha ofrecido pruebas irrefutables de que un ambiente enriquecido ayuda a combatir la depresión, protege el sistema inmune del cuerpo y ayuda a preservar la función cognitiva a lo largo de toda la vida. Los tres fundamentos de un ambiente enriquecido son la actividad mental, social y física. Las ventajas que tienen no sólo conciernen las mejoras en nuestro estado de ánimo.

Los tres dominios —físico, social y mental— operan a niveles bioquímicos que aumentan el ritmo de regeneración de neuronas en el cerebro. Además, ayudan a llevar al máximo los factores biológicos que protegen las neuronas existentes y los vínculos comunicativos entres ellas. Es una lástima que con la edad solamos descuidar estos tres dominios, aun cuando sabemos perfectamente bien las consecuencias negativas que tiene una vida menos activa en el cerebro y bienestar físico.

No tiene por qué ser así; tampoco existen razones para atender a cada uno de estos fundamentos por separado. Hay una

variedad de actividades que estimulan social e intelectualmente, tales como los clubes de interés, grupos de discusión o clases en alguna universidad. Un buen ejemplo de un pasatiempo
económico provechoso que estimula en lo intelectual y
social en varios niveles es el estudio sistemático de la
historia familiar.

Genealogía: verdaderos viajes en el tiempo

Alguna vez en la vida todos hemos estudiado nuestra historia
familiar, incluso si no era de manera consciente, cuando nos
enteramos de las circunstancias en que se conocieron nuestros padres o nos reíamos de la historia que la tía abuela Mildred inventó para meter a la cárcel a su cuarto esposo por
vagabundeo. Hacemos lo mismo cuando contamos nuestras
propias historias a nuestros hijos. Los humanos tienen un interés natural en la biografía de nuestros antepasados y la genealogía ayuda a mantenerlo al ofrecer un esqueleto en el cual
se apoyan las historias familiares. Nos da la habilidad para
investigar más la información de nuestra familia y organizar
la maraña de materiales que se acumula con el tiempo.

Asimismo, la genealogía es capaz de la estimulación intelectual, sobre todo si hacemos uso de todos los recursos disponibles para la investigación. Nos acerca más a las personas que
desean compartir nuestro interés, ya sea los parientes a los que
les preguntamos o los familiares con los que compartimos los
hallazgos. Si de verdad le entra el gusanillo genealógico, hay
muchos otros genealogistas aficionados absortos en las mismas búsquedas que con gusto comparten historias y estrategias
en los clubes o grupos de discusión en Internet. Pero más que
todo esto y tal vez lo más importante es que mirar en el pasado
y reflexionar sobre las vidas de antepasados aumenta el sentido de la vida al ubicarla en un contexto genealógico ordenado.

Preparación para el viaje al pasado

La mejor manera de empezar a construir el árbol genealógico
es investigar desde el presente hacia el pasado. El ejemplo más
fácil es el árbol de los hombres en la familia: padre, abuelo,

bisabuelo, etcétera, junto con sus esposas y hermanos. Podemos hacer el estudio un poco más difícil (considerando que las mujeres adoptan los apellidos de sus esposos) al ampliar el foco de atención para incluir la línea femenina. El próximo paso implica la inserción de las ramas colaterales, como tías, tíos, primos y primas de diferente parentesco. Un aspecto gratificante (o humillante) de incluir las ramas colaterales es la posibilidad de descubrir un grupo de familiares hasta ese entonces desconocidos que pueden resultar estar vivos. Incluso puede descubrir que son sus vecinos.

El trabajo se puede salir de control si desde el principio no establecemos los límites. Para un árbol genealógico directo que incluye las líneas masculina y femenina, el número de personas aumenta de manera exponencial con cada generación (2-4-8-16-32, etcétera). Si se incluyen los antepasados del cónyuge, el número se duplica. Además, si en las ramas colaterales se incluyen los parientes políticos, existe el peligro de toparse con centenares de familiares dentro de tan sólo unas generaciones recientes.

Enriquecer los datos secos de la historia familiar
Los nombres y las fechas son importantes para el árbol genealógico, pero no siempre es suficiente. Entre más "carne" se agrega al "esqueleto" genealógico —profesiones, viajes, logros, etcétera— más interesante se vuelve el proyecto. Cada miembro de la familia podrá aprender a su manera sobre la historia en general. Descubrir que el tatarabuelo fue herido en la primera batalla de Bull Run[10] nos puede conducir a leer las descripciones históricas de la contienda, lo cual puede llevar a un estudio general de la guerra civil estadounidense; esto a la vez hará más vivo y significativo este periodo de la historia estadounidense.

Una ventaja adicional de enriquecer el árbol genealógico con la historia familiar es que da la posibilidad de conmocio-

---

[10] Una de las batallas importantes en la guerra civil estadounidense que tuvo lugar el 21 de julio de 1861 en las cercanías de la ciudad de Richmond en el estado de Virginia y en la que triunfaron los confederados (N. del T.)

nar positivamente a los niños. De acuerdo con el investigador de Harvard, Jerome Kagan (vea *Educación de los hijos*), las historias familiares narradas en la mesa ayudan a que en los niños crezca el orgullo por la familia que a la vez refuerza su confianza en los talentos y las habilidades propias aumentando las posibilidades de éxito en la vida. Desde luego, puede esperar hasta que crezcan un poco para contarles la historia de la tía Mildred.

Parece sensato empezar con un libro que le ayude con los primeros pasos para recopilar los datos genealógicos e investigar la historia familiar. En la sección bibliográfica al final de este capítulo se presentan algunos ejemplos. Además, puede fácilmente encontrar páginas correspondientes gratuitas en Internet al buscar por la palabra "genealogía". Algunas páginas ofrecen árboles en blanco o "linajes" que uno puede descargar e imprimir. Asimismo, se han desarrollado algunos programas genealógicos decentes que facilitan la organización de los datos. Si aún no sabe mucho de las computadoras e Internet, el proyecto genealógico sería un buen motivo para finalmente ponerse a estudiar.

Todos estos recursos, tanto electrónicos como impresos, ofrecen ideas y sugerencias en cuanto a las fuentes no tan obvias de la información genealógica, como los registros fiscales, datos de los censos de población, registros del personal de la milicia, etcétera. Por último, y no menos importante, está la Biblioteca de la historia familiar, recopilada por la Iglesia de Jesucristo de los santos del último día (los mormones), que contiene extensos registros de bautismos y casamientos que se ofrecen para consulta gratuita en cualquier Centro de historia familiar de la iglesia.

Bibliografía

The Complete Idiot's Guide to Genealogy por Christine Rose y cols. (1997). Ed. MacMillan.

The Researcher's Guide to American Genealogy (3ª ed.), por Val D. Greenwood (2000). Ed. Genealogical Publishing Company.

Unpuzzling Your Past: A Basic Guide to Genealogy (3ª ed.), por Emily Anne Croom (1995). Ed. Betterway.

Autoevaluación: potenciación conceptual

Lista A	Lista B
Determine si cada uno de los elementos es un objeto natural o artificial:	Determine si cada uno de los elementos tiene dos o tres sílabas:
limón	bombón
trampolín	olla
revista	pintura
asbesto	alberca
calabacita	cerebro
pelota de básquetbol	ventana
papel	pimpollo
gasolina	pulsera
nogal	tordo
calendario	río
pimiento	tapón
helado	aguja
granate	berro
foco	cabeza
avestruz	cobija

Para la explicación, vea la pág. 293.

GENERALMENTE NO ES ALZHEIMER

Envejecimiento y demencia, ¿cómo diferenciarlas?

E ntre las personas de más de 65 años, una de las quejas constantes es la disminución de la capacidad de la memoria. Este grupo no es el último en cuanto a su importancia demográfica, pues representa más del 12% de la población estadounidense[11] y crece rápidamente. Por eso, no es de sorprender que haya preocupaciones crecientes acerca de la enfermedad de Alzheimer. Dado que el número de personas mayores es cada vez más grande y la edad representa un factor de riesgo para la salud, el número de personas con Alzheimer aumenta. He aquí los datos estadísticos: en la edad de 65 años, el promedio de dos personas por cada 100 tienen trastornos mentales graves que se diagnostican como enfermedad de Alzheimer. En la edad de 80 años, el número incrementa diez veces, alcanzando el promedio de 20 personas por cada 100. Entre las personas que tienen diez años más que el grupo anterior, la mitad padece esta demencia. Estos datos significan que alrededor de cuatro millones de estadounidenses son vícti-

[11] Según los datos del Consejo Nacional de Población (CONAPO), en México el número de personas de tercera edad (60 años y más) equivale a 7.5 por ciento de la población ó 7.9 millones de personas de la tercera edad en el año 2004 (N. del T.)

mas de la enfermedad en cuestión y se espera que el número crezca hasta alcanzar 12 millones en 20 años.

Estas estadísticas hacen evidente el motivo de la preocupación
de enfermarse, así como la razón por la que las fallas de memoria
se vuelven más aterradoras con la edad. A los 20 ó 30 años, puede
ser ligeramente entretenido el hecho de olvidar cerrar la llave de
gas de la estufa antes de salir a trabajar (a menos que haya un incendio en la casa). A la edad de 80 años, el mismo problema no
presagia nada entretenido.

Sin embargo, las estadísticas también muestran que el temor
de que las fallas de la memoria sean el indicio de Alzheimer por
lo general no tiene justificaciones, y no sólo porque las personas
mayores suelen hacer conclusiones infundadas de que el olvido
es señal de demencia. También se debe al hecho de que ciertos
aspectos de la memoria suelen deteriorar casi en todas las personas de la tercera edad, incluyendo aquellas que por lo demás
están perfectamente sanas y saludables.

Las estrategias no tienen nada de malo

Es común para el envejecimiento normal que uno experimente
dificultades con algunos aspectos de la memoria; tampoco es insó-
lito idear estrategias, a veces tácitas, para facilitar la recuperación
de los datos de la memoria a largo plazo. El intento de arreglar los
acontecimientos recientes por orden cronológico puede necesitar
organizar un juego de pistas para ordenar los eventos, ya que el
simple recuerdo no bastará. Recordar la fuente de la información
más que la información misma también
implica esfuerzo adicional y puede requerir ayuda extra.

Incluso la tarea de pensar en el mayor número posible de vegetales en 30 segundos puede precisar algún tipo de estrategia, ya sea
dividir la lista en diferentes colores (verde, amarillo, rojo) o pasar
por cada letra del alfabeto para facilitar la tarea. Todos estos tipos
de recuperación consciente de los datos que necesitan un esfuerzo
adicional en la edad avanzada se hacen más difíciles. Tal efecto
sucede porque todos ellos dependen del funcionamiento de los
lóbulos frontales, las cuales sufren cierto deterioro en la edad
avanzada, al igual que se desarrollaron lentamente en la infancia.

Reconocer y recordar (primera parte) ·

Lea rápido las descripciones de estas personas reconocidas e intente recordar sus nombres. Procure no tomarse más de un minuto. Después, voltee la página.

- Director hollywoodense que interpretó el papel de Opie en el programa televisivo *Andy Griffith Show* y el de Richie Cunningham en *Happy Days*.
- Actor que interpretó el papel de Perry Mason en el programa con el mismo nombre.
- Niña de origen judío que escribió un diario mientras se escondía en un desván en Ámsterdam.
- Mujer que estudia los chimpancés en África.
- Primera mujer estadounidense en el espacio.
- Diosa griega de sabiduría que salió de la cabeza de Zeus.
- Actriz que protagonizó *A Few Good Men* y *Striptease*.
- Triple ganador del Óscar como el mejor director por *It's a Beautiful Life* y otras dos películas.
- Fundador y portavoz de la cadena de comida rápida *Wendy's*.
- Actriz que protagonizó con Humphrey Bogart la película *To Have and Have Not* y se casó con él un año después.
- Gran dama de la cocina estadounidense que actuó en *The French Chef* para la televisión.
- Ganadora del Óscar en 1995 en la categoría de la mejor actriz por su papel de la hermana Helen Prejean en la película *Dead Man Walking*.
- Personaje del escándalo de Watergate que hoy en día tiene su propio programa de radio.
- Fundador de la cadena televisiva CNN, propietario de *Atlanta Braves* y exesposo de Jane Fonda.
- Luchador incansable de la campaña contra el alcohol en 1990.

Reconocer y recordar (segunda parte)

Ahora compare las mismas descripciones con los nombres en la siguiente página. ¿Cree que esto es más fácil que recordar nombres sólo a partir de las descripciones?

- Director hollywoodense que interpretó el papel de Opie en el programa televisivo *Andy Griffith Show* y el de Richie Cunningham en *Happy Days*.
- Actor que interpretó el papel de Perry Mason en el programa con el mismo nombre.
- Niña de origen judío que escribió un diario mientras se escondía en un desván en Ámsterdam.
- Mujer que estudia los chimpancés en África.
- Primera mujer estadounidense en el espacio.
- Diosa griega de sabiduría que salió de la cabeza de Zeus.
- Actriz que protagonizó *A Few Good Men* y *Striptease*.
- Triple ganador del Óscar como el mejor director por *It's a Beautiful Life* y otras dos películas.
- Fundador y portavoz de la cadena de comida rápida *Wendy's*.
- Actriz que protagonizó con Humphrey Bogart la película *To Have and Have Not* y se casó con él un año después.
- Gran dama de la cocina estadounidense que actuó en *The French Chef* para la televisión.
- Ganadora del Óscar en 1995 en la categoría de la mejor actriz por su papel de la hermana Helen Prejean en la película *Dead Man Walking*.
- Personaje del escándalo de Watergate que hoy en día tiene su propio programa de radio.
- Fundador de la cadena televisiva CNN, propietario de *Atlanta Braves* y exesposo de Jane Fonda.
- Luchador incansable de la campaña contra el alcohol en 1990.

Laureen Bacall
Sally Ride
Dave Thomas
Julia Child
J. Gordon Liddy
Anne Frank
Susan Sarandon
Raymond Burr

Carrie Nation
Ron Howard
Jane Goodall
Demi Moore
Frank Capra
Ted Turner
Atenea

En cualquier edad, la primera tarea es más difícil que la segunda, puesto que recordar implica mayor esfuerzo por parte de las habilidades de recuperación de datos, ubicados en los lóbulos frontales. Con el advenimiento de la vejez, los lóbulos frontales participan cada vez menos en esta tarea, por lo que es necesario hacer un esfuerzo más consciente, mientras que las habilidades de reconocimiento permanecen intactas. En las personas con demencia, ambas habilidades se ven afectadas.

Por el otro lado, el simple reconocimiento (vea el recuadro anterior) no depende tanto de los lóbulos frontales y permanece inalterado a lo largo de la vejez. No obstante, es necesario advertir que en caso de Alzheimer ambas habilidades se ven afectadas.

Potenciación conceptual: otra prueba de Alzheimer

Otro sistema de memoria, conocido como *potenciación conceptual*, tampoco se ve afectado por el envejecimiento normal pero se ve afectado en caso de Alzheimer. Consulte la lista de palabras en la columna A que aparece en la pág. 288. Revise la lista elemento por elemento, preguntándose en cada uno si el objeto es natural o artificial. Después pase a la lista B y determine si las palabras que la constituyen se dividen en dos o tres sílabas. Al hacerlo, abra el libro en la pág. 296 y marque todas las palabras de la lista que ahí aparece que recuerda haber visto en cualquiera de las dos columnas.

Vejez normal *versus* demencia

Los síntomas muy tempranos de demencia progresiva, que abarca la enfermedad de Alzheimer, son leves e incluyen la mala memoria propia de la gente de edad avanzada y a veces incluso de las personas de mediana edad. Conforme la enfermedad progresa, se vuelve más fácil distinguirla de los problemas de memoria normales.

		Normal	Demencia
1)	Pérdida de memoria en el trabajo	Olvida de vez en cuando un compromiso, fecha límite o el nombre de un colaborador.	Olvida frecuentemente las cosas y está confundido sin razón.
2)	Dificultades en las tareas cotidianas	A veces se distrae: por ejemplo, se olvida de servir un platillo que quería ofrecer en una comida.	Problemas graves de memoria: por ejemplo, se olvida por completo de haber preparado la comida.
3)	Trastornos de lenguaje	Problemas aislados para encontrar la palabra adecuada.	Problemas frecuentes y graves para encontrar la palabra adecuada, lo cual provoca una desprovista de sentido.
4)	Desorientación	Olvida de vez en cuando el día de la semana.	Se pierde camino a la tienda.
5)	Problemas de razonamiento	Escoge un atuendo que resulta ser demasiado caliente o frío para el tiempo que hace: por ejemplo, no lleva un suéter a un partido durante una fresca noche de septiembre.	Se viste evidentemente con ropa fuera de temporada: por ejemplo, se pone varias capas de ropa térmica durante un día caluroso.

	Normal	Demencia
6) **Problemas con el pensamiento abstracto**	Problemas esporádicos para hacer con precisión el balance de la chequera.	Incapacidad para realizar operaciones aritméticas básicas, tales como restar un cheque de $40 de un saldo de $280.
7) **Objetos fuera de lugar**	De vez en cuando no pone las llaves o la cartera en su lugar.	Guarda los objetos en lugares inapropiados: por ejemplo, pone la cartera en el horno.
8) **Cambios de humor o conducta**	Estado de ánimo cambiante en diferentes días.	Cambios de humor rápidos y bruscos sin ninguna razón aparente.
9) **Cambios de personalidad**	Moderados cambios de personalidad con la edad.	Cambios de personalidad bruscos y alarmantes: por ejemplo, cuando una persona calmada adquiere una actitud hostil o de ira.
10) **Indecisión**	Se cansa a veces de las obligaciones sociales o el quehacer doméstico.	Pérdida de interés permanente en muchas o todas las actividades sociales o faenas del hogar.

(Fuente: la página en Internet de la Asociación de Alzheimer: www.alz.org)

Autoevaluación: potenciación conceptual

¿Cuáles de estos objetos figuran en cualquiera
de las dos listas en la pág. 288?

aguja	río
papel	collie
tarjeta de crédito	pelícano
naranja	bombón
nogal	pimpollo
pintura	asbesto
trampolín	tabla de surfear
helado	

Para la mayoría de las personas, jóvenes y de edad avanzada, el análisis de una palabra basado en la necesidad de decidir si el objeto que representa es natural o artificial (cosa que implica pensar en el significado de la palabra) resulta más fácil para el reconocimiento que el análisis de la palabra en cuanto a su división silábica. Por el otro lado, los pacientes con Alzheimer han perdido el efecto de la potenciación conceptual, de suerte que su recuerdo de las palabras que se les pidió analizar semánticamente no es mejor que las que analizaron desde el punto de vista de la división silábica.

La pérdida de la potenciación conceptual en los pacientes con Alzheimer se deriva, tal vez, de las lesiones que sufrieron en el cerebro, mismas que conducen a problemas de atención, lenguaje y razonamiento. Es por eso que los síntomas de la enfermedad de Alzheimer son más alarmantes que los indicios de una vejez normal, pues revelan problemas en varias partes del cerebro. Es más: los órganos del cerebro que suelen sufrir el efecto de un envejecimiento normal están más propensos a ser más dañados por el Alzheimer. Esto es más evidente en el ejemplo del hipocampo, órgano cerebral responsable de la memorización explícita de experiencias y hechos, sobre todo de los acontecimientos muy recientes.

Aún así, la enfermedad de Alzheimer no perjudica todas las partes del cerebro o todos los tipos de memoria. De este modo, las áreas responsables de la memoria *de procedimiento* —aprendizaje de las habilidades motrices como andar en bicicleta o cómo pegarle a una pelota de tenis— siguen intactas. A veces esto se transforma en incongruencias extrañas: por ejemplo, un pianista con Alzheimer que puede tocar hábilmente un gran repertorio de piezas y al mismo tiempo no recordar los títulos de las obras que interpreta ni tampoco los nombres de los compositores.

Bibliografía

Crystal, Howard A., Ellen Grober y David Masur (1989). Preservation of musical memory in Alzheimer's disease. *Journal of Neurology, Neurosurgery, and Psychiatry*, 52: 1415-16.

Gabrieli, John D.E. (1996). Memory systems analyses of mnemonic disorders in aging and age-related diseases. *Proceedings of the National Academy of Sciences USA*, 93: 13534-40.

DERRAME CEREBRAL

Clasificación, síntomas y un nuevo tratamiento

Una brusca pérdida de memoria o confusión mental pueden evidenciar varios problemas, pero las tres posibilidades más importantes son el *derrame cerebral*, el *ataque isquémico pasajero* (AIP) y la *amnesia global pasajera* (AGP). Las causas de los tres tienen mucho en común pero sus efectos a largo plazo varían drásticamente. Es importante saber los síntomas de estos tres tipos de "daño cerebral", sobre todo porque una ayuda rápida puede ser de suma importancia para minimizar los efectos dañinos del derrame.

Derrame: coágulo o vaso sanguíneo afectado

Se distinguen dos principales tipos de derrames: *isquémico* y *hemorrágico* . Éste último, el menos común, es resultado de una hemorragia o un vaso sanguíneo reventado, lo cual impide el suministro de oxígeno a una parte del cerebro. Lo mismo sucede en el caso del derrame isquémico pero se produce a raíz de un coágulo que tapa alguna arteria. En ambos casos, las neuronas, privadas de oxígeno, pueden perder la habilidad de producir energía y se atrofian en cuestión de minutos; además, secretan en exceso moléculas con el potencial de dañar el cerebro, tales como calcio, glutamato y radicales libres. Las neuronas ubicadas cerca del centro de la región con déficit de sangre corren el riesgo de atrofiarse, aunque no de inmediato. Estas neuronas, ubicadas en lo que se denomina *penumbra isquémica* o "zona de transición", a pesar de que no reciben la cantidad suficiente de sangre, no están privadas por completo del líquido rojo como las que están en el núcleo del área dañada. Es precisamente en esta región de "penumbra" en la que se centra la acción de nuevos fármacos que reducen el efecto del derrame.

Síntomas de derrame

En el recuadro de la pág. 303 se muestran los principales factores de riesgo de derrame, divididos en dos grupos: con los del primer grupo es posible tomar ciertas medidas, mientras que con los del segundo no se puede hacer nada. Incluso si usted no corre mayores riesgos, deberá conocer los síntomas, aunque sea para identificar el derrame en otras personas para llevar a la víctima al hospital sin perder tiempo. El recuadro que aparece más abajo presenta los síntomas principales que todos deben conocer. En caso de que alguien sufra un derrame, lo mejor es llamar una ambulancia y no transportar al enfermo al hospital: incluso tomando en cuenta que la ambulancia puede tardar en llegar, llegará al hospital más rápido que un automóvil particular, sin mencionar que el personal de urgencias actuará con más prontitud.

En promedio, los hombres corren mayor riesgo de ser víctima de un derrame que las mujeres pero ellas mueren más frecuentemente de este padecimiento. Existen menos probabilidades para las mujeres para llegar pronto al hospital, por lo que sufren consecuencias más graves. Además, el nuevo tratamiento farmacológico contra el derrame es menos eficaz en el sexo femenino.

AIP: síntomas y consecuencias

Además de conocer los indicios de un verdadero derrame, resulta útil saber reconocer un "mini derrame", cuyo nombre científico

Síntomas de un derrame

Más comunes
- Entumecimiento o debilidad súbita en el rostro, brazo o pierna, sobre todo si se percibe de un solo lado
- Confusión, dificultades de habla o comprensión súbitas
- Dificultades de vista súbitos en un ojo o en ambos
- Pérdida de equilibrio, mareo o dificultades para caminar súbitas
- Dolor de cabeza súbito

Menos comunes
- Náusea, fiebre o vómitos súbitos
- Desmayo breve

es *ataque isquémico pasajero* o AIP. Los síntomas del AIP se asemejan a los de un derrame pero a diferencia de él duran sólo unos minutos. El AIP es producto de una reducción provisional del suministro sanguíneo a alguna parte del cerebro; contrario a lo que sucede en un verdadero derrame, el suministro se restablece lo suficientemente rápido como para evitar que se atrofien las neuronas y el daño sea permanente. Lo que sí es alarmante es que los AIP aumentan las probabilidades de un derrame grave. Un estudio reciente publicado en la revista *Journal of the American Medical Association* reveló que aproximadamente un 10 por ciento de las víctimas de AIP padecieron un derrame grave dentro de los tres meses siguientes, y la mitad de los pacientes examinados, dentro de dos días. Por esta razón, hay que tomar el AIP en serio y de inmediato acudir con el médico si se advierten indicios de este padecimiento.

Indicios y causas de AGP y pérdida provisional de memoria

La *amnesia global pasajera* o AGP es similar de algún modo al AIP pero es menos peligrosa. Comúnmente se piensa que la causa de la AGP es la reducción del suministro sanguíneo al cerebro, específicamente a las estructuras de la memoria como el hipocampo. Al igual que con el AIP, el daño no es permanente; la diferencia entre los dos estriba en que la AGP no aumenta las probabilidades de un verdadero derrame.

La primera señal de AGP es la amnesia repentina de los acontecimientos recientes o a veces de los sucesos espaciados por un periodo considerable de años. Las víctimas de AGP pierden la noción del tiempo, pues de pronto no pueden crear nuevas memorias y no tienen manera de saber dónde están, qué estaban haciendo cuando empezó la amnesia, cuánto tiempo duró o, en caso de haber visitado al médico, cuánto tiempo pasó desde que salieron del consultorio. Fuera de la memoria, otras funciones cognitivas no se ven alteradas. Dentro de uno o dos días, los efectos de la amnesia desaparecen.

Nadie sabe a ciencia cierta qué provoca la reducción del suministro sanguíneo a las estructuras cerebrales que provoca la AGP.

Algunos investigadores suponen la existencia de un mecanismo psicológico que provoca un breve cambio en el metabolismo del cerebro. La AGP se da más en las personas mayores a 50 años de edad y según parece puede ser causado por un esfuerzo físico, estrés emocional, acto sexual, conducción de automóvil o incluso natación en agua fría.

Puesto que un observador no preparado puede confundirse entre los síntomas de AGP y AIP, en el caso de cualquier molestia cuyos indicios encajan en la descripción de la AGP es necesario que un médico examine a la víctima. Si es AGP, no hay razones para preocuparse; aunque este padecimiento puede recaer, esto no suele suceder. Además, el mini derrame de este tipo no tiene efectos duraderos.

Los médicos tienen tres horas para administrar un nuevo fármaco pero sólo con los derrames isquémicos

Desde hace siglos, los médicos contemplaban el derrame como algo que no tenía remedio. Incluso si al paciente se le traslada rápidamente a urgencias, lo que generalmente suele hacerse es monitorearlo en caso de complicaciones posteriores.

No obstante, en los últimos años se han desarrollado varios fármacos para el tratamiento de derrames; uno de ellos recibió la aprobación de la FDA[12] para su uso en hospitales. Gracias a este fármaco, conocido como *activador plasmogénico de tejidos* (APJ), la probabilidad de que un paciente se recupere con pocas complicaciones o sin éstas alcanza el 30 por ciento. La desventaja es que es necesario administrar el medicamento dentro de las primeras tres horas después de la aparición de los síntomas. Por esta razón es sumamente importante saber reconocer los indicios del derrame y trasladar al paciente al hospital lo más pronto posible si se manifiestan dichos síntomas.

---

[12] Administración de Drogas y Alimentos (FDA) es un organismo gubernamental estadounidense que inspecciona, pone a prueba, autoriza y establece las normas de seguridad para alimentos, suplementos alimenticios, fármacos, sustancias químicas y cosméticos, así como aparatos domésticos y médicos (N. del T.)

Factores de riesgo del derrame cerebral

Son muchos los factores que contribuyen al riesgo de padecer un derrame cerebral. Entre más factores reúne un paciente, mayor es el riesgo que corre. Si bien algunos de ellos son irremediables, otros pueden ser controlados o eliminados.

Factores de riesgo irremediables

Edad: Entre más viejo, mayor es el riesgo.

Sexo: Los hombres son más propensos a derrames; las mujeres mueren más frecuentemente a causa de ellos.

Herencia: Si un pariente cercano o un familiar han sufrido un derrame, el riesgo aumenta.

Raza: Los negros son más propensos a derrames que los blancos, en parte a causa de su predisposición a presión arterial alta, diabetes y obesidad.

Antecedentes de derrame o infarto: Si ha sufrido un derrame o infarto cardiaco, el riesgo de derrame aumenta.

Factores de riesgos evitables

Presión arterial alta

Diabetes

Enfermedades cardiovasculares

Fibrilación auricular: Trastorno del ritmo cardiaco que causa que las cámaras superiores del corazón (atrios) latan muy rápido o tiemblen en vez de latir, por lo que se crean coágulos de sangre que pueden tapar una arteria.

AIP

Tabaquismo

Sedentarismo y obesidad

¿Cómo funciona el nuevo fármaco?
¿Cuándo es inútil administrarlo?

Los medicamentos que están sometidos a las pruebas de la FDA incluyen aquellos que contrarrestan los efectos adversos de calcio, glutamato y radicales libres. El fármaco que ya recibió la aprobación, el APJ, rompe los coágulos, acto que restablece el suministro sanguíneo a las neuronas que están en "penumbra".

El APJ todavía es muy reciente y muchos médicos no saben de este fármaco. Solamente de 2 a 3 por ciento de las víctimas de derrames lo reciben, y a una parte considerable de este grupo se lo administran mal. Para que el APJ funcione adecuadamente y los efectos secundarios sean mínimos, es necesario administrar el medicamento dentro de las primeras tres horas después del derrame, como se ha mencionado anteriormente. Si han pasado más de tres horas o si el APJ se administra con un anticoagulante, el fármaco aumenta el riesgo de hemorragia cerebral que produce daños más graves en este órgano. Como pueden ver el APJ sólo se puede administrar después de un derrame isquémico y no hemorrágico; así pues, lo primero que debe hacer el personal de urgencias es llevar a cabo una visualización cerebral para confirmar el diagnóstico.

Bibliografía

Johnston, S.C. y cols. (2000). Short-term prognosis after emergency department diagnosis of TIA. *Journal of the American Medical Association*, 284/22: 2901-6.

National Stroke Association Website: www.stroke.org

Pantoni, L., M. Lamassa y D. Inzitari (2000). Transient global amnesia: a review emphasizing pathogenic aspects. *Acta Neurologica Scandinavica*, 102/5: 275-83.

Regeneración de las neuronas

Cómo los ejercicios físicos y mentales mejoran la habilidad de memorizar y recordar

Todos hemos crecido con la idea de que las neuronas muertas no se regeneran. ¿Quién de nosotros no tuvo miedo de que nuestras valiosas e irreemplazables células pudieran morir cada vez que retenemos la respiración, inhalamos el humo del cigarro, tomamos una copa de vino o permitimos que nos gane nuestro lado agresivo cuando el coche no avanza en el tráfico? El temor es tan grande que hasta da miedo levantarse de la cama en la mañana.

Sólo los años recientes han traído pruebas convincentes de la *neurogénesis* o la regeneración de las neuronas. Ahora sabemos que las nuevas células de este tipo crecen de nuevo en ratas adultas, musarañas, monos tití, macacos y, como se ha comprobado recientemente, en los humanos. Así, llama la atención aquí no tanto lo que uno puede hacer para prevenir la muerte de las neuronas, sino cómo es posible generar las nuevas y asegurar su sobrevivencia.

Las dos áreas más importantes para la memoria y el aprendizaje

De acuerdo con los nuevos hallazgos, hay ciertas áreas muy específicas del cerebro donde se sabe con certeza que las neuronas se vuelven a producir; una de ellas es el *hipocampo*. Incluso si pudiéramos escoger en qué área la regeneración sería continua, no podríamos hallar un órgano mejor que éste, pues tiene una función crucial en el aprendizaje y la memorización de lo nuevo. Además, los últimos estudios muestran que las neuronas podrían regenerarse en la *corteza prefrontal*, donde se concentra la memoria funcional y las habilidades de solución de problemas.

Quizá no es fortuito que estas dos regiones del cerebro —el hipocampo y la corteza cerebral— se degeneren con la edad. Junto con la atrofia gradual a nivel estructural llega el deterioro de la memoria y la agudeza mental, típicos de la edad avanzada. Estos cambios afectan prácticamente a cada uno de nosotros en diferentes grados y se manifiestan más ostensiblemente en los pacientes con la enfermedad de Alzheimer, la cual es la causa más común de la demencia relacionada con la edad.

Por qué el deterioro en algunas personas es más grave

Todo lo anterior plantea algunas cuestiones: si somos capaces de regenerar las neuronas a lo largo de la vida, ¿por qué perdemos la agudeza mental? Si el hipocampo se renueva constantemente, ¿por qué se degenera nuestra memoria? Y, tal vez, lo más importante: ¿por qué el cerebro de ciertas personas permanece sano sin importar su edad, mientras que otros se vuelven olvidadizos y se confunden fácilmente y algunos incluso desarrollan la enfermedad de Alzheimer?

Lo primero que hay que saber es que si bien la neurogénesis no cesa a lo largo de toda la vida, con la edad se hace más lenta en un proceso natural. Aunque esto responde a ciertas dudas, no deja en claro por qué ciertas personas de edad avanzada se ven más afectadas que otras.

La genética nos puede ayudar a explicar algunas de estas diferencias. En el caso del comienzo tardío de la enfermedad de Alzheimer (que suele atacar después de 65 años), cierta versión del gen que codifica la proteína llamada *ApoE* aumenta el riesgo de padecer la enfermedad en alguno u otro grado. Pero el vínculo entre el Alzheimer y la herencia genética no es necesariamente tan sencillo o determinista, pues hay muchas personas con la versión peligrosa del gen que no se enferma.

Nuevas neuronas, nuevos recuerdos

Las pruebas halladas en los últimos años muestran que las neuronas regeneradas pueden desempeñar un papel más importante que simplemente vincularse a las neuronas viejas con el fin de mantener los sistemas de memoria y aprendizaje existentes. Es probable que se necesiten nuevas neuronas para formar nuevas memorias.

En un experimento, cuyos resultados fueron publicados en la revista *Nature*, los investigadores inyectaron a las ratas con una sustancia química que elimina las neuronas regeneradas con criterio selectivo. Resultó que estas ratas no pudieron adquirir nuevos conocimientos en una tarea que se orienta al *hipocampo* (estructura donde aparecen las neuronas regeneradas en los cerebros de adultos). Los tipos de memoria que no dependen del hipocampo no fueron afectados. Así que sin las nuevas neuronas las ratas no son capaces de formar nuevas memorias que dependen del hipocampo.

En lo que respecta a los humanos, los tipos de memoria que necesitan este órgano para su funcionamiento incluyen la memoria *semántica* (almacenamiento de hechos) y *episódica* (memoria autobiográfica que guarda los recuerdos de lugares y acontecimientos). La enfermedad de Alzheimer afecta estos dos tipos de memoria en mayor grado.

Así pues, deben de haber otros factores. Es muy probable que algunos sean los mismos que afectan el ritmo de neurogénesis cerebral, según algunos estudios. A diferencia del factor genético, todos los demás son fácilmente corregibles.

Las neuronas que funcionan pueden evitar la muerte

Parece ser que un factor es el grado en el que uno aplica las habilidades controladas en el hipocampo. Los animales que viven en su hábitat natural conservan más neuronas hipocampales que los que están en cautiverio. Quizá, esto se deba a que los animales libres emplean más seguido las habilidades que dependen del hipocampo: por ejemplo, abrirse paso en un ambiente confuso y recordar el camino de regreso a casa. En algunos animales silvestres, la neurogénesis oscila de acuerdo con las necesidades de la temporada. Ciertas especies de pájaros tienen más neuronas hipocampales en las épocas relacionadas con el almacenaje y devolución de las semillas, actividades que hacen uso de sus habilidades de navegación en el espacio. Se ha mostrado que las ratas de laboratorio que aprenden nuevas habilidades en algún experimento se benefician el doble de la neurogénesis en comparación con las ratas que no reciben nuevos conocimientos.

Los científicos aún no saben a ciencia cierta cómo el ejercicio mental fomenta la neurogénesis, pero ya está claro que la velocidad duplicada de ésta se debe al incremento en la supervivencia —no de la producción— de las neuronas. Sumando esta información con todos nuestros conocimientos acerca del cerebro, llegamos a la conclusión perfectamente lógica de que la supervivencia de las neuronas regeneradas depende de si se usan o no. Al fin y al cabo, este principio se aplica a nuestro cerebro desde el momento del nacimiento —o incluso antes—.

Véalo así

Cada vez que nos enfrentamos a la necesidad de aprender algo nuevo o resolver un problema nuevo, facilitamos que las células regeneradas asuman su posición extendiendo sus fibras conectoras, *dendritas* y *axones*, que transmiten los impulsos a otras células que participan en la memoria y el aprendizaje. La imagen de poder ayudar a las neuronas nuevas a sobrevivir y aumentar el número de conexiones es mucho más prometedora que la idea de la inexorable muerte celular con la que hemos crecido. ¿Habrá algo que uno pueda hacer para producir más neuronas? De acuerdo con las investigaciones recientes, la esperanza sí existe.

El ejercicio físico ayuda a fortalecer las neuronas

Junto con el ejercicio mental, el entrenamiento físico también incrementa la velocidad de la neurogénesis. Las ratas de laboratorio que tienen la oportunidad de ejercitarse tienen el doble de neuronas nuevas (el mismo aumento que causa el ejercicio mental) que las ratas que no practican movimientos. Además, obtienen mejores resultados en las pruebas de aprendizaje y memorización. El ejercicio físico puede funcionar de diferente forma que el mental, quizá mediante el aumento en el nivel de factores de crecimiento como el BDNF[13] que preserva las neuronas y las repara.

El sentimiento de la depresión perjudica las funciones mentales

Una investigación reciente presentó pruebas persuasivas de que los antidepresivos incrementan la producción de nuevas células en el hipocampo. Uno de los efectos de los antidepresivos es el aumento del nivel BDNF, el mismo factor de crecimiento que se ve mejorado gracias al ejercicio físico, de modo que puede existir más de una manera cómo los antidepresivos aumentan la neurogénesis. Los estudios preliminares muestran que la *serotonina*, neurotransmisor que se secreta en mayores cantidades a causa de algunos antidepresivos, también puede estimular la neurogénesis. Puede haber otro mecanismo mediante el cual los antidepresivos tengan un efecto benéfico en la regeneración de las neuronas.

Es de suponer que las personas que podrían sacar mejor provecho de la estimulación de nuevas células cerebrales inducida por antidepresivos son aquellas que se beneficiarían de la acción normal de estos fármacos. Esto es, las personas con niveles bajos de BDNF y serotonina a causa de la depresión.

Pierda peso para pensar más rápido

Se ha probado que otro factor que incrementa los niveles de BDNF y la tasa de sobrevivencia de las nuevas células es el consumo reducido de calorías. Muchos estudios indican que las ratas y los ratones que llevan una dieta baja en calorías viven más que las que comen sin ningún límite. Más recientemente hubo pruebas de que un menor número de calorías en la dieta también

---

[13] Factor neurotrófico derivado del cerebro (N. del T.)

310 La mente experimentada

Según algunas fuentes, los estrógenos pueden ayudar a prevenir el Alzheimer

El BDNF no es la única sustancia natural que incrementa la producción de neuronas. Una de ellas son los estrógenos. En las ratas hembras, se ha mostrado que las alzas y caídas de la neurogénesis coinciden con las fluctuaciones en los niveles de estrógenos durante el celo. Si a la hembra se le quitan los ovarios, lo cual provoca una caída en los niveles de estrógenos, la tasa de producción de nuevas neuronas también disminuye. Si se le dan suplementos con estrógenos, la tasa incrementa de nuevo.

Estos hallazgos concuerdan con los resultados de estudios en humanos que muestran que los estrógenos tienen un efecto protector contra la demencia, por lo que a las mujeres menopáusicas a veces se les recomienda la terapia de estrógenos de reemplazo. Una investigación reciente demostró que las mujeres de más 65 años de edad con niveles de estrógenos naturalmente altos experimentan una caída en las habilidades cognitivas en menor grado. (Aun cuando sus ovarios dejan de producir la hormona, los estrógenos se siguen produciendo de las hormonas producidas en las glándulas adrenales). Entonces, las mujeres con bajos niveles de estrógenos corren mayor riesgo de desarrollar demencias como la enfermedad de Alzheimer y pueden beneficiarse más de las terapias de estrógenos de reemplazo.

protege el cerebro y puede contrarrestar la disminución de neuronas en el hipocampo propia de la enfermedad de Alzheimer. Esto puede explicar el hecho de que en China y Japón, países donde el consumo de calorías es relativamente bajo, la tasa de enfermos constituye la mitad en comparación con E.U.A. y Europa occidental. Una investigación sobre los habitantes de Nueva York mostró que las personas que no consumen muchas calorías tienen menor incidencia de la enfermedad de Alzheimer. Estos estudios exponen algunos procedimientos prácticos que influyen en el estado del cerebro. Primero que nada, concepto de "úselo o piérdalo" no es simplemente un eslogan, sino que está literalmente relacionado con la sobrevivencia de las neuronas recién generadas. Segundo, el ejercicio físico no sólo mejora el estado de ánimo, sino también preserva la salud mental. De hecho, estos dos tipos de salud junto con el estado de ánimo están entrelazados tan estrechamente que es poco probable influir sólo en uno sin afectar los demás.

Bibliografía

Brown, David R. y cols. (1995). Chronic psychological effects of exercise and exercise plus cognitive strategies. *Medicine and Science in Sports and Exercise*, 27/5: 765-75.

Gould, Elizabeth y cols. (2000). Regulation of hippocampal neurogenesis in adulthood. *Biological Psychiatry*, 48/8: 715-20.

Gould, Elizabeth y cols. (1999a). Learning enhances adult neurogenesis in the adult hippocampal formation. *Nature Neuroscience*, 2: 260-5.

Gould, Elizabeth y cols. (1999b). Neurogenesis in the neocortex of adult primates. *Science*, 286: 548.

Hollmann, Wildor y Heiko K. Strüder (2000). Brain function, mind, mood, nutrition, and physical exercise. *Nutrition*, 16/7-8: 516-19.

Mattson, Mark P. (2000). Neuroprotective signaling and the aging brain: take Hawai my food and let me run. *Brain Research*, 886: 47-53.

Melberg, Jessica E. y cols. (2000). Chronic antidepressant treatment increases neurogenesis in adult rat hippocampus. *The Journal of Neuroscience*, 20/24: 9104-10.

Shors, Tracey J. y cols. (2001). Neurogenesis in the adult is involved in the formation of trace memories. *Nature*, 410: 372-5.

van Praag, H., G. Kempermann y F. Gage (1999). URNG increases cell proliferation and neurogenesis in the adult mouse dentate gyrus. *Nature Neuroscience*, 2: 266-70.

Futuros tratamientos

Qué han descubierto los laboratorios
y qué se puede hacer mientras tanto

Un tema recurrente que reaparece después de cada estudio a grande escala de la demencia relacionada con la edad se reduce a esta frase sencilla: Las estimulaciones social y mental pueden proteger contra el Alzheimer. Con el uso de los experimentos con animales, los investigadores descubrieron que la estimulación mental duplica la tasa de la *neurogénesis* (la creación de nuevas neuronas) en la parte del cerebro especialmente importante para el aprendizaje y la memorización de lo nuevo. Es la parte del cerebro que representa el blanco que ataca la enfermedad de Alzheimer.

La estimulación mental y social en humanos puede crear nuevas conexiones nerviosas en el cerebro que se utilizan en el caso de que las viejas se hagan menos eficaces o se vean afectadas por las marañas y placas de Alzheimer. Esta teoría de "reserva funcional" o teoría de "respaldo" para la prevención de Alzheimer está reforzada por el hecho de que entre las personas con indicios estructurales equivalentes de la enfermedad, los individuos con educación superior presentaban menos síntomas conductuales, tales como problemas de memoria y razonamiento.

Ahora sabemos que la actividad física también incrementa la neurogénesis y mantener la forma tanto física como mental vale la pena. Hay otros incentivos para mantener buena salud: un ambiente enriquecido en los estímulos sociales, intelectuales y físicos aumentan el nivel de los neurotransmisores del "placer" (vea *Adicción al aprendizaje*), lo cual resulta en una vida más interesante y enriquecedora.

Sin embargo, incluso las personas que llevan una vida así desarrollan Alzheimer. Esto significa la presencia de otros factores que contribuyen a la enfermedad, uno de los cuales es el genético. Así pues, obviamente valdría la pena descubrir métodos que funcionen a nivel genético o bioquímico para prevenir e incluso curar la enfermedad. ¿Qué tan cerca estamos de estos tratamientos?

Enfoque genético en el tratamiento del Alzheimer

Existen dos tipos principales de Alzheimer: de comienzo temprano y tardío. El Alzheimer de comienzo temprano tiene un componente genético fuerte, pues alrededor del 40 por ciento de sus víctimas tienen antecedentes familiares de haber padecido la enfermedad. Se han identificado dos genes responsables de contribuir al Alzheimer de comienzo temprano: uno, ubicado en el cromosoma 21, produce la proteína llamada *proteína precursora de amiloide* (PPA). Si este gen está defectuoso, la proteína que produce puede tener el péptido denominado *beta amiloide* partido, el cual posteriormente se acumula en forma de placas en las sinapsis de células nerviosas. Pero este tipo de Alzheimer, que se registra antes de cumplir 65 años, es raro. Además, si bien fue este tipo de enfermedad el que en un principio recibió el nombre de Alzheimer, ocurre sólo en un porcentaje reducido de todos los casos y no es el que preocupa a la mayoría de las personas.

La forma de Alzheimer de comienzo tardío, que ataca después de los 65 años de edad, es más común. Afecta a un individuo de cada cinco después de los 80 años de edad y a uno de cada dos después de los 90. El factor genético en este tipo de Alzheimer no tiene mucha importancia. Con todo, sí existe un gen que desempeña cierta función en algunos casos de Alzheimer tardío. Este gen, productor de la proteína llamada *apolipoproteína E* (ApoE) viene en tres variantes. Todos heredamos un gen de ApoE de cada uno de los padres, lo cual da seis combinaciones posibles. Una de las variantes, conocida como e4, contiene un alto riesgo de desarrollar Alzheimer, sobre todo si se hereda de ambos padres.

Hace poco tiempo un grupo de investigadores de una compañía farmacéutica desarrolló la vacuna que actúa contra las placas de beta amiloide. Ellos probaron la vacuna en ratones que habían sido especialmente cruzados para tener el gen productor de PPA defectuoso. Por lo general, dichos ratones adquieren graves placas de beta amiloide a la edad de 11 meses. La vacuna (que consistía en una forma de proteína beta amiloide y además provocaba la producción de anticuerpos beta amiloide) no sólo impidió el desarrollo de las placas en los ratones aún sanos, sino también logró eliminarlas de las sinapsis en los ratones enfermos.

Más recientemente, los investigadores académicos mostraron que la vacunación a los ratones propensos al Alzheimer también los protege de los problemas con el aprendizaje y la memoria. En otras palabras, previene no sólo los indicios estructurales del Alzheimer en el cerebro de estos animales, sino también los conductuales, que se desarrollan invariablemente en esta raza de roedores.

Aún nadie sabe a ciencia cierta si la vacuna es segura y eficaz en humanos. Incluso en el caso de respuesta afirmativa, no sabemos si funcionaría en las variantes de Alzheimer que no sean en la etapa temprana, provocada por el gen PPA defectuoso. Sea como fuere, por ahora es la única esperanza existente para un tratamiento efectivo contra la enfermedad.

Implantación de las células madre: ¿un tratamiento viable contra el Alzheimer?

Otra tecnología que se está investigando como un posible tratamiento contra el Alzheimer es la implantación o inyección de células madre directamente en el cerebro. Dichas células son las células "multiuso" que pueden desarrollarse en cualquier tipo de célula especializada que se encuentra en nuestro cuerpo. Uno de los aspectos polémicos en la investigación de estas células está relacionado con el hecho de que éstas se obtienen de los fetos humanos después de haber sido abortados. Enseguida, las células reciben ciertas señales para que se desarrollen en el tipo de célula que se necesite para curar la enfermedad. Un enfoque más directo consiste en extraer el tejido fetal que ya se desarrolló para especializarse en cierto grado; por ejemplo, para la enfermedad de Alzheimer, se necesitan células precursoras que secretan el factor de crecimiento nervioso. Otra fuente prometedora —y menos controvertida— de las células madre es el cuerpo del paciente mismo. Aparte de evitar conflictos éticos, esta técnica tiene la ventaja de que no se corre el riesgo de rechazo por parte del sistema inmune del receptor.

316 La mente experimentada

Actualmente se están llevando a cabo experimentos para evaluar el posible uso de implantaciones con células madre para la reparación de los sistemas cerebrales dañados o perdidos a causa de alguna lesión o enfermedad neurodegenerativa. Por ejemplo, la enfermedad de Parkinson hace que las neuronas que producen la dopamina se atrofien. En varios experimentos, las células fetales capaces de producir la dopamina se inyectaban en el cerebro de los pacientes con Parkinson para remplazar las atrofiadas y asumir su responsabilidad. Se planea el mismo enfoque en el tratamiento de Alzheimer, con la excepción de que en este caso se remplazarían las células del sistema que produce y responde al neurotransmisor de la "memoria", la acetilcolina.

Desafortunadamente, no son muy alentadoras las noticias de los últimos experimentos muy controlados en humanos que hacen uso de las implantaciones con células fetales, pues muy pocos pacientes se vieron beneficiados. Lo que es peor, en un 15 por ciento de los pacientes las células implantadas crecieron con demasiada rapidez, cosa que resultó en movimientos incontrolables y espasmódicos. Este efecto adverso muestra que todavía queda mucho por aprender de la manera cómo se deben inducir las células inyectadas para que se desarrollen y conecten a las células existentes de manera correcta.

"Úselo o piérdalo" siempre estará de moda

Incluso después de encontrar el tratamiento contra el Alzheimer —ya sea en forma de pastilla o implantación celular— el uso, o en otras palabras "estimulación" o "ejercicio", tanto de las células existentes como las regeneradas nunca perderá importancia. Los experimentos de implantación de células madre en los animales, acompañados de un programa de estimulación mental, tienen mejores probabilidades de éxito que sin estimulaciones semejantes.

Lo mismo es cierto para la regeneración natural de las neuronas que, como sabemos, nunca deja de suceder aun en el cerebro adulto. Sin la estimulación mental —es decir, el uso específico y consciente de las nuevas neuronas para el aprendi-

zaje y la memorización— el número de células funcionales será mucho menor. Así pues, ya sea con ayuda farmacéutica o quirúrgica o sin ésta, el principio de "úselo o piérdalo" nunca perderá su importancia
(vea *Regeneración de las neuronas* y *Envejecimiento saludable*).

Bibliografía

Freed, C.R. y cols. (2001). Transplantation of embryonic dopamine neurons for severe Parkinson's disease. *New England Journal of Medicine*, 344/10: 710-19.

Morgan, Dave y cols. (2000). A-beta peptide vaccination prevents memory loss in an animal model of Alzheimer's disease. *Nature*, 408: 982-5.

Schenk, Dale y cols. (1999). Immunization with amyloid-beta attenuates Alzheimer-like pathology in the PDAPP mouse. *Nature*, 400: 173-7.

TÍTULOS DE ESTA COLECCIÓN

Aprenda Más Rápido y Recuerde Más.

Gamon y Bragdon

Cerebros que Funcionan un Poco Diferente.

Bragdon y Gamon

Ejercicios Inteligentes.

Bragdon y Gamon

Juegos para Fortalecer el Cerebro.

Bragdon y Gamon

Úselo o Piérdalo.

Bragdon y Gamon

Impreso en los talleres de
Trabajos Manuales Escolares,
Oriente 142 No. 216
Col. Moctezuma 2a. Secc.
Tels. 5 784.18.11 y 5 784.11.44
México, D.F.